Federico Reggio

Il paradigma scartato
Saggio sulla filosofia del diritto di Giambattista Vico

Seconda edizione, rivista, ampliata e aggiornata

pe
Primiceri Editore

Seconda edizione rivista, ampliata e aggiornata

Finito di stampare nel mese di novembre 2021
presso Rotomail Italia Spa – Vignate (MI)
per conto di Primiceri Editore Srls
Via Savonarola 217, 35137 Padova
Prima Edizione: luglio 2018
ISBN 978-88-3300-267-5
www.primicerieditore.it
In copertina: Mann und Frau in Betrachtung des Mondes
(Caspar David Friedrich)

Alla memoria di mia nonna Bruna.

Ricordando ore liete a leggere
e a discutere delle opere di Vico,
in un tempo ormai lontano.

(ma l'eterno 'corre in tempo')

INDICE

Prefazione 11

Introduzione: ritornare ad un bivio 17

Capitolo I – Vico e il diritto: storia di un *fil rouge*

1. La riflessione sul diritto nel percorso "bio-bibliografico" di Vico 29
2. Premesse concettuali e metodologiche nel *De Ratione* e nel *De Antiquissima Italorum Sapientia* 35
3. Grozio '*auttore*' vichiano 48
4. *Nova scientia tentatur.* Dal *Diritto Universale* alla *Scienza Nuova* 58

Capitolo II – La Critica di Vico ai suoi contemporanei

1. Vico ed il giusnaturalismo moderno: termini preliminari di un confronto critico 61
2. La critica di Vico alla modernità e il ruolo centrale del giusnaturalismo come struttura interpretativa 63
3. Vico e la gnoseologia moderna. Una possibile interpretazione: La gnoseologia moderna come *hybris* 70
4. Il matematismo e il privilegio moderno per il metodo analitico-deduttivo 74
5. Una possibile bipartizione 80
6. Critica all'idea astratta della legge sulla natura e alla visione stato-centrica delle moderne teorie della politica 89
7. Antropologia individualistica, utilitarismo, *status naturae* e rigetto del contrattualismo 93

7.1 Verifiche – I: Hobbes e la 'distruzione della umana società' 100
7.2 Verifiche – II: Grozio, Selden, Pufendorf e gli esiti scettico-utilitaristici delle loro dottrine. 103

Capitolo III – La concezione giuridica di Vico fra filosofia e metodologia. Itinerari esplorativi

1. La concezione giuridica vichiana: complessità e punti di tensione 113
2. Elementi fondamentali della prospettiva giuridica vichiana 116
3. Fenditure. Alcuni approfondimenti 119
3.1 Fenditura I - la naturale socievolezza dell'uomo: la famiglia come *prima societas* 120
3.2 Fenditura II – *verso la civitas*: *utilitas occasio non autem causa* (ossia l'apparente utilitarismo di Vico) 122
3.3 Fenditura III – *jus naturale prius* e *jus naturale posterius* 126
3.4 Fenditura IV – dal costume ai principii 129
3.5 Fenditura V – *diritto natural delle genti*, costume e *sensus communis* 133
3.6 Fenditura VI – *honeste vivere* e i principii del diritto naturale vichiano 137
4. Risvolti metodologici nella riflessione giuridica vichiana 140
4.1 Fenditura VII – verisimile e *infima veri*: il diritto fra *prudentia, sapientia ed eloquentia* 142
4.2 Fenditura VIII – la metodologia giuridica vichiana e il suo risvolto processuale 148
4.3 Fenditura IX – *Aequitas* come mediazione fra *lex* e caso concreto 152

Capitolo IV: Rileggendo la filosofia giuridica di Vico fra *verum* e *factum*

1. Ricorsive attualità vichiane 161
2. *Auctoritas cum ratione pugnare non potest*: idealità e storicità come polarità non armonizzate nella speculazione vichiana? 171
3. Una rilettura contestualizzata 175
4. Una terza via interpretativa del *verum-factum* 178
5. Il diritto nella *praxis* 189
6. Il *pudor* 'figura' del limite 194
7. Linee di tendenza per un diritto orientato alla (e dalla) reciprocità intersoggettiva 208
8. *Senso, fantasia e ragione*: un diritto… umano e aperto alla sfida dell'interculturalità. 214
9. Il 'caduceo di Mercurio': spunti di attualità vichiana a confronto con fenomeni evolutivi del diritto contemporaneo. 218

Conclusioni 229

Nota preliminare alla bibliografia 235

Bibliografia 237

Prefazione alla seconda edizione aggiornata

Perché soffermarsi a riflettere sul pensiero filosofico-giuridico di Giambattista Vico oggi, a trecento anni di distanza dalla pubblicazione del suo *Diritto Universale*? Si tratta forse di un'operazione nostalgica o, peggio, inattuale, nel contesto contemporaneo, apparentemente così lontano dal linguaggio e forse anche dall'assetto di conoscenze e di valori che si trovano al cuore della riflessione vichiana?

Potremmo, anzitutto, rispondere facendo leva sulla *classicità* di questo Autore, e richiamando quella nozione di 'classico' nella quale, per Gadamer, si rivela "un modo eminente dell'essere storico stesso, l'atto storico della conservazione che mantiene in essere un certo *vero* attraverso una sempre rinnovata *verifica*"[1]. Rivolgere l'attenzione ad un classico, quindi, è *in sé* un'operazione non meramente rivolta al passato: essa è anzi caratterizzata anche da un 'movimento di ritorno', che restituisce all'interrogante, nel suo presente, contenuti che gli si rivelano dotati di perdurante attualità.

Nell'atto stesso di *interpellare* un classico, quindi, quest'ultimo manifesta una certa polivalenza in relazione alla temporalità: il suo pensiero e la sua figura sono, da un lato, categoria *della* e *nella* storia, e spesso con ciò mostrano chiaramente anche una distanza rispetto al presente; eppure, ciò che propriamente appare più tipico dell'idea stessa di classicità attiene al fatto che quello a cui noi attribuiamo valore di 'classico' risulta in grado di dirci qualcosa di attuale nonostante la distanza temporale. Così, ci viene mostrato anche qualcosa che è sottratto alla mutevolezza dello scorrere del tempo, oltre che al variare del gusto e della sensibilità: è questo che ci permette di cogliere il classico non solo come ancora accessibile bensì anche, in qualche misura, come *con-temporaneo* a ogni presente. In questa tensione concettuale, "la potenza obbligante della sua validità che dura e si tramanda, precede ogni riflessione storica e si fa valere in essa"[2].

---

[1] H.G. Gadamer, *Verità e metodo*, Bompiani, Milano 1983, p. 336 (corsivi miei).

[2] H.G. Gadamer, *Verità e metodo*, (1960), cit., p.336.

Del resto, una simile consapevolezza era stata anticipata e promossa proprio dallo stesso Vico sotto vari profili, a partire dal suo forte legame con la classicità antica. Non solo: essa è resa visibile anche in un aspetto caratterizzante del pensiero vichiano, ossia la costante ricerca di articolare una coscienza filosofica della storia, in vista di una sintesi vitale fra astrazione concettuale e determinatezza empirica dell'evento, fra ideale ed effettuale.

Il ruolo della riflessione sul diritto riveste a questo proposito un'importanza centrale, dal momento che proprio in tale campo di indagine Vico vide il terreno per ricercare una sintesi fra l'empirico e l'ideale, fra lo storico e il concettuale, fra *filologia* e *filosofia*, 'vichianamente' parlando. Questa esigenza, già tematizzata nelle opere metodologiche e gnoseologiche giovanili, soprattutto nel *De Antiquissima Italorum Sapientia*, e portata a ideale maturazione nel lungo percorso di elaborazione della *Scienza Nuova* (nelle tre edizioni del 1725, 1730 e 1744), ebbe una svolta prospettica proprio intorno al tema della riflessione filosofica sul diritto, e in particolare sul diritto naturale. È lo stesso Vico a darci questa chiave di lettura quando, nella sua autobiografia, narra la novità che si affacciò al suo pensiero per effetto della lettura del *De Jure Belli ac Pacis* di Ugo Grozio, 'scintilla' di quel lungo percorso di studio culminato nella pubblicazione del *De Uno Universi Juris Principio et Fine Uno* (1720) e del *De Constantia Jurisprudentis*, le principali Opere Giuridiche dell'Autore, poi riunite in un unico volume nel *De Universis Juris (Diritto Universale)*.

Come le pagine seguenti cercheranno di evidenziare, la riflessione sul diritto costituisce ben più che una parentesi nella biografia di Vico, snodo fra le opere giovanili e la *Scienza Nuova*: essa è anzi un tema di fondamentale importanza che, sin dal suo apparire nell'orizzonte di pensiero dell'Autore, ne accompagnò fino alla fine il percorso speculativo. Il diritto è colto da Vico come ideale luogo di raccordo fra una pluralità di dimensioni interconnesse, che si dipanano nella tensione e nel collegamento fra la concretezza empirica del dato storico e lo slancio a indagare strutture concettuali che trascendono la forma storicizzata e rinviano a una riflessione sui principi che l'istituto giuridico storico cerca di incarnare, senza peraltro esaurirli nella sua puntualità contestuale. Vico evidenzia il legame sussistente fra il diritto e le strutture antropologiche, sociologiche, etiche e filosofiche che lo informano e condizionano in quanto *fatto umano*, e pertanto egli pone un forte accento sulla relazione sussistente fra l'ambito della giuridicità e quella serie di altre dimensioni che influiscono in modo determinante sulla formazione e sull'applicazione del diritto stesso, le quali necessitano di una riflessione filosofica per essere indagate con piena consapevolezza e metodo adeguato.

In ciò Vico insegna, fra l'altro, che, per misurarsi consapevolmente con un problema storicamente determinato, non basta rimanere all'interno della stretta rete categoriale con cui esso è solitamente concepito, bensì occorre anche affrontarlo con uno sguardo filosofico, senza il quale la lettura del 'dato' rischierebbe di rimanere alquanto miope e appiattita sul piano di un pragmatismo di corto raggio. Si tratta di un messaggio di fondamentale importanza in un'epoca, come la nostra, che del pragmatismo di corto raggio sembra essere orgogliosamente e, talora affannosamente, prigioniera.

Solo questo aspetto dovrebbe mostrare quanto possa essere fecondo misurarsi con il pensiero di questo Autore vissuto più di tre secoli fa, e di accettare questa sfida ponendosi con uno sguardo filosofico, in virtù del quale il dialogo con il 'classico' non risponde ad un'operazione meramente filologica. Come ha ricordato Massimo Cacciari, "il classico non fugge, ma sfida. Appartiene all'ora, ma rifiuta di servirla. Conosce il suo mondo, ma non è un dipendente, un 'impiegato'. Parla dell'ora, di questo mondo, della nostra vita anche quotidiana, ma da *giusta distanza*. Classico è ciò che disincanta dalle pretese che continuamente l'ora avanza di valere come l'ultima parola"[3]. Insomma, il classico parla anche al presente, senza finire però imprigionato nell'ansia di considerare valido solo ciò che è *del* presente,

[3] M. Cacciari, *Brevi inattuali sullo studio dei classici*, in I. Dionigi (a cura di), *Di fronte ai classici*, Rizzoli, Milano 2002, p. 23.

hic et nunc, e proprio per questo è errato tanto *relegarlo* al passato, quanto disincarnarlo dalla sua contestualità storica.

Eppure, proprio quest'ultima considerazione dovrebbe accompagnarsi anche ad un *caveat*, perché, come si è brevemente accennato in apertura, non si può mancare di cogliere anche una distanza che ci separa dal mondo di Vico, e in particolare dal suo pensiero giuridico, così apparentemente lontano dall'oggi nel suo forte legame con l'antichità classica (e con il diritto romano), nel suo carattere fondamentalmente giusnaturalistico, nella sua dichiarata apertura metafisica (per lo più innestata in una visione fortemente radicata nel Cristianesimo).

La chiave risiede, a nostro avviso, proprio nel concetto di 'giusta distanza', pocanzi evocato. Vico, infatti, si trova certamente ad una rilevante distanza dal presente della mentalità e della speculazione filosofica, soprattutto in Occidente (così spesso tentato di disfarsi, talora con *insostenibile leggerezza*, di riferimenti metafisici e finanche di legami con le proprie radici culturali e spirituali). Non solo: una certa, rilevante, 'distanza', Vico l'ha tenuta anche nei confronti di molti profili caratterizzanti del pensiero del suo stesso tempo, ponendosi scientemente come osservatore critico della Modernità sei-settecentesca. Nel suo caratterizzarsi come 'coscienza critica' della Modernità, l'Autore della *Scienza Nuova* offre quindi una interessante e articolata lettura critica di molti luoghi notevoli del pensiero dominante del suo tempo e ciò investe, come vedremo, anche la riflessione filosofica sul diritto. Eppure, questa distanza non rappresenta estraneità o alienazione, bensì uno stagliarsi critico, che abilita il pensiero di Vico a costituirsi nella sua originalità, grazie alla quale l'opera dell'Autore è collocata *nel* suo tempo, ma non omologata al pensiero dominante *del* suo tempo.

Grazie a questa caratteristica, la *pars construens* del pensiero vichiano invita a volgere lo sguardo, anche con riferimento al diritto, verso direzioni a tutt'oggi meno esplorate, se non anche dimenticate, magari perché, già in precedenza, frettolosamente scartate proprio da quel pensiero moderno di cui la nostra contemporaneità è comunque erede. Come cercheremo di tratteggiare, soprattutto in chiusa del nostro itinerario, la filosofia vichiana mostra una notevole vitalità, offrendo percorsi argomentativi dotati di attualità nel contesto dell'evoluzione contemporanea del dibattito sul diritto. Essi si rendono visibili, *in primis,* nel valorizzare il carattere relazionale e comunicativo dell'esperienza giuridica, con ricadute che investono sia la teoria del diritto quanto la sua metodologia.

Ciò che però Vico invita a riscoprire, ieri come oggi, è la consapevolezza di come la comprensione critica del diritto – fondamentale anche per la prassi giuridica – implichi necessariamente una *filosofia* del diritto. Questo è un messaggio di grande importanza per il giurista contemporaneo, che troppo sovente rischia (usiamo terminologie vichiane) di 'restare impigliato' nelle 'maglie' della sua frenetica e frammentata quotidianità.

Ovviamente c'è anche molto altro, e certamente molto di più di quanto riusciremo a cogliere nelle pagine che seguono: esse, tuttavia, ambiscono a proporre una chiave di lettura utile a ritrovare, insieme ad alcuni tratti portanti del pensiero giuridico vichiano, anche una visione del mondo con cui è interessante, e forse anche opportuno, misurarsi. Un *paradigma scartato* che attende solo di essere riscoperto, *in primis* da quell'Europa alle cui *Universitates* Vico aveva rivolto la prima edizione della sua *Scienza Nuova*, e che talora oggi, insieme al *mainstream* del mondo Occidentale, sembra con troppa leggerezza volersi disfare dei classici, tralasciando di custodirne la memoria e di esplorarne i perduranti motivi di attualità.

Proprio a questo riguardo, invece, Giambattista Vico mostra un'ulteriore accezione della 'classicità': si tratta della capacità di dialogare con le fonti e, più in generale, con la cultura dell'antichità non limitandosi a un approccio, diremmo, 'archeologico', bensì sapendone vivificare il messaggio alla luce degli interrogativi e delle chiavi di lettura del presente (qualunque esso sia). In questo senso, 'classico' è qualcosa di *oltre* rispetto all'antico, perché, anche qualora si muova in senso filologicamente attento alla contestualità del dato storico, la trascende in un movimento ermeneutico che consente di individuare nelle antichità, anche sterminate, e a partire da queste ultime, fenditure concettuali preziose per riflettere in vario modo sull'avventura dell'umanità attraverso il tempo. Così facendo,

Vico, al di là della sua stessa avventura di pensiero e delle sue stesse opere, offre una prospettiva e un metodo di studi che consentono di leggere la cultura e le fonti del passato in un'ottica sia storica che attualizzante: essa si rivela particolarmente adatta, non da ultimo, a riflettere su profili antropologici, sociologici, politici e giuridici, 'partendo' da forme e manifestazioni storiche ma non rimanendo 'impigliati' nella loro stretta contingenza[4]. Questa prospettiva, culminata nella *Scienza Nuova* ma coltivata da Vico attraverso tutta la sua articolata vicenda intellettuale, trova nel diritto un punto di raccordo essenziale fra i profili sopra indicati. Pertanto, a nostro avviso, essa costituisce un perdurante dono che questo Autore, nella sua classicità e nella sua 'atipica' modernità, offre ancor oggi alla filosofia del diritto, e non solo[*].

---

[4] Si tratta di una prospettiva teorica e metodologica che, nel caso di chi scrive, ha recentemente ispirato una serie di ricerche, condotte a stretto dialogo con profili e studi storiografici, e che si sono tradotte già in alcuni scritti, di cui segnalo, ad esempio: F. Reggio – M. Rizzotto, *Quando i Greci si chiamavano Yona. L'hapax indo-greco dalle origini all'akmè con Menandro Soter. Riflessioni storiche, sociologiche e politico-giuridiche*, in "Calumet – intercultural law and humanities review", 1/2020, pp. 11-56; F. Reggio, *When Dionysos met the Buddha. A Reading on Interculturality, Identity and Globalization at the Crossroad between India and Late-Hellenism: Sociological and Legal-Philosophical Implications*, in I. Zarzosang Varte (ed.), *Society, Culture, Environment and Human Security: Rediscovering Northeast India*, indigeNE, Department of Tribal Studies Indira Gandhi National Tribal University - Regional Campus, Manipur (India) 2020, pp. 1-20; F. Reggio, *Alcune considerazioni su vero storico, vero poetico, scelta e argomentazione in margine al* "De bello Dacico", in M. U. Traiano, *Le Guerre Daciche* (Commentarii de bello Dacico), Primiceri ed., Padova 2020, pp. 3-13; F. Reggio, *Custodire. Consegnare. Trasmettere. Riflessioni introduttive al "la storia di Babilionia di Beroso"*, in Beroso, *Storia di Babilonia* (Βαβυλωνιακὰ), *Seguita dai frammenti de L'Astronomia*, a cura di Mirko Rizzotto, Primiceri, Padova 2021, pp. 9-16; F. Reggio, Pacta pacis causa. *Alcune considerazioni filosofico-giuridiche su diritto e negozialità in margine alla figura di Pietro Patrizio*, in Pietro Patrizio, *Storia*, a cura di M. Rizzotto, Primiceri, Padova 2021, pp. 3-19; F. Reggio, *L'inattuale urgente. Un protrettico al* De Legibus *di Cicerone*, in M. T. Cicerone, *Sulle leggi*, testo latino con traduzione a fronte e introduzione a cura di M. Rizzotto, Primiceri, Padova 2021, pp. I-XIV.

[*] Finito di scrivere il 29/10/2021.

Introduzione: ritornare ad un bivio

Un luogo argomentativo sempre più frequente nella riflessione giuridica contemporanea è la constatazione per la quale il diritto, così come tradizionalmente inteso e praticato, stia attraversando un processo di trasformazione profonda: questo mutamento pone in discussione molte categorie e persino paradigmi teorico-giustificativi entro cui esso è stato tradizionalmente compreso ed applicato in molti paesi occidentali negli ultimi decenni.

Infatti l'esperienza giuridica offre, con sempre maggiore intensità, elementi in favore di un progressivo abbandono di una visione statica ed astratta dell'ordinamento giuridico in favore di concezioni incentrate su un 'diritto vivente', in cui la 'norma' si plasma nella prassi, per lo più di formazione giurisprudenziale (talora permeata da categorie esogene rispetto a quelle del contesto normativo nazionale)[5].

---

[5] Cfr., sulla nozione di diritto vivente, E. Resta, *Diritto Vivente*, Laterza, Roma-Bari 2008. Sulle sue origini, e sull'uso di tale categoria anche in funzione critica del normativismo formalistico, cfr. E. Ehrlich, *Recht und Leben. Gesammelte Schriften zur Rechtstatsachenforschung und zur Freirechtslehre*, (a cura di Manfred Rehbinder), Duncker Humblot, Berlin 1967 e Id., *I fondamenti della sociologia del diritto*, Giuffrè, Milano 1975 e, per una lettura alla luce di una prospettiva sociologico-giuridica, A. Febbrajo, *E. Ehrlich: dal diritto libero al diritto vivente*, in «Sociologia del diritto», 9/1982, p. 137-159; R. Treves, *Sociologia del diritto*, Einaudi, Torino 1989. Sul ruolo della giurisprudenza nella formazione del diritto, e quindi nella estrinsecazione del diritto vivente, cfr. P. Moro - C. Sarra, *Introduzione*, in Positività e Giurisprudenza. *Teoria e prassi nella formazione giudiziale del diritto*, a cura di P. Moro e C. Sarra, Milano, FrancoAngeli 2012, pp. 7-14. In particolare, sull'influenza di Corti extra-nazionali, e di criteri giuridici extra-ordinamentali nella costruzione del formante giurisprudenziale, cfr. C. Sarra, *Quando i fatti sono discorsi. L'interpretazione conforme nella delimitazione del «reale in quanto opposto al chimerico»*, in *Positività e Giurisprudenza*, cit., pp. 85-115. La categoria del diritto vivente ha esercitato un'influenza sempre crescente proprio con riferimento alla giurisprudenza costituzionale, e agli studi ad essa dedicati: si registra, a questo proposito, un ricorso a tale nozione già in studi relativamente risalenti, per cui cfr., a titolo esemplificativo, D.

La stessa idea di diritto positivo, a prescindere dal fatto che ci si collochi entro una prospettiva normativista o meno, sembra aprirsi ad una connotazione 'processuale' della positivizzazione, mostrando come il *positum* rappresenti, più che una regola giuridica in senso compiuto, un 'progetto di norma' che attende molteplici e complesse operazioni di 'attualizzazione' per 'farsi' diritto vivente, e prima ancora, autenticamente esistente[6].

Non mancano inoltre voci tese ad evidenziare un crescente malessere verso prospettive giuridiche troppo incentrate sulla dimensione 'eteronoma' e aggiudicativa del diritto: esse risultano non sufficientemente attente né alle implicazioni personali ed interpersonali dell'intersoggettività giuridica, né ad aspetti regolativi 'autonomi' e volontari[7].

Nocilla, *A proposito di 'diritto vivente'*, in «Giurisprudenza Costituzionale» 1981, p. 1876 e G. Zagrebelsky, *La dottrina costituzionale e il diritto vivente*, "Giurisprudenza Costituzionale" 1986, p. 1148.

[6] Sulla norma come "progetto di norma" cfr. le interessanti riflessioni proposte in C. Consolo, *Spiegazioni di diritto processuale civile*, Cedam, Padova 2008, p. 919. Sulla positivizzazione come struttura concettuale dinamica e complessa si vedano gli studi di Francesco Cavalla, per cui cfr. F. Cavalla, *All'origine del diritto al tramonto della legge*, Jovene, Napoli 2011 e Id., *Sull'attualità del dibattito fra giusnaturalismo e giuspositivismo*, in «Rivista di Filosofia del Diritto», 1/2012, pp. pp. 107-122. Non si può non menzionare, a questo proposito, anche l'importante contributo della prospettiva ermeneutica, per cui cfr. G. Zaccaria, *L'arte dell'interpretazione. Saggi sull'ermeneutica giuridica contemporanea*, Cedam: Padova 1990; F. Viola G. Zaccaria, *Diritto e Interpretazione*, Laterza, Roma-Bari 1999. Sul concetto (e sul pericolo) di 'diritto inesistente' cfr. M. Jori, *Del diritto inesistente. Saggio di metagiurisprudenza descrittiva*, ETS, Pisa 2010.

[7] Mi riferisco, in particolar modo, al dibattito che ha accompagnato la nascita e lo sviluppo in ambito penale della *Restorative Justice* e, in ambito civile, delle forme di *Alternative Dispute Resolution* di stampo consensuale-conciliativo. Cfr., per una prima rassegna su queste tematiche e sui loro motivi ispiratori: H. Zehr, *Changing Lenses. A new Focus on Crime and Justice*, Herald Press: Scottsdale 1990; M. Wright, *Justice for Victims and Offenders. A restorative Response to Crime*, Open University Press: Bristol (PA) 1991; W. Cragg, *The Practice of Punishment. Towards a Theory of Restorative Justice, Routeledge*: London-New York 1992; G. Mannozzi, *La giustizia senza spada. Uno studio comparato su giustizia riparativa e*

Perciò, alla luce di tali considerazioni, non risulta affatto inappropriato rivolgere l'attenzione al pensiero filosofico giuridico di Giambattista Vico, che già *illo tempore* intuì un modello per il quale il diritto, nelle sue varie manifestazioni storiche, potesse esprimere anzitutto una socialità vissuta, capace di manifestarsi in varie forme, sia autonome che eteronome. Tanto nelle sue opere strettamente giuridiche quanto nella più nota *Scienza Nuova*, Vico, infatti, incominciò ad allontanarsi con decisione da un approccio filosofico che pensasse il

---

mediazione penale, Giuffré: Milano 2003; L. Walgrave, *Restorative Justice, Self Interest and Responsible Citizenship*, Willan Publishing: Cullompton-Portland 2008; F. Zanuso, *Les avantages de la justice réparatrice et la saggesse du tribunal de l'Héliée*, in S. Tzitzis (a cura di), *Déviance et délinquances. Approches psycho-sociales et pénales*, Dalloz: Paris 2009, pp. 331-357; F. Reggio, *Giustizia Dialogica. Luci e ombre della Restorative Justice*, FrancoAngeli: Milano 2010; J. Blad D. Cornwell - M. Wright (a cura di), *Civilising Criminal Justice. A Restorative Agenda for Penal Reform*, Waterside Press: Hook-Hampshire 2013. Per quanto concerne, invece, la critica dell'eteronomia giuridica in ambito civile, si rinvia a: J. S. Auerbach, *Justice Without Law?: Non-Legal Dispute Settlement in American History*, Oxford 1983; R. Abel, *The Politics of Informal Justice*, New York 1982; T.S. Denenberg R. V. Denenberg, *Dispute Resolution: Settling Conflicts without Legal Action*, Public Affairs Committee: New York 1981; R. Fisher - W. Ury - B. Patton, *Getting to Yes. Negotiating Agreement without giving in*, Penguin Books: Londra 1981; B. L. Benson, *Giustizia senza stato. I tribunali mercantili dell'Europa medievale e i loro equivalenti moderni*, in D. T. Beito, P. Gordon e A. Tabarrok (a cura di), *La città volontaria*, Rubbettino-L. Facco: Treviglio-Soveria Mannelli 2010, pp. 61-93. Sulla prospettiva della mediazione civile si rinvia a G. Cosi - M.A. Foddai, *Lo Spazio della Mediazione. Conflitto di diritti e confronto di interessi*, Milano: Giuffrè 2003; J. W. Cooley, *The Mediator's Handbook. Advanced Practice Guide for Civil Litigation*, National Institute for Trial Advocacy Press: Boulder (CO) 2006; R. Kraybill (a cura di), *Peace Skills. Manual for Community Mediators*, Wiley & Songs: Weinheim 2000; S. Greco Morasso, *Argumentation in Dispute Mediation*, John Benjamin Publishing Company: Amsterdam 2011; P. Gianniti (a cura di), *Processo civile e soluzioni alternative della controversia in ambito civile*, Aracne, Rimini 2016; F. Reggio, *Concordare la norma. Gli strumenti consensuali di soluzione della controversia in ambito civile: una prospettiva filosofico-metodologica*, Cleup, Padova 2017.

diritto come un 'insieme di norme' statico ed astratto, in cui il *positum* fosse dato come mero prodotto dell'autorità[8].

Nella progressiva riscoperta di fattori come la contestualità, la complessità, la dimensione sociale del 'praticato' e il ruolo del consenso, oggi, risulta indubbiamente di grande interesse il riferimento ad una concezione dinamica del diritto, come quella vichiana: in essa è già costante l'invito al giurista (pratico e teorico) ad immergere le categorie astratte 'nella feccia di Romolo', studiando il fenomeno giuridico nella sua fattualità sociale e nel suo "plasmarsi" nella prassi[9]. Parallelamente, la prospettiva del filosofo napoletano contiene il costante richiamo all'esigenza di non perdere lo sguardo critico verso i contenuti che il diritto viene di volta in volta ad incorporare, non elevando, quindi, la fattualità storica a fattore autoreferenziale.

Allontanandosi dalle concezioni giusnaturalistiche dominanti nel suo tempo, Vico, inoltre, concepiva il diritto come un 'farsi storico' che sorge dalle relazioni umane e in esse si manifesta: un diritto contestualmente flessibile e che, perciò, mal si presta a 'finire

---

[8] Scrive August 't Hart: "Ciò che Vico contesta, e con energia, è la visione razionalistica che stava alla base dei tentativi di codificazione, e secondo la quale la ragione poteva mettere l'uomo in grado di formulare un sistema coerente di norme astratte ed universali, che il giurista avrebbe potuto applicare in modo meramente deduttivo alla varietà multiforme ed irregolare della realtà sociale" (A. 't Hart: *La metodologia giuridica vichiana*, in "Bollettino del centro di Studi Vichiani", XII-XIII, 1982-1983 , p. 27). Non a caso, nella sua ricerca di una connessione fra studio teorico del diritto ed attenzione alla concretezza storica, Vico individua una relazione stretta fra diritto e costume, come appare chiaramente nella centocinquesima Degnità della Scienza Nuova Prima: "Il diritto natural delle genti è uscito con i costumi delle nazioni, tra loro conformi in un senso comune umano, senza alcuna riflessione e senza prender essemplo l'una dall'altra"(G.B. Vico, *Principi di una Scienza Nuova dintorno alla comune natura delle Nazioni* (1725), Degnità CV).

[9] Ricorda infatti, icasticamente, Vico nella V Degnità della Scienza Nuova Prima che può fruttare a pochissimi, che vogliono vivere nella Repubblica di Platone (ossia in un mondo ideale, ma anche astratto), "non rovesciarsi nella feccia di Romolo" (G.B. Vico, *Principi di una Scienza Nuova dintorno alla comune natura delle Nazioni*, Degnità V).

impigliato' tra le 'rigide maglie' delle astrazioni legali o entro teorie politiche fondate su ipotesi non verificabili (come egli reputava, ad esempio, le categorie dello *stato di natura* e del *contratto sociale* tipiche delle dottrine giusnaturalistiche dei suoi contemporanei)[10].

Persino il diritto naturale, tradizionalmente emblema di contenuti immutabili e destinati a trascendere il fluire storico, pur valendo come monito avverso i tentativi di ridurre il diritto a mero fatto, tanto più a 'fatto di potere', si apre ad una positivizzazione storica, non risultando immune al mutare della mentalità umana e dei costumi in cui questa si forma ed esprime: come affermava Vico, esso 'corre in tempo'[11].

---

[10] Vico infatti accusa molti dei suoi contemporanei, i "prìncipi del diritto naturale", Grozio, Selden e Pufendorf di tre gravissimi errori, "de' quali il primo è che quel diritto naturale che essi stabilirono per massime ragionate di morali filosofi e teologi e, in parte, di giureconsulti, come egli è in verità eterno nella sua idea, così stimano che mai fosse stato praticato coi costumi delle nazioni"(G. B. Vico, *Principi di una Scienza Nuova*, cit., V, p. 19).

[11] Le riflessioni che Vico dedica al Diritto Naturale sono ampie e molteplici, e trovano spazio non solo nelle sue opere giuridiche, ovvero il *De Uno* e il *De Constantia Jurisprudentis*, per cui cfr. G. B. Vico, *De uno universi iuris principio et fine uno* (1720), Id., *De constantia jurisprudentis* (1721), ora in ora in G.B. Vico: *Opere Giuridiche, Il Diritto Universale*, Sansoni, Firenze 1974. Tali riflessioni sono tuttavia un tema portante anche nelle due più note edizioni della Scienza Nuova (ossia la prima e la definitiva), per cui cfr. G.B. Vico, *Principi di una Scienza Nuova dintorno alla comune natura delle Nazioni* (1725); G. B. Vico, *La Scienza Nuova* (1744), ora in G.B. Vico, *Opere*, Mondadori, Milano 2005. Non è possibile dare conto della vasta bibliografia che si è occupata del pensiero giuridico vichiano, tuttavia, per una prima disamina di autori che ne hanno in particolare evidenziato la dinamicità e l'apertura alla storia, sottolineando tale punto di distanza del pensiero di Vico rispetto al giusnaturalismo sei-settecentesco, cfr. G. Capograssi, *Dominio, libertà, tutela nel De Uno*, in "Rivista Internazionale di Filosofia del Diritto", 3/1925, III, p. 437-451; C. Cantone, *Il concetto filosofico di diritto in Giambattista Vico*, Società Editrice Siciliana, Mazara 1952; L. Bellofiore, *La dottrina del diritto naturale in G.B. Vico*, Giuffrè, Milano, 1954 e Id., *Morale e Storia in G. B. Vico*, Giuffrè, Milano 1972; D. Pasini, *Diritto, società e Stato in Vico*, Jovene, Napoli 1970; G. Ambrosetti, *Idea ed esperienza del diritto in Vico*, in E. Riverso (ed.), *Leggere Vico*, Spirali, Milano 1982; U.

Il riferimento al diritto naturale non è casuale se si considera che, come è stato frequentemente ed autorevolmente rilevato, le radici del paradigma giuridico statico e normocentrico, del quale oggi si manifesta con evidenza una crisi tanto teorica quanto pratica, andrebbero appunto fatte risalire - talora direttamente, talora *via negationis* - al giusnaturalismo moderno, di cui l'Autore rappresentò una voce critica, seppure entro una riflessione che aveva assunto il diritto naturale come un riferimento centrale[12].

Galeazzi, *Ermeneutica e Storia in Vico. Morale, diritto e società nella 'Scienza Nuova'*, Japadre, Roma-L'Aquila 1993.

[12] Sorge spontaneo il riferimento all'idea di giusnaturalismo e giuspositivismo come "fratelli nemici", emblematicamente espressa da Norberto Bobbio in N. Bobbio, *Giusnaturalismo e positivismo giuridico*, Giuffrè, Milano 1965. Non va trascurato, ovviamente, il fatto che "se consideriamo giuspositivismo e giusnaturalismo come due dottrine o come due gruppi di dottrine storicamente determinate, ci accorgiamo che le prime nascono, in un preciso periodo storico, in antitesi e in reazione alle seconde" (G. Pino, *Il positivismo giuridico di fronte allo Stato costituzionale*, in "Analisi del diritto" 1998, pp. 203-227, qui p. 205). In una definizione minimale, come osserva Pino, "il concetto di diritto presupposto dalle concezioni teoriche giuspositiviste potrebbe essere formulato così: tutto il diritto è diritto positivo; quest'ultimo è un artefatto umano radicalmente contingente, sia dal punto di vista della sua produzione, sia dal punto di vista della sua valutazione, e i contenuti normativi del diritto non hanno alcun radicamento oggettivo o vincolo esterno al contesto storico culturale nel quale si collocano" (*Ibid*). In questo, tuttavia, si mostra tanto ciò che nettamente distingue giusnaturalismo (moderno) e giuspositivismo quanto ciò che accomuna tali approcci, distanziandoli, pertanto, dalla prospettiva di Vico: (I) il considerare il diritto come insieme di norme, e (II) l'attribuire valore secondario, se non irrilevante al suo "farsi storico". Per una prima lettura sul 'nucleo fondamentale' del positivismo giuridico, cfr.: N. Bobbio, *Il positivismo giuridico*, Giappichelli, Torino, 1961, N. MacCormick, *Law, Morality and Positivism*, in N. MacCormick-O. Weinberger, *An Institutional Theory of Law. New Approaches to Legal Positivism*, Reidel, Dordrecht, 1986, p. 128-129; R. Guastini, *Dalle fonti alle norme*, Giappichelli, Torino, 1990, p. 72-73; V. Villa, *Concetto e concezioni di diritto positivo nelle tradizioni teoriche del giuspositivismo*, in G. Zaccaria (a cura di), *Diritto positivo e positività del diritto*, Giappichelli, Torino, 1991, pp. 155-189. Sui tratti che accomunano le varie visioni normo-centriche del diritto cfr. F. Cavalla, *L'origine e il diritto*, FrancoAngeli, Milano 2017; P.

Queste singolarità del pensiero vichiano potrebbero, forse già da sole, fornire un buon argomento per confrontarsi con l'eredità di Giambattista Vico, se non vi fossero ulteriori e più profondi motivi, su cui vale la pena di soffermarsi brevemente.

Non c'è, come si intende mostrare, solo una semplice assonanza tra alcuni fenomeni rilevanti nell'esperienza giuridica contemporanea e alcune intuizioni vichiane. Se, infatti, dovessimo concordare nel ritenere che i mutamenti odierni rappresentano una presa di distanza rispetto ad alcuni presupposti di pensiero tipici della visione politico-giuridica moderna (con la quale, peraltro, sono evidenti ancora forti legami), l'attualità di un confronto con Vico va ritrovata proprio nel fatto che egli, in piena 'fioritura' di tale *Weltanschauung*, ne aveva criticato molti dei presupposti: presupposti sia antropologici che gnoseologici che, come si vedrà, hanno avuto una ricaduta anche sui principali riferimenti categoriali in ambito politico-giuridico[13].

Moro, *La via della giustizia. Il fondamento dialettico del processo*, Al Segno, Pordenone 2001.

[13] Sulla nozione di modernità e sui suoi elementi salienti nel contesto della teoria filosofico-politica, il mio riferimento va a J. Habermas, *Il discorso filosofico della modernità*, Laterza: Roma-Bari 1997; H. Arendt, *Vita Activa. La condizione umana*, Bompiani, Milano 2000; F. Zanuso, *Conflitto e Controllo sociale nel pensiero politico-giuridico moderno*, Cleup, Padova 1993; F. Cavalla (a cura di), *Cultura moderna ed interpretazione classica*, Cedam, Padova 1997. Sulla posizione critica assunta da Vico nei confronti dei capisaldi dell'emergente Weltanschauung moderna cfr. M. Lilla, *G. B. Vico, the Making of an anti-modern*, Harvard University Press, Cambridge (MA) 1993; E. Voegelin, *la Scienza Nuova nella storia del pensiero politico*, Napoli: Guida 1996. Sulla continuità e discontinuità del pensiero vichiano rispetto ai capisaldi della modernità filosofica, cfr. R. Caporali, *Vico: quale modernità?*, in "Rivista di Filosofia", 1/ 1996, pp. 357-378; G. Cacciatore - S. Caianiello, *Vico anti-moderno*, in "Bollettino del Centro di Studi Vichiani", XXVI-XXVII, 1996/1997, pp. 205-218; A. Battistini, *Vico tra antichi e moderni*, Il Mulino, Bologna 2004; Su continuità e discontinuità fra moderno e postmoderno il mio riferimento va a: F. Cavalla, *La verità dimenticata. Attualità dei presocratici dopo la secolarizzazione*, Cedam, Padova 1996 e F. Cavalla., *Appunti intorno al concetto di secolarizzazione*, in L. Palazzani (a cura di*), Filosofia del Diritto e Secolarizzazione. Percorsi, profili, itinerari*, Edizioni Studium, Roma 2011, pp. 11-38; A. Vendemiati, *Universalismo e relativismo*

Il progetto ordinatore della modernità, in cui spiccavano ambiziose aspirazioni di realizzare ordinamenti giuridici caratterizzati da completezza, chiarezza ed efficacia regolativa ha visto, invero, l'infrangersi di molti dei propri sogni, e l'appalesarsi di profili fallaci, se non addirittura illusori, sui quali si conta ormai una vastissima quanto variegata bibliografia[14]. Ora, in pieno *esodo dalla modernità*, mentre si constatano con lucidità e talora con profondo senso di disillusione molti dei fallimenti teoretici e pratici intorno ai quali tale *visione del mondo* aveva costruito ed alimentato le sue aspirazioni di 'magnifiche sorti e progressive', ulteriori spunti e motivi di riflessione ereditati da un 'bivio oltre-passato' possono aiutare a 'ri-orientare' il pensiero giuridico contemporaneo[15]. Infatti, nel recupero e nella rivalutazione di

---

nell'etica contemporanea, Marietti, Genova 2007. Sul concetto di modernità, e sul suo legame con istanze ordinatrici di matrice razionalistica si rinvia a M. Manzin, *Ordo Juris. Alle origini del pensiero sistematico*, Franco Angeli, Milano 2008. Sull'ordine infranto della modernità e sull'emergere di un orizzonte nel quale l'ampliarsi apparente di spazi di possibilità privi di autentici criteri orientativi e di controllo si traduce in una "possibilità impazzita", il mio riferimento va a B. Montanari (a cura di), *La possibilità impazzita. Esodo dalla modernità*, Giappichelli, Torino 2005.

[14] Appare alquanto emblematico quanto osservava, con gravi toni, Giuseppe Capograssi: "quella lunga illusione del mondo moderno di poter costruire e aver costruito una realtà che preservasse e custodisse l'azione umana, cade; cade la lunga illusione di chiudere in un perpetuo sistema di garanzie il temporaneo e di incorniciare in un quadro di istituzioni perpetue il continuo passare della storia" (G. Capograssi, *Il significato dello Stato contemporaneo*, 1942, ora in G. Capograssi, *Opere*, IV vol, Giuffrè, Milano 1959, p. 391). Per una riflessione recente, si veda anche F. Zanuso, *La fragile zattera di Ulisse. Alcune riflessioni sul ruolo della norma positiva nella composizione del conflitto intersoggettivo*, in P. Moro - C. Sarra (a cura di), *Positività e Giurisprudenza*, cit., pp. 49-84.

[15] Sulla difesa della tradizione umanistica da parte di Vico, e sul suo andare controcorrente rispetto al *mainstream* dei suoi contemporanei, cfr., per una prima lettura, M. Lilla, G.B. *Vico. The Making of an Anti-modern*, Harvard University Press, Cambridge (MA)-London 1993; F. J. Mootz, *Vico and Imagination: An Ingenious Approach to Educating Lawyers with Semiotic Sensibility*, «International Journal of Semiotic and Law», 22/2009, pp. 11-22. Non mancano, tuttavia, interpretazioni che sottolineano l'importanza di non

quella 'altra immagine', o, si potrebbe dire, di quel '*paradigma scartato*' che fu nel '700 il modello giuridico vichiano, è possibile ritrovare alternative prospettiche utili a volgere lo sguardo al di là di schemi precostituiti; questo, non certo perché si possa ritornare a quel bivio per scegliere diversamente in merito alla sua evoluzione specifica, bensì per riconsiderare le ragioni delle scelte, e gli argomenti dell'alternativa scartata.

Giambattista Vico, peraltro, non si presta a facili etichettature concettuali. Anzi, proprio in questa sfuggente polimorfia può essere trovato un argomento che rivela la perdurante vitalità di questo autore[16], la quale impegna il lettore in uno sforzo interpretativo destinato a rinnovarsi continuamente (coinvolgendo diversi rami delle scienze umane), superando gli angusti limiti di un razionalismo (post)cartesiano da cui Vico stesso invitava a prendere criticamente distanza[17].

---

spingere la criticità di Vico verso il suo tempo sino al punto di portare l'Autore al di fuori del suo contesto storico-culturale (a ritroso), oppure cadendo nel 'mito' del "Vico precursore" (P. Piovani, *Pensiero e società in Vico, in Giambattista Vico nel centenario della nascita*, ESI, Napoli 1971, pp. 127 e ss).

[16] Sulla riscoperta, o, comunque, sulla rivalutazione contemporanea di Vico, e le declinazioni entro cui essa si è dipanata, soprattutto al di fuori del contesto culturale italiano, cfr., *in primis*, G. Costa, *G.B. Vico's Global Reception: Europe, Latin America, and Asia*, in "Eighteenth-Century Studies" Vol. 44/2011, pp. 538-141; D. L. Marshall, *The Current State of Vico's Scholarship*, in "Journal of the History of Ideas", Vol. 72, 1/2011, pp. 141–160.

[17] Hans Georg Gadamer lega anche al pensiero di Vico la sollecitazione ad una 'controspinta' avverso le maglie troppo anguste di una razionalità 'cartesiana', nel segno anzi del recupero della *phronesis* aristotelica, più adatta a misurarsi con la complessità e contestualità delle problematiche etiche e giuridiche. Cfr. H. G. Gadamer, *Verità e Metodo*, Bompiani, Milano 1983, pp. 25-67. Sulla critica a Cartesio e agli esiti razionalistici della gnoseologia derivante dal Discorso sul Metodo, rinvio altresì alla più recente analisi condotta in: P. Ciccarelli, *Sul problema cartesiano del criterio di verità nel* Liber Metaphysicus *di Giambattista Vico*, in "Giornale Critico di Storia delle Idee" 2/2017, pp. 239-252.

Ancora oggi, a 300 anni dalla pubblicazione delle sue *Opere Giuridiche*, la lezione lasciata dal filosofo, oratore e giurista napoletano risuona come un *invito al pensiero giuridico*, inteso nella duplice accezione di *pensiero rivolto al diritto* e *pensiero che caratterizza il diritto* stesso nelle sue varie manifestazioni[18]. Vico, in altri termini, obbliga a riflettere su un insieme di questioni che ancora oggi interrogano il giurista che non intenda appiattire la dimensione giuridica a una prassi irriflessa o che non accetti di disincarnare la *scientia juris* dalle molteplici connessioni filosofiche che essa suscita in ogni tempo, come sempre accade per una materia che tocca così profondamente la persona e il mondo umano[19]. Si pensi, ad esempio, al rapporto fra idealità e storicità del diritto o alla relazione fra la capacità di conoscere quest'ultimo nella sua dimensione normativa concreta senza ridurlo, nel suo *certum*, a un mero prodotto di *auctoritas*, indifferente alla ricerca di una *ratio* non meramente pragmatico-utilitaristica bensì aperta alla problematica e relazionale ricerca del *verum*[20].

In queste tensioni fra apparenti opposti, il confronto con la prospettiva vichiana opera come un invito a non restare intrappolati entro facili polarizzazioni bensì a ricercare, con gusto per la

---

[18] In realtà, la prima opera giuridica, o meglio di filosofia del diritto, realizzata dal Nostro risale al luglio 1720 ed è intitolata *De uno universi iuris principio et fine uno*. L'anno dopo Vico pubblica il *De constantia iurisprudentis*, articolato in due parti (*De constantia philosophiae* e *De constantia philologiae*). Al di là delle differenze sussistenti fra le due opere, Vico stesso mostra la propensione a considerarle entro un plesso unitario, il c.d. *Diritto Universale*, che ricomprende i testi *de quibus*, integrandoli con le *Notae* aggiunte nel 1722 e le *Sinopsi* premesse al testo.

[19] Nell'evidenziare questo legame non sfugge il riferimento alla prospettiva di pensiero elaborata da Sergio Cotta, per cui cfr. S. Cotta, *Diritto, persona, mondo umano*, Giappichelli, Torino 1989; Id., *Il diritto nell'esperienza. Linee di ontofenomenologia del diritto*, Giuffrè, Milano 1991.

[20] Sulla dialettica fra *verum* e *certum*, fra *auctoritas* e *ratio* rinvio anche alle recenti riflessioni, corredate da espliciti riferimenti al *Diritto Universale* di Vico, proposte in M. Ricca, *Perpetually Astride Eden's Boundaries: the Limits to the "Limits of Law" and the Semiotic Inconsistency of "Legal Enclosures"*, in "International Journal of Semiotics and Law", 1/2020, pp. 1-51.

complessità, una via che le *com-ponga* entro una visione più ampia. Spicca, a questo riguardo, la intrinseca *controversialità* del diritto e della riflessione sulla dimensione giuridica, che il Nostro ben evidenzia rivelando la dinamicità che è inerente ai magmatici movimenti delle *societates* storiche. Anzi, è proprio questa dinamicità controversiale a sottrarre dal pericolo di considerare il diritto quale costrutto monolitico e monologico, mantenendo invece ancorata l'indagine giuridica al suo essere radicata sul diritto come fatto umano e come fatto sociale: a tal riguardo, la prospettiva filosofica e metodologica di Vico rammenta come sia erroneo pensare al diritto in termini di sovrastruttura, e anzi invita a guardare all'esperienza giuridica quale struttura intrinsecamente antropologica[21].

Quest'ultima considerazione fa della filosofia giuridica vichiana un monito sempre attuale di fronte, da un lato, alle tendenze spersonalizzanti e disumanizzanti da cui non è esente l'esperienza giuridica contemporanea e, dall'altro lato, al rischio di conchiudere il diritto alla sola dimensione comportamentale, sganciando la prassi da una riflessione critica che ne investa le forme, i contenuti, i molteplici presupposti. Misurarsi, oggi, con la riflessione giuridica vichiana – pur con le difficoltà dovute anche alla distanza contestuale e temporale che si pone fra essa e il mondo contemporaneo – mostra l'importanza e l'urgenza di un pensiero filosofico rivolto al diritto. Più esplicitamente, Vico rivela l'importanza *di una*, anzi, *della* filosofia del diritto, intesa non già come *divertissement* intellettuale bensì come disciplina che si rende necessaria per una giuridicità attenta a farsi espressione, tutela e custodia della intersoggettività umana, e che non cada nell'errore e nel pericolo di considerare quest'ultima in rapporto di reciproca irrilevanza rispetto al diritto.

---

[21] Il richiamo al concetto di esperienza giuridica ci porta a rammentare l'elaborazione filosofico-giuridica di Giuseppe Capograssi, sul cui pensiero è nota l'influenza della filosofia vichiana. Cfr., sul concetto di esperienza giuridica, G. Capograssi, *Studi sull'esperienza giuridica*, 1932, in ora in Id., *Opere*, Giuffrè, Milano 1959, II vol.

CAPITOLO I

Vico e il diritto: storia di un *fil rouge.*

Sommario: 1. La riflessione sul diritto nel percorso 'bio-bibliografico' di Vico - 2. Premesse concettuali e metodologiche nel *De Ratione* e nel *De Antiquissima Italorum Sapientia.* - 3. Grozio 'auttore' vichiano – 4. *Nova scientia tentatur.* Dal *Diritto Universale* alla *Scienza Nuova.*

1. La riflessione sul diritto nel percorso 'bio-bibliografico' di Vico

Si è anticipato come la filosofia di Giambattista Vico offra argomenti molto interessanti e stimolanti ora che possiamo osservare e sperimentare criticamente i risultati (e gli insuccessi) della parabola della modernità. Sottovalutato, e probabilmente anche frainteso da molti dei suoi contemporanei - per il suo approccio critico verso diversi aspetti del pensiero moderno in evoluzione agli albori dell'Illuminismo - Vico (1668 - 1744) sviluppò, attraverso un percorso 'solitario' sebbene non isolato, una filosofia diversa e originale, profondamente legata alla tradizione umanistica e alla classicità[22]. Nella sua autobiografia (*Vita di*

---

[22] Scrive Jean Jacques Chevallier, Vico "morì pressoché ignoto, votato al destino ingrato dei genii passati inosservati o misconosciuti" (J.J. Chevallier, *Storia del pensiero politico*, vol. II, Il Mulino, Bologna 1990, p. 556). Del resto, pochi anni dopo la scomparsa di Vico, uno studioso che si richiamò apertamente al suo insegnamento, quale fu Emanuele Duni, si esprimeva con queste parole: "le altissime meditazioni d'un tanto valentuomo senza pari, (…) vennero anzi abbandonate, che gustate da' dotti; pure nel buio, in cui rimasero quasi sepolte, non lasciarono di tramandare raggi di splendida luce"(E. Duni, *Saggio sulla Giurisprudenza Universale*, 1760, qui citato nell'edizione romana del 1845, edita presso la Stamperia della Rev. Cam. Apost.; la citazione è a p. 4). Non va tuttavia trascurato quanto evidenziano studi più recenti relativamente al recepimento di Vico nel contesto culturale del suo tempo, rispetto al quale "la diffusione settecentesca della filosofia vichiana non è un rivolo inconsistente" (…) bensì un pensiero ben integrato nel dibattito filosofico italiano ed europeo (G. Scarpato, *Vico e Rousseau nel Settecento Italiano*, in "Il pensiero politico" 1/2017, pp. 27-58, qui, p. 52). Scarpato evidenzia, con una

Giambattista Vico scritta da sé medesimo, 1725-1728), il filosofo si descrive come uno "straniero nella sua stessa patria"[23]. Tale immagine sottolinea, in realtà, come la differenza tra la sua peculiare prospettiva e quella del '*mainstream*' dei suoi contemporanei lo abbia collocato su un percorso distintivo che non si è mai completamente 'adattato' alle categorie divenute dominanti in quel frangente storico-culturale, e che si addensano intorno a nuclei portanti della *Weltanschaaung* moderna[24].

---

disamina molto puntuale, la diffusa ma controversa accoglienza delle idee di Vico, equiparato talora, criticamente, agli autori del giusnaturalismo razionalistico moderno (così, ad esempio, nell'interpretazione del Finetti), e talaltra riletto proprio in funzione critica nei confronti di questi ultimi (così, ad esempio, il Grimaldi, che si richiama a Vico per una critica rivolta a Hume e a Rousseau, oppure il Buonafede, che contrappone il Napoletano al Ginevrino, rileggendo l'autore della *Scienza Nuova* in chiave conservatrice). Si veda, sul punto, anche A. Gismondi, *Verità, ragione, storicità. Forme della ragione nella Napoli di G. B. Vico*, Giannini, Napoli 2011.

[23] Cfr. G. B. Vico, *Vita*, p. 9. Dove non diversamente indicata, la citazione delle opere di Vico è operata, d'ora in poi secondo i criteri bibliografici formalmente indicati dal *Centro Studi Vichiani* (Università Federico II Napoli). Segnatamente, le opere sono così citate: *Ars* = De arte poetica; *De Ant.* = De antiquissima italorum sapientia (1710); *De const.* = De constantia jurisprudentis (1721); *De mente* = De mente heroica (1732); *De rat.* = De nostri temporis studiorum ratione (1709); *De Uno* = De uno universi juris principio et fine uno (1720); *Du* = Diritto universale (1721-23); *Epist.* = Lettere; *Inst.* = Institutiones oratoriae; *Orat.* = Orazioni inaugurali; *Poesie* = Poesie; *Risp. I* = Risposta (1711); *Risp.II* = Risposta (1712) *Sin.* = Sinopsi (1720); *Sn25* = Principi di una Scienza nuova ("scienza nuova prima" 1725); *Sn30* = Scienza nuova "seconda" (1730); *Sn44* = La Scienza nuova (1744); *Vita* = Autobiografia (1728). Le opere indicate con tali criteri si riferiscono ai seguenti testi: Giambattista Vico: *Opere Giuridiche, Il Diritto Universale*, Sansoni, Firenze, 1974, contenente: *Sinopsi del diritto universale; De uno universi juris uno principio et fine uno; De constantia iurisprudentis;* Giambattista Vico: *Opere*, Mondadori, Milano, 2001, contenente: *Vita scritta da se medesimo; De nostri temporis studiorum ratione; Lettere; De mente heroica; Princìpi di scienza nuova (1744); Princìpi di scienza nuova (1725);* Giambattista Vico, *Institutiones Oratoriae*, Suor Orsola Benincasa Napoli, 1989; Giambattista Vico: *De antiquissima Italorum sapientia*, Sansoni, Firenze, 1998.

[24] Tale attitudine emerge chiaramente nell'opera *De Nostri temporis studiorum ratione*, scritta nel 1709 e dedicata allo studio del confronto tra la metodologia

Del fatto che il percorso di Vico sia stato, come si è detto, 'solitario ma mai isolato', riscontriamo chiare evidenze in molte parti del suo lavoro; lavoro che il filosofo ha svolto assumendo, spesso dichiaratamente, un ruolo critico nei confronti di molti aspetti della filosofia a lui coeva. Tale atteggiamento lo ha aiutato a sviluppare un approccio originale verso la tradizione dell'umanesimo classico, nel cui solco, per molti aspetti, come si è accennato, si era collocato: tuttavia ciò non ha portato l'Autore a sottrarsi alla riflessione su alcune delle principali e più dibattute questioni del suo tempo[25].

La riflessione giuridica – pur costituendo un profilo non sempre particolarmente noto nella *vulgata* di Vico – costituisce un punto di osservazione interessante per verificare quanto pocanzi affermato. Ciò

---

classica e quella moderna. L'approccio moderno è caratterizzato da una attitudine marcatamente sistemica e modificativa della realtà (sociale, politica, fattuale, giuridica...), inclinazione derivante da uno specifico approccio razionalistico alla conoscenza, che tende a ridurre il mondo ad una realtà intesa come fascio di fenomeni, terreno fertile per l'esercizio della inclinazione alla manipolazione propria del genere umano. Derivo questa concezione di modernità da F. Zanuso, *A ciascuno il suo. Da Immanuel Kant a Norval Morris. Oltre la concezione moderna della retribuzione*, Cedam: Padova 2000; F. Cavalla: *La verità dimenticata. Attualità dei presocratici dopo la secolarizzazione*, Cedam, Padova 1996; F. Cavalla, *Appunti intorno al concetto di secolarizzazione*, in L. Palazzani *Filosofia del diritto e secolarizzazione. Percorsi, Profli, Itinerari*, Edizioni Studium, Roma 2011, pp. 11-38; F. Gentile, *intelligenza politica e ragion di stato*, Giuffré: Milano 1983. Come Cavalla esplicita: "sebbene la Modernità sia spesso intesa come una categoria storica, o, quantomeno, come filosofia tendente ad essere una prospettiva dominante tra il XVI e la prima metà del XX sec, l'approccio 'moderno' conferma una attitudine filosofica che non può essere circoscritta in quel solo momento storico"(F. Cavalla, *All'origine del diritto al tramonto della legge*, Jovene: Napoli, 2011, pp. 172-173).

[25] Un aspetto enfatizzato, in particolare, da G. Ambrosetti, *Idea ed esperienza del diritto in Vico*, in E. Riverso (a cura di), *Leggere Vico*, Spirali, Milano 1982. Si veda anche, più recentemente, A. Battistini, *Vico tra antichi e moderni*, Il Mulino, Bologna 2004; G. Mazzotta, *La nuova mappa del mondo. La filosofia poetica di Giambattista Vico*, Einaudi, Torino 1999; A. Sabetta, *L'illuminismo cristiano di Vico. La fonte agostiniana del Diritto Universale*, in "Rassegna di Teologia", 46/2005, pp. 547-585.

richiede, previamente, che si esamini il ruolo che la riflessione sul diritto ha giocato nel percorso biografico e filosofico vichiano, e, di conserva, la stessa dottrina giuridica elaborata dall'Autore. Se forse può sorprendere che si consideri il filosofo partenopeo nel suo profilo di 'giurista' – o, diremmo oggi, di 'filosofo del diritto' – in questa sede preme anzi evidenziare che il diritto ha giocato un ruolo fondamentale sia nella formazione che nella successiva produzione filosofica di Vico, rimanendo – sia pur con accenti ed intensità diverse a seconda del periodo – un riferimento pressoché costante nel suo pluriennale percorso di pensiero[26].

Lo scopo della breve 'bio-bibliografia' che seguirà è proprio quello di evidenziare questo *fil rouge*, ripercorrendo tappe che, attraverso la vita stessa del filosofo partenopeo, consentano di tracciare un itinerario dell'evoluzione del suo stesso pensiero.

Introdotto sin da giovane agli studi giuridici e, poi, alla pratica forense, Vico si mostrò presto insofferente verso un'attitudine, diremmo oggi, puramente tecnica e mnemonica nei confronti del diritto. Lo ricorda egli stesso nell'Autobiografia, quando rammenta le pesanti e tediose le lezioni degli istituzionalisti o gli insegnamenti impartitigli dal canonista Verde, consistenti "in lezioni tutte ripiene di

---

[26] Come sottolineato – fra gli altri - da R. Orestano, in *Introduzione allo studio del diritto romano*, Il Mulino, Bologna, 1987, p. 216; si tratta di una tesi più volte emersa negli studi vichiano di Guido Fassò, e da questi magistralmente compendiata in G. Fassò, *Storia della Filosofia del Diritto*, vol II, Laterza, Roma-Bari, pp. 212-229. Dubita invece della centralità della riflessione giuridica all'interno della speculazione vichiana, pur evidenziando come il diritto abbia costituito colonna portante della formazione dell'Autore e dello sviluppo della sua filosofia, D. Pasini, *Diritto, società e stato in Vico*, Jovene Napoli, 1970. Il ruolo della riflessione giuridica nel pensiero vichiano è questione controversa. Letture risalenti, come quelle di Croce (Cfr. B. Croce, *La Filosofia di G.B.Vico*, 1922.) e Gentile (G. Gentile, *Studi Vichiani*, Le Lettere, Firenze 1927) tendono ad evidenziare la marginalità delle opere giuridiche, successivamente rivalutate da alcune voci, fra cui, a titolo esemplificativo: A.M. Jacobelli Isoldi, *G.B. Vico, la vita e le opere*, Il Mulino, Bologna, 1960; D. Faucci, *Vico e Grozio, giureconsulti del genere umano*, in "Filosofia", XIX, 1968, pp. 502-523; G. Ambrosetti, *Lezioni di Filosofia del Diritto*, Modena, 1976, pp. 324-332.

casi della pratica più minuta dell'uno e dell'altro foro, de' quali il giovinetto non vedeva i principii, siccome quello che dalla metafisica aveva già incominciato a formare la mente universale e ragionare di particolari per assiomi o sien massime"[27]. Un simile modo di accostarsi allo studio del diritto gli appariva, oltre che noioso, anche frammentario e relegato alla mera contingenza.

Possiamo dunque scorgere dal racconto dello stesso Vico che egli, fin dagli esordi dei suoi studi giuridici si è sentito proiettato verso una ricerca più profonda, che iniziava a dibattersi entro due polarità apparentemente opposte ma compresenti nell' invitarlo ad un ulteriore approfondimento: da un lato la riflessione filosofica sulla struttura, la ragion d'essere e il fine degli istituti giuridici; dall'altro il riferimento alla realtà storico-sociale da cui il diritto nasce e alla quale esso si riferisce[28]. La netta reazione contro la tipologia degli studi giuridici da lui sino ad allora affrontati si rivela, dunque, latrice di una presa di coscienza destinata a trovare successive conferme in svariati momenti lungo l'arco temporale della sua opera, in cui il diritto viene colto ed evidenziato come uno dei 'luoghi privilegiati' in cui osservare e meditare, a partire dall'esperienza, l'incontro fra il pensiero speculativo

---

[27] Vita, pg. 8-9.

[28] Afferma Pasini: "l'insegnamento per Vico fu quello che, in grado maggiore o minore, in forma più o meno chiara, avverte ogni studente; quello che in particolare traggono quegli studenti che, come il Vico, sono forniti di intelligenza, di spirito critico, di ansia di vita, e di far vivere o rivivere tutto ciò che ad essi è impartito; nel caso specifico, che il diritto ha un senso ed un valore solo quando, da semplice oggetto di apprendimento mnemonico, passivo e, quindi, privo di vita, diventa elemento fecondo; quando la pura erudizione giuridica diventa cultura viva e vitale. Ed è tale, qualunque sia il diritto oggetto di insegnamento, anche più lontano, rispetto a chi lo studia, solo e quando il docente sappia farlo rivivere come esperienza attuale, contemporanea, di modo che il discente sia in grado di coglierlo nel suo storico porsi ed attuarsi, in tutta la sua storica e sociale ragion d'essere e nella sua problematica esistenza".(D. Pasini, *Diritto, società e Stato in Vico*, Jovene, Napoli 1980, p. 6).

e il fluire magmatico e complesso della storia attraverso le vicende umane.

Probabilmente per una sorta di incapacità ad aderire pedissequamente a schemi precostituiti, il filosofo decise, infine, di non frequentare più le lezioni del prof. Verde; questo fatto non determinò l'abbandono degli studi giuridici, che lo videro impegnato nell'approfondimento del diritto civile e canonico, oltre che nella pratica forense svolta, con successo, presso l'avvocato Fabrizio Del Vecchio[29].

Tuttavia, dal momento che il suo animo – come apprendiamo sempre nell'Autobiografia – "aborriva grandemente dallo strepito del foro", Vico sentì il bisogno di meditare in un luogo tranquillo e ritirato. Lo trovò in un castello del Cilento, a Vatolla, luogo "di bellissimo silenzio e di perfettissima aria", di proprietà di Domenico Rocca, "gentilissimo suo mecenate", dove dimorò dal 1688 al 1695, quale insegnante di giurisprudenza ai nipoti del Rocca. E fu qui che Vico "fece il maggior corso degli studi suoi, profondendo in quello delle leggi e de' canoni ai quali li portava la sua obbligazione"[30].

La laurea in Giurisprudenza fu conseguita tra il 1693 e il 1694[31].

Gli anni di Vatolla furono un riferimento biografico importante, non solo perché qui egli ebbe l'occasione di effettuare approfondimenti culturali e filosofici di grande importanza, ma anche perché, proprio in quegli anni maturò, coerentemente con le premesse già precedentemente evidenziate, la sua aspirazione a meditare in merito ad "un principio di diritto naturale delle genti, il quale fosse comodo a

---

[29] Il 20 giugno 1686, non ancora laureato, Vico pronunciò vittoriosamente un'arringa davanti al Sacro Regio Consiglio napoletano, in difesa del proprio padre, un modesto libraio contro il quale era stata intentata una causa da un concorrente, Bartolomeo Moreschi. Cfr. *Vita*, p. 10.

[30] Cfr. Vita, pg. 9

[31] Secondo Caramella essa sarebbe stata conseguita presso l'Università di Salerno, non di Napoli. Cfr. S. Caramella, *Giambattista Vico*, in *Grande Antologia Filosofica*, Giuffrè, Milano, 1964, pp. 276.

spiegar le origini del diritto romano e di ogni altro diritto civile gentilesco per quel che riguarda la storia e fosse conforme alla sua dottrina della grazia per quel che riguarda la moral filosofia"[32].

Da questa breve parentesi biografica è, quindi, già possibile individuare come l'approfondimento delle tematiche giuridiche abbia fornito una prima, fondamentale, impronta al percorso filosofico di Vico: come si intende mostrare, non si tratta di una parentesi episodica bensì di un *Leitmotiv*, che consente di collocare a pieno titolo l'Autore fra quanti hanno intrapreso in modo sistematico una riflessione filosofica sul diritto[33].

2. Premesse concettuali e metodologiche nel De Ratione e nel De Antiquissima Italorum Sapientia.

Già il *De nostri temporis studiorum ratione* (1709) – opera di carattere metodologico, e non incentrata su temi giuridici – offre spunti che

---

[32] *Vita*, pg 12.

[33] Sull'interesse filosofico nei confronti del diritto scrive il Fassò: "Non lo interessano le leggi, la giurisprudenza in quanto tale; non lo interessa quella che i giuristi si compiacciono di chiamare scienza giuridica (...). Egli non vuole né porre in sistema concetti giuridici (...) né riformare le istituzioni del suo paese". G. Fassò, *Vico e Grozio*, Guida, Napoli 1971, p. 71. *Contra* N. Badaloni, *Vico prima della Scienza Nuova*, in "Rivista di filosofia", LIX, 1968. Badaloni afferma (a p. 134) che la trattazione giuridica di Vico "è volta a rimettere in valore il punto di vista della politica, cioè dell'interesse generale". In questo, secondo Badaloni, Vico sarebbe pienamente inserito in quello slancio riformatore delle leggi e delle istituzioni tipico dell'Illuminismo. Questa osservazione non deve tuttavia spingere il pensiero vichiano sino al punto di affermare un primato della politica sulla filosofia. Questo aspetto è rinvenibile anche nella critica che Vico rivolse a uno dei suoi "auttori", ossia Francis Bacon: come è stato osservato, infatti, se per Bacon il mondo delle leggi è appannaggio dei politici, Vico afferma la sua prospettiva di "filosofo, giureconsulto e oratore", per effetto della quale egli vede un principio filosofico operante sia come base del diritto sia come coronamento della riflessione sullo stesso. Cfr., a tal proposito, R. Bassi, *Il* De Uno *alla luce dell'*Exemplum tractatus de justitia universali, sive de fontibus juris *di Francis Bacon*, in "Laboratorio dell'ISPF", XIII, 2016, pp. 1-33, qui p. 14.

possono essere di aiuto nel rinvenire alcuni aspetti di rilievo sul pensiero filosofico-giuridico vichiano[34].

Riguardo alla fondamentale base categoriale offerta dal diritto romano, di cui il filosofo rivendica in più punti la vitalità, egli si pone un interrogativo circa il possibile equilibrio fra istanze filologiche ed esigenze di attualizzazione[35]: l'*aequitas* – fattore che nello *jus commune* costituisce, com'è noto, un rilevantissimo strumento di interpretazione, anche 'creativa' della fonte giuridica – può in qualche modo essere accostata ad un formante di contenuti giuridici che rischia, però, di forzare il dato testuale affidando all'interprete un compito 'nomopoietico', i cui spazi operativi possono sconfinare nell'arbitrarietà[36]. Al giurista, tuttavia, non spetta nemmeno il compito 'archeologico' di ricostruire un testo filologicamente puro del diritto romano, precludendone l'applicabilità, o, comunque, limitando la presa di coscienza delle strutture logico-giuridiche ad esso sottese. Vico sottolinea, in questo modo, come il giurista sia chiamato a individuare un criterio mediativo fra la storicità positiva del diritto e il lavoro interpretativo volto a 'distillare' il principio sotteso al testo giuridico e a 'raffrontarlo' con le istanze e le problematiche suscitate dal caso concreto[37].

---

[34] Opera che riprende ed amplia la tematica della metodologia degli studi, già trattata dall'Autore in una "prolusione tenuta alla gioventù studiosa il 18 ottobre 1708 in occasione della solenne inaugurazione della regia università del Regno di Napoli" e pubblicata a sue spese l'anno successivo.

[35] Max H. Fisch, *Vico on Roman Law*, in "New Vico Studies" 19/2001, pp. 1–28.

[36] Non è possibile citare in questa sede la vastissima letteratura storico-giuridica dedicata a questi profili, per i quali si rinvia, per una prima e rilevante dinamica a: P. Grossi, *L'ordine giuridico medievale*, Laterza, Roma-Bari 1999, in particolare pp. 175-200; R. Calasso, *Introduzione al diritto comune*, Giuffrè, Milano 1951; A. Cavanna, *Storia del diritto moderno in Europa*, Giuffrè, Milano, 2000; E. M. Meijers, *Etudes d'histoire du droit*, Universitaire Press Leiden, Leiden 1966.

[37] Riguardo agli Accursiani – "uomini acutissimi, nonché indagatori diligentissimi d'equità" – ne elogia l'abilità nell'interpretare il diritto romano "adattandolo ai nostri affari privati" con un'elasticità anche talvolta eccessiva,

Nel *De Ratione* emerge, dunque, a mo' di affresco iniziale, un tema caro anche alla successiva speculazione vichiana, ossia il ruolo vitale attribuito dall'Autore all'*aequitas*, in controtendenza con linee già in via di consolidamento nell'età barocca, e che vedranno tale riferimento venire progressivamente marginalizzato[38]. Inoltre, in questa sede Vico tratteggia elementi che si troveranno ulteriormente sviluppati nelle opere specificamente dedicate al tema giuridico, ed in particolare nel *Diritto Universale:* ci si riferisce, in particolare, all'idea per la quale la storia del diritto romano e l'evoluzione della sua *jurisprudentia* appaiono soprattutto come luogo privilegiato del manifestarsi, in un'esperienza giuridica e storica conclusa, di una razionalità dotata di vivacità e validità destinate a perdurare e a manifestarsi oltre le singole forme storiche, informandole di principi capaci di trascendere la singola forma e nel contempo di calarsi in vari contesti, filtrati dall'esperienza[39].

---

motivo per cui "*meritarono quel verace e lusinghiero elogio di Ugo Grozio: che 'spesso sono ottimi autori di un diritto da legiferare, anche quando siano cattivi interpreti'.* Riferendosi invece agli Alciatiani, ne elogia il pregio di una ricostruzione filologica del diritto romano, evidenziandone altresì il limite: "*quando nelle loro trattazioni di diritto privato debbono esibire responsi o sentenze intorno a controversie del tempo nostro, gli Alciatiani non fanno se non dare sviluppo a ciò che era stato detto dagli Accursiani e mutuare da loro gli argomenti equitativi*" *(De Rat.*, p. 187*)*.

[38] Scrive Vico: "*il giureconsulto deve considerare precetti ottimi dell'equità civile (o giusta ragion di stato) in primo luogo quelli che facciano scorgere anche l'equità naturale (giustizia); in secondo luogo quelli che pur sembrando (come Giustiniano definisce l'usucapione)* impia praesidia, *tuttavia, e sebbene con qualche danno privato arrechino pubblica utilità di gran lunga superiore; per ultimo quelli che, vantaggiosi per il privato, non arrecan danno allo Stato.*" (*De rat.*, p. 189). Evidenzia il ruolo centrale dell'*aequitas* nella speculazione giuridica vichiana G. Giarrizzo, *Vico, la politica e la storia,* Guida, Napoli 1981. Sul *fil rouge* che, intorno al tema dell'*aequitas*, collega la speculazione filosofico-giuridica vichiana alla tradizione del diritto romano, si veda anche O. Sacchi, Verum quia Aequum. *L'equità come paradigma del vero giuridico nella retorica antica, nei giuristi romani e nella 'filosofia del diritto' di G. B. Vico*, in "L'Era di Antigone. Quaderni del Dipartimento di Scienze Giuridiche della Seconda Università degli Studi di Napoli", FrancoAngeli, Milano 2011, pp. 9-54.

[39] Secondo Santino Caramella una delle importanti conclusioni a cui giunge il *De ratione* riguarda proprio il diritto: "la saggezza pratica ha per arte la

Questa ricerca di un incontro fra storia e pensiero è ribadita da Vico stesso nella sua autobiografia secondo due connesse declinazioni, entrambe afferenti alla riflessione giuridica[40]: da un lato la ricerca di un principio di equità naturale delle genti che spieghi - seguendo la genesi e l'evolversi del diritto romano e di ogni altro diritto civile - il manifestarsi della *ratio juris* nella storia dell'umanità; dall'altro la ricerca 'filologica', intesa soprattutto, nella tipica accezione vichiana di 'attenta al dato storico'. Questi due aspetti, e ancor più il problema di come armonizzarli in un metodo e in una prospettiva di pensiero, costituiscono, come si vedrà, uno dei temi centrali nel pensiero e nell'opera del filosofo partenopeo.

Risulta, inoltre, importante porre in rilievo come, sempre nel *De Ratione*, proprio in ragione della natura metodologica dell'opera, l'autore abbia affrontato il problema della qualificazione del diritto e della sua collocazione all'interno dello spettro delle discipline umanistiche. In particolare, Vico appare estremamente critico verso l'ipotesi di improntare il diritto e il suo metodo sul modello della scienza; così, dalle considerazioni che sorreggono questa presa di posizione, possiamo trarre importanti indizi sul modello gnoseologico che egli stava maturando in quegli anni, misurandosi criticamente con un contesto culturale sempre più propenso al razionalismo.

---

persuasione, e quindi l'eloquenza, e per dottrina la giurisprudenza: ma il significato sapienziale e tecnico del diritto non si può conoscere se non nelle sue origini e nel suo sviluppo storico". S. Caramella, *Giambattista Vico*, in Grande Enciclopedia Filosofica, Milano, Giuffrè 1960, p. 280.

40 "*Egli sentiva un sommo piacere in due cose: una in riflettere delle somme leggi dagli acuti interpreti astratti in massime generali di giusto i particolari motivi dell'equità ch'avevano i giureconsulti avvertiti per la giustizia delle cause: la qual cosa l'affezionò agli interpreti antichi che poi avvertì e giudicò essere studiosi dell'equità naturale; l'altra in osservare con quanta diligenza i giureconsulti medesimi esaminavano le parole delle leggi, de' decreti del Senato e degli editti dei Pretori che l'interpretano (…). Ed entrambi questi due piaceri erano altrettanti segni, l'uno di tutto lo studio che egli aveva da porre all'indagamento de' principi del dritto universale, l'altro del profitto che egli aveva a fare nella lingua latina, particolarmente negli usi della giurisprudenza romana, la cui più difficil parte è saper definire i nomi di legge*" (*De rat.*, p. 189).

Non a caso, il filosofo lamentava come il metodo di studi dei suoi tempi avesse compresso – danneggiando in questo modo anche la formazione dei giovani – l'approfondimento di materie che egli vedeva strutturalmente connesse con il diritto, come la *topica* e la *retorica* (di cui peraltro era divenuto professore presso l'Università di Napoli)[41]. Secondo il giurista napoletano il mondo civile non è adatto, per la sua stessa struttura e la sua stretta co-implicazione con l'ambito dell'agire pratico umano, ad essere letto e 'gestito' secondo la prospettiva e le

---

[41] "Oggi si celebra solo la critica e la topica non solo non la precede ma è addirittura lasciata indietro" (*De rat.*, p. 107). Come è stato osservato, Vico, sin dalle opere giovanili propone una riabilitazione della retorica e della ragionevolezza avverso un riduzionismo razionalistico nella teoria e nella metodologia del diritto (così, P. Heritier, *Vico's Scienza Nuova: Sematology and Thirdness in the Law*, in "International Journal of Semiotics and Law", 33, 2020, pp. 1125-1142, qui p. 1129). In questo Vico coglie una carenza del pensiero moderno che verrà evidenziata solo al tramonto dello stesso, ossia, nella "*argumentative turn*" che ha coinvolto nel '900 anche gli studi giuridici. Non è possibile in questa sede offrire una disamina analitica delle declinazioni in cui si è manifestata tale svolta argomentativa. Ci si limita pertanto a segnalare alcune opere che ne hanno costituito i capisaldi nel secondo dopoguerra: Cfr., C. Perelman e L. Olbrechts-Tyteca, *Traité de l'argumentation: La nouvelle rhétorique*, Paris: Presses Universitaires de France, 1958; T. Viehweg, *Topik und Jurisprudenz*, C.H. Beck, Muenchen 1963 (con espressi riferimenti a Vico); S. Toulmin, *The uses of argument*, Cambridge University Press 1958. Si vedano, poi, per una rilettura critica secondo differenti prospettive metodologiche e filosofiche, F. Cavalla, "*Topica Giuridica*", in *Enciclopedia del Diritto*, Giuffrè, Milano 1991, pp. 720–39; F. Cavalla, *Dalla "retorica della persuasione" alla "retorica degli argomenti". Per una fondazione logica rigorosa della topica giudiziale*, in *La retorica fra scienza e professione legale* Giuffrè, Milano 2004, pp. 25-82.; Maurizio Manzin, *Argomentazione giuridica e Dieci riletture sul ragionamento processuale*, Giappichelli, Torino 2014; E.T. Feteris, *Rationality in Legal Discussion. A Pragma-Dialectical Perspective*, in "Informal Logic", 1993, pp. 179-188; W. Slob, *How to distinguish 'good' and 'bad' arguments. Dialogico-rhetorical normativity*, in "Argumentation" 16/2002, pp. 176-196; D. Walton, *Fundamentals of Critical Argumentation*, Cambridge University Press, Cambridge, 2006; F. A. Lamas, *Dialectica y derecho*, in "Circa humana philosophia", 1998, pp. 9-76; E. Rigotti, *Whether and how Classical Topics can be Revived within Contemporary Argumentation Theory*, in F. Van Eemeren - B. Garssen (a cura di), *Pondering on Problems of Argumentation*, Springer, London 2009, pp. 157-178.

logiche tipiche delle scienze. "Dato – scrive Vico – (...) che le azioni della vita pratica sono valutate in conformità ai momenti e alle contingenze delle cose, cioè alle cosiddette circostanze, di cui molte sono estranee ed inutili, alcune spesso non congruenti e talvolta anche avverse al proprio fine, i fatti umani non possono misurarsi con il criterio di questa rettilinea e rigida regola mentale", ovvero – diremmo in altri termini – *more geometrico*[42]. "Dunque, per quanto detto, procedono erroneamente coloro che adottano nella prassi della vita il modo di giudicare proprio della scienza"[43].

Sarebbe erroneo trarre da queste affermazioni l'ipotesi di uno 'svilimento', da parte dell'autore, del diritto, quasi esso – in quanto non *scientia* – dovesse ridursi a mera *techne*, o considerarsi una disciplina di second'ordine. Ciò che egli sembra evidenziare, piuttosto, è una importante considerazione riguardante la struttura del pensiero giuridico e della sua metodologia, le quali sono dotate di peculiarità che vanno riconosciute nella loro specificità e che rischiano di andare perdute qualora il diritto venisse ad annoverarsi tra le scienze esatte, perdendo di vista il suo stretto legame con la topica, la dialettica, e la retorica.

Ammesso che al diritto spettino solo *infima vera*, non certo equiparabili alle conoscenze cui sembra ambire il sapere scientifico in epoca moderna, al giurista, per Vico devono appartenere quella *sapientia* e quella *prudentia* che gli consentono muoversi attraverso "le tortuosità e le incertezze della vita pratica", consapevole della provvisorietà e la problematicità delle determinazioni particolari cui egli perviene nel contesto del suo specifico sapere[44].

---

[42] *De Rat.*, p. 131.

[43] *Ibid.*, p. 133.

[44] Scrive Vico sulla differenza tra *Scientia* e *Prudentia*: "*quanto alla scienza, essa differisce dalla prudenza civile proprio in questo: eccellono nella scienza quelli che ricercano una causa sola da cui poter ricavare molteplici fenomeni di natura, mentre nella civile prudenza prevalgono quelli che ricercano quante più cause di un sol fatto per congetturarne quale sia la vera.*" *De rat., pg. 133.*

Proprio la coscienza di questo limite impone al giurista una peculiare capacità di ponderazione e la consapevolezza di quanto sia delicato il suo compito, mentre egli è impegnato ad aiutare a comporre la complessa tela di interessi ed esigenze che si intersecano nel vivere sociale.

Ciò che appare di particolare importanza, nel contesto di una breve opera incentrata sul metodo degli studi, è l'intuizione avuta da Vico circa le implicazioni che l'affermarsi nel suo tempo di una gnoseologia basata sul *cogito* cartesiano possa dispiegare anche sull'ambito delle concezioni politico-giuridiche. Come rileva Gebhardt, "contro una metafisica del *cogito* [Vico] pone il suo rinnovamento – metodicamente fondato – della metafisica dell'uomo come *particeps rationis*"[45]. In quest'ottica si può individuare già nel *De Ratione* la denunzia, da parte di Vico, del pericolo che da uno sviluppo razionalistico della gnoseologia cartesiana del *cogito* possa discendere una visione individualistica, per non dire solipsistica, dell'ambito della vita politica e dell'agire giuridico.

Appare, perciò, di un certo rilievo, nell'ambito di un attento esame del pensiero filosofico-giuridico di Vico, rimarcare come l'Autore attribuisca, in controtendenza al razionalismo cartesiano, singolare rilievo alla categoria del *sensus communis*: un elemento che evidenzierebbe il ruolo centrale della dimensione intersoggettiva nel pensiero vichiano[46]. Vico con ciò rivendica un sapere il quale, pur non

---

[45] J. Gebhardt, *Sensus communis: Vico e la tradizione europea antica*, in "Bollettino del Centro di Studi Vichiani", XXII-XXIII, 1992-1993, pp. 43-64, p. 51.

[46] Cfr. anche J. D. Shaffer., *Sensus Communis: Vico, Rhetoric, and the limits of Relativism*, Duke University Press, London, 1990; A. Livi, *Il senso comune tra razionalismo e scetticismo*, Massimo, Milano 1992, p. 63. E. Grassi, *The Priority of Common Sense and Imagination: Vico's Philosophical Relevance Today*, in "Social Research" 43/1976, pp. 553–580; A. Montano, *Storia e convenzione: Vico* contra *Hobbes,* La Città del Sole, Napoli 1996; A. Lamacchia, *Senso comune e socialità in Giambattista Vico* Levante Editori, Bari 2001; G. Giarrizzo, *Del 'senso comune' in Vico*, in G. Giarrizzo, *Vico, la politica e la storia*, Guida, Napoli 1981, pp. 125-141; E. Grassi, *La priorità del senso comune e della fantasia: l'importanza filosofica di Vico oggi*, in E. Grassi, *Vico e l'Umanesimo*, Guerini e Associati, Milano 1992, 41-

essendo scientifico, non è, per questo, meramente arbitrario; anzi si rivela fondamentale perché è ad esso che bisogna rivolgersi quando si esula dall'ambito delle scienze esatte e ci si trova a confrontarsi con *l'umano arbitrio per sua natura incertissimo*, ed inadatto ad essere valutato con la *rigida squadra dell'intelletto*; ambito, questo dell'etica, della politica, del diritto.

Senza addentrarci ora in questi complessi aspetti della gnoseologia vichiana, preme qui evidenziare come in questo passaggio della sua vicenda filosofica, l'autore si sia proposto di reagire ad un certo razionalismo che si stava rendendo dominante nel suo tempo, avendo cura di reperire categorie concettuali che lo aiutassero a non fare di tale critica un'aperta professione di scetticismo. Anzi, come è stato osservato, egli "reagisce alla gnoseologia cartesiana perché vuole superare la dialettica gnosi/scetticismo"[47]. Va detto, infatti, che il filosofo, in prima istanza, sostiene la scarsa idoneità delle cartesiane "idee chiare e distinte" ad affrontare il 'mondo civile' - ambito della

---

67; G. Modica, *La filosofia del "senso comune" in Vico,* Sciascia, Caltanissetta-Roma 1983. Il *sensus communis,* che Vico definirà nella *Scienza Nuova* come "giudizio senza alcuna riflessione comunemente sentito" guarda a idee innate, condivise da tutti gli uomini in forza della loro comune natura: l'oggetto di tale giudizio esula dal sapere scientifico, perché, come spiega egli stesso, non è dimostrabile; il *sensus communis* nasce dal verosimile il quale, pertanto, si delinea come *medium* tra vero e falso, giacché si incentra su proposizioni che "quasi sempre sono vere, molto raramente sono false". Sul concetto vichiano di verisimile cfr. anche P. Piovani, *La dialettica del vero e del certo nella "metafisica vichiana" di Santino Caramella*, in Miscellanea di scritti filosofici in memoria di S. Caramella, Accademia di Scienze, Lettere e Belle Arti di Palermo, Palermo, 1974, pp. 252-262. Il collegamento fra senso comune e verosimile appare con evidenza se si riprende in esame la lezione aristotelica, in virtù della quale "il verisimile, ovvero la generalizzazione secondo il senso comune che si condensa nella regola di esperienza, può essere compreso alla luce del rapporto fra l'universale e il particolare, ove universale è la regola di esperienza che si è formata in relazione alla totalità dei casi e particolare la singola situazione concreta" (S. Fuselli, *Ragionamento Giudiziale e sillogismo*, in F. Cavalla, *Retorica, processo, verità*, Cedam, Padova 2007, p. 151).

[47] A. Livi, *Il senso comune tra razionalismo e scetticismo,* cit., p. 63.

politica e del diritto - connotato dall'esercizio di facoltà come il libero arbitrio, il senso, la fantasia, le passioni, la memoria, l'ingegno[48].

Nel privilegio che i suoi contemporanei accordano al metodo scientifico, Vico scorge il pericolo "che siano allontanati dalla mente tutti i secondi veri, ossia *i verisimili*, allo stesso modo che si allontana la falsità"[49]. E soggiunge: "è da temere che esso sia soffocato dal senso critico dei moderni"[50]. Le conseguenze di questo atteggiamento possono produrre un allontanamento del sapere dalla concretezza storico-sociale poiché coloro i quali non abbiano "coltivato il 'senso comune', né mai perseguito le verisimiglianze contenti della sola verità, non apprezzano come in concreto la pensino gli uomini e se ciò sembri loro pur vero"[51].

Di qui l'icastica denunzia vichiana: "I dotti avventati che dai veri universali scendono direttamente ai veri particolari, restano impigliati nelle contingenze della vita"[52]. Per muoversi nel verisimile, nell'ambito determinato dal senso comune occorre, infatti, per il filosofo napoletano, un diverso atteggiamento che è proprio, più che delle scienze, della *sapientia* di classica memoria.

Quanto sinora esposto costituisce una premessa essenziale per comprendere come già da un'opera metodologica l'approccio vichiano evidenzi precise singolarità destinate a riverberarsi anche sulla sua visione politico-giuridica[53].

Una tappa di ancor maggiore rilievo nel percorso filosofico vichiano, in cui alcuni dei temi poc'anzi indicati trovano ulteriore conferma ed approfondimento, è rappresentata dal *De Antiquissima*

---

[48] Cfr. H.G. Gadamer, *Verità e metodo, cit.*, p. 44.

[49] *De rat., p. 105.*

[50] *Ibid.*

[51] *De rat., p. 135.*

[52] *De rat., p. 133.*

[53] Cfr. A. G. 'T Hart, *La metodologia giuridica vichiana*, in "Bollettino del Centro di Studi Vichiani", XXII-XXIII, 1992-1992, p. 15.

Italarum Sapientia, nella quale la riflessione di Vico si misura con tematiche filosofiche complesse, per lo più di carattere gnoseologico, che vengono a delineare un tratto fondamentale del pensiero dell'autore[54]. Il *De Antiquissima* – di cui rimane ora esclusivamente il *Liber Metaphysicus*, prima di tre parti di cui una, il *Liber Physicus*, andata perduta, e l'altra il *Liber Moralis*, non fu mai nemmeno abbozzata – ha come principale obiettivo un'argomentata critica sia nei confronti dello scetticismo che del razionalismo del quale egli vuole ridimensionare le pretese, proponendo nel contempo un percorso alternativo[55].

Con riferimento a tale ambito Vico invoca – proprio nell'*incipit* dell'opera – il noto principio del *verum-factum*[56]. Senza addentrarsi

---

[54] *Cfr. G.B. Vico, De antiquissima Italorum sapientia (1710)*, ora in *G.B. Vico, Metafisica e Metodo,* Bompiani, Milano 2008, p. 195-207.

[55] Cfr., sul punto, A. M. Damiani, *Die Wiederlegung des metaphysischen und politischen Skeptizismus, Vico gegenueber Descartres und Grotius,* in "Archiv fuer Rechts – und Sozialphilosophie", 2/2000, pp. 207-214, qui p. 207-214. Per un ulteriore approfondimento della «battaglia» di Vico contro scetticismo e razionalismo insiti nel pensiero moderno, cfr. M. Sanna, *Vico e lo «scandalo della metafisica alla moda» lockiana,* in "Bollettino del Centro di Studi Vichiani", XXX, 2000, p. 31-50, in particolare p. 42-45.

[56] Scrive Vico: "*Per i Latini* verum *e* factum *sono usati come sinonimi o, per dirla come comunemente fa la scolastica, si convertono l'uno con l'altro: per essi è indifferente dire* intelligere *al posto di leggere perfettamente o conoscere distintamente. Mentre dicevano* cogitare *quel che noi, nella nostra lingua volgare, diciamo pensare ed andare raccogliendo. E inoltre* ratio *per loro significava sia il calcolo matematico che la facoltà dell'uomo per la quale differiamo e siamo superiori di fronte alle bestie; descrivevano di solito l'uomo come una creatura partecipe di ragione, ma non padrona di essa.*" E prosegue: "*Questo ci permette di pensare che gli antichi sapienti d'Italia condividessero questi principi riguardanti il vero: che il vero ed il fatto sono la stessa cosa e che, di conseguenza, il primo vero è in Dio, dal momento che è Dio il creatore primo; che il primo vero è infinito, dal momento che è Dio il creatore delle cose tutte; e che esattissimo, poiché rappresenta gli elementi delle cose, esterni quanto interni, appunto perché li contiene tutti*" (De Ant., p. 197). Come è stato osservato relativamente ai concetti vichiani di 'pensare' e 'andare raccogliendo', "la distinzione sembra emergere se si confrontano i rispettivi verbi qui usati: *lego* e *collĭgo*; certo, entrambi si possono tradurre con 'raccogliere', ma il primo può essere reso meglio con 'cogliere', che dà l'idea dell'immediatezza dell'atto concettuale divino, mentre 'raccogliere' esprime più

all'interno di questo profilo, tanto complesso quanto controverso, ciò che preme per ora evidenziare è la peculiarità dell'approccio vichiano, il quale, in assonanza con un filone risalente alla classicità, si attesta intorno al riconoscimento di una strutturale limitatezza al sapere accessibile all'uomo[57]. Se per Vico sia il conoscere umano sia quello divino sono un *legere* (ossia un *raccogliere*) la declinazione più piena di questo *legere*, ovvero l'*intelligere* esorbita dalle capacità umane, e per questo è ricondotto, dall'Autore, alla sola conoscenza divina[58]. Solo il

---

efficacemente un procedere – quello della mente finita – che richiede tempo e mediazioni"(R. Carbone, *Malebranche, Locke, Vico: momenti di riflessione sulla ragione universale*, in M. Carbi, R. Carbone, A. Corrano, E. Massimilla, *Ragione, Razionalità e Razionalismo in età moderna e contemporanea*, fedOA, Napoli 2020, pp. 191-218, qui p. 209).

[57] Cfr. G.F. Dalmasso, *La verità in effetti. La salvezza dell'esperienza nel neo-platonismo*, Jaca Book, Milano 1996, p. 131. Sulla classicità di questa prospettiva, così come sull'impossibilità logica e filosofica di considerare l'intero oggetto del pensiero, il mio riferimento va al magistero di Francesco Cavalla, per cui F. Cavalla, *L'origine e il diritto*, FrancoAngeli, Milano 2017.

[58] Inoltre, non va, comunque, dimenticato che *intelligere,* nel pensiero vichiano, non deriva da *intus-legere*, ossia "leggere dentro", ma da *inter-legere.* Perciò, "*inter*" non andrebbe qui inteso "nel senso di *frammezzamento,* come se si trattasse di trascegliere tra le molte migliori cose, ma nel senso piuttosto di accrescimento o di perfezione, indicando così la raccolta di tutti gli elementi"(D. Di Cesare, *Parola, Logos, Dabar: linguaggio e verità nella filosofia di Vico*, in «*Bollettino del Centro di Studi Vichiani*», XXII-XXIII, 1992-1993, p. 251-292, qui p. 264). *Intelligere,* quindi, è da leggere nel senso di *perfecte legere*, e *aperte cognoscere.* Va, a questo punto ricordato, come il *principio divino*, che Vico identifica con Dio, rappresenti anzitutto un argomento con il quale l'autore afferma che la conoscenza piena sulla totalità trascende le capacità umane. Vico sembra dunque affermare che in Dio sussiste il Principio. Esso può essere inteso come "ciò che è comune a tutte le cose, che permette di considerarle come un insieme e che, oltre a non coincidere con alcuna di esse, non coincide neppure con la loro somma, essendo, infatti, già ora pensabile sebbene non si sia raggiunta la conoscenza di ognuna delle possibili realtà particolari. In questo modo, allora, si concepisce un principio che è universale, che è il principio di ogni principio particolare e che è nominabile, semplicemente come il Principio, definibile anche come ciò che tiene in uno tutte le cose" (F. Cavalla, *La verità dimenticata*, Cedam, Padova 1996, p.18).

Logos insito in quest'ultima è in grado di conoscere la totalità[59]: Se "intelligere vuol dire collegare tutti gli elementi di una cosa", e "conoscere vuol dire comporre gli elementi delle cose (…) il vero esattamente è solo in Dio"[60].

La distinzione che Vico prospetta pone una distinzione netta: come è stato osservato, infatti, "il raccogliere, in Dio e nell'uomo, non è solo quantitativamente, ma anche qualitativamente diverso. Nel primo caso esso si rivela immediatamente un comporre, nel secondo appare anzitutto un dividere"[61]. Quest'ultimo – in assonanza con la matrice etimologica del verbo *analizzare* – è un'attività che scompone, e per questo opera una *minutio* dell'oggetto conosciuto, per effetto della

---

[59] Osserva Vico, "*la mente umana è finita e creata e dunque non può comprendere le cose illimitate e prive di forma; può pensarle o, diremmo in linguaggio comune «può andarle raccogliendo, ma non già raccorle tutte" (De Ant., p. 249). 'Ma questo stesso pensare è ammissione che le cose che stai pensando non hanno forma né confini. Conoscere distinguendo è più un difetto che un pregio della mente umana, dato che significa conoscere i confini delle cose. La mente Divina le vede nel sole della sua verità, ovvero, nel guardare a una cosa, conosce insieme a questa infinite altre cose; la mente umana, quando conosce distintamente una cosa, è come se la vedesse di notte al lume di una lucerna, e mentre vede questa, perde di vista quelle circ*ostanti" (G.B . Vico, De Ant., cit., p. 249).

[60] G.B . Vico, *De ant.*, p. 197. Scrive infatti: il filosofo: "*Dio legge tutti gli elementi delle cose, sia esterni che interni, perché li contiene e li dispone, ma la mente umana, che è finita, che ha fuori di sé tutte le altre cose che non sono essa stessa, è costretta a muoversi fra gli elementi esterni delle cose, ma non può intenderle in quanto è partecipe della ragione ma non è padrona di essa*"(Ivi, p.195). Solo in Dio, *dire* equivale a *pensare* e *pensare* equivale a *raccogliere*. In questo senso, la '*conversione del vero con il fatto*' è una possibilità che spetta unicamente a Dio creatore, in quanto in Lui *Pensiero* e *Parola* si traducono in atto creativo. Solo Dio – in quanto *Logos* – conosce gli elementi intrinseci ed estrinseci delle cose e pertanto per lui conoscere e fare possono coincidere e 'convertirsi' l'uno nell'altro. Con un'immagine ardita ed efficace Vico paragona il conoscere dell'uomo ad una prospettiva bidimensionale, piana, mentre la conoscenza divina è simile ad una prospettiva tridimensionale.

[61] D. Di Cesare, *Parola, Logos, Dabar*, cit., p. 254. Analogamente, U. Galeazzi, *Ermeneutica e storia in Vico*, cit., p. 24-25.

quale la possibilità di una conoscenza stabile e definitiva risulta preclusa: "*scientia humana naturae operum anatome quaedam videtur*"[62].

Sembra qui agevole un confronto con il modello hobbesiano, emblema di un'attitudine analitica tipica del razionalismo moderno, per il quale, invece, la conoscenza delle cose (naturalistiche, umane, sociali) altro non è se non smontare un meccanismo in ogni sua parte, studiarne gli ingranaggi, come se fosse un automa, o un orologio[63]. Secondo Vico, al contrario, "questo dividere, analizzare, anatomizzare, che risulta dalla limitatezza della mente umana, non va giudicato positivamente"[64], soprattutto laddove si perda di vista che si tratta di un'attività dalla quale non possono promanare verità in senso pieno e stabile, bensì conoscenze puntuali, e contestuali, e, perciò, sempre rivedibili. Non a caso egli designa questa conoscenza con il verbo *minuere*, il quale, nella propria matrice semantica, contiene tanto il concetto di *dividere* quanto quello di *diminuire*[65]. Ciò sottende l'idea che le cose divise vengano in un certo senso anche ridotte, alterate, mutate[66].

Se, perciò, la conoscenza umana risulta limitata e provvisoria, soprattutto nell'ambito delle 'cose fisiche', sembra che, già in questa fase del pensiero vichiano, si adombri la possibilità di una più salda forma di sapere qualora si rivolga l'attenzione alle 'cose umane', ossia a quelle 'fatte' dagli uomini.

Pur nella consapevolezza della problematicità sottesa a questo 'fare' – nella quale si annida anche un profilo complesso e controverso

---

[62] G.B . Vico, *De antiquissima Italorum sapientia*, cit., p. 210.

[63] Cfr. T. Hobbes, *De Cive (1642) – On the Citizen*, Cambridge University Press: Cambridge 1998.

[64] D. Di Cesare, *Parola, Logos, Dabar*, cit., p. 254.

[65] G.B. Vico, *De Antiquissima Italorum Sapientia*, cit., p. 203.

[66] "*La mente Divina le vede nel sole della sua verità, ovvero, nel guardare a una cosa, conosce insieme a questa infinite altre cose; la mente umana, quando conosce distintamente una cosa, è come se la vedesse di notte al lume di una lucerna, e mentre vede questa, perde di vista quelle circostanti*" (De Ant, p. 248).

riguardante l'interpretazione del principio del *verum-factum*, su cui si tornerà in seguito – ciò che ora sembra opportuno sottolineare è che il privilegio accordato da Vico alla possibilità di conoscenza delle 'cose umane' può agevolmente spiegare perché egli abbia scelto di concentrare l'attenzione dei suoi successivi studi alla storia e alle istituzioni umane che in essa sono state collocate grazie all'agire umano.

In particolare, l'ambito del 'mondo umano' che impegnerà Vico sarà appunto il tema giuridico: egli verrà così ad inaugurare un filone di ricerca che, pur se non donerà all'Autore particolare successo, costituirà un passaggio molto rilevante, anche per il successivo approdo alla riflessione del suo *Opus Magnum*, la *Scienza Nuova.*

3. Grozio, "auttore" vichiano.

Determinante nell'orientare Giambattista Vico verso un approfondimento filosofico sul diritto è stato l'incontro – fecondo benché controverso – con il pensiero di Ugo Grozio. L'occasione si presentò quando, nel 1712, il filosofo napoletano fu incaricato da don Adriano Carafa, duca di Traetto, di scrivere la biografia del maresciallo Antonio Carafa, suo zio. Racconta lo stesso Vico: "nell'apparecchiarsi a scrivere questa vita, il Vico si vide in obbligo di leggere Ugon Grozio, *De jure belli ac pacis*. E qui vide il quarto *auttore* da aggiungersi agli altri tre che aveva proposti"[67]. Gli "*auttori*", com'è noto, sono i quattro pensatori - Platone, Tacito, Bacone e, appunto, Grozio - a cui, nella sua autobiografia, lo studioso attribuisce un'influenza singolare nel condurlo alla formulazione del suo pensiero, e, in particolare, del suo metodo di studi[68].

---

[67] Vita, p. 44

[68] Un riferimento doveroso va qui al contributo offerto da Guido Fassò nell'indagare i "quattro autori" di Vico e successivamente, la relazione fra il pensiero vichiano e quello di Grozio. Lo ricordava lo stesso Croce

Platone la filosofia, Tacito la storia: due autori, due studi che nella visione vichiana dovevano essere complementari: la filosofia, senza il *certo* storico, corre il pericolo di perdersi in ipotesi prive di verifica; così come la storia, senza un vero aperto alla ricerca metafisica, rischierebbe, per Vico, di ridursi a mera narrazione di fatti privi di chiave di lettura, e chiusi alla ricerca di un senso più profondo rispetto a quanto consentito da un semplice registrare accadimenti. Il terzo *auttore,* Francis Bacon, dal quale Vico ricavava l'esigenza di una verifica empirica delle ipotesi prodotte, tuttavia, non rispondeva pienamente alle esigenze che il filosofo napoletano manifestava riguardo alla speculazione giuridica[69], e questa lacuna è stata colmata proprio dalla figura di Grozio: "ma Ugon Grozio – scrive Vico – pone in sistema di un dritto universale tutta la filosofia e la filologia in entrambe le parti di

---

affermando: "Guido Fassò mi viene a conforto col suo ottimo lavoro, che dà una diligentissima ed acuta interpretazione ed esposizione del corso non già logico ma storico, o per meglio dire, psicologico della formazione della Scienza nuova; esposizione che è utile possedere e che si segue con curiosità. Con pari bravura è condotta la ricerca di quel che il Vico attinse o credette di attingere ai quattro suoi autori" (B. Croce, *Illusione degli autori sui "loro" autori*, in "Quaderni della Critica", 14/1949, pp. 84-90). Cfr., in particolare, G. Fassò, *I "quattro auttori" del Vico, saggio sulla genesi della "Scienza Nuova"*, Giuffrè: Milano 1949, e G. Fassò, *Vico e Grozio*, Guida: Napoli 1972.

[69] Appare opportuno annotare brevemente alcuni punti salienti che distanziano Vico dal suo terzo "auttore", sui quali si rinvia, più estesamente, alla già citata analisi contenuta in R. Bassi, *Il* De Uno *alla luce dell'*Exemplum tractatus de justitia universali, sive de fontibus juris *di Francis Bacon*, in "Laboratorio dell'ISPF", XIII, 2016, pp. 1-33. Vico, in particolare, non accetta di ridurre la storicità empirica del diritto a unica fonte della sua validità, ipotesi, invero, che consegnerebbe ad una identificazione del *verum* con il *certum* e ad una sostanziale indifferenza contenutistica di quest'ultimo, esito che per il Nostro comporta la caduta in una visione scettica del diritto. Di qui si comprende anche la presa di distanza dall'utilitarismo baconiano che, considerando puramente contingente l'origine della legge, porta a confondere, riguardo all'utilità, il ruolo di *occasio* con quello di *causa.* Vico, come si vedrà, non disdegna il ruolo e l'importanza, anche antropologico-giuridica delle *utilitates*, ma non accetta che la scaturigine e il fine del diritto e della vita sociale conducano ad una *reductio ad utilitatem.*

quest'ultima, sì della storia delle cose o favolosa o certa, sia della storia delle lingue"[70].

In altri termini, quello che Vico riteneva di trarre dal pensiero di Grozio era proprio un'idea grazie alla quale si poteva collocare la riflessione sul diritto al centro della speculazione filosofica: il diritto e le istituzioni giuridiche, in quanto luogo di incontro di *ratio* giuridica e *auctoritas*, costituiscono un punto di osservazione privilegiato per l'incontro fra il *certo storico* manifestantesi nella norma o nell'istituto giuridico contestualmente determinati – e il *vero filosofico*. L'ambito giuridico viene dunque colto dal filosofo come quel terreno privilegiato nel quale filologia (intesa come studio della storia) e filosofia si incontrano, giacché nel diritto e nelle istituzioni civili e pubbliche di un popolo si manifesta e si ambienta una intera immagine del mondo[71]. Tuttavia questa attenzione al contesto non si traduce in una visione meramente storiografica del diritto né in una forma di 'contestualismo scetticheggiante': Vico è infatti interessato a cogliere, sullo sfondo di costumi, istituzioni e prassi (ivi comprese quelle politiche e giuridiche), una *ratio* potenzialmente in grado di superare le singole forme storiche, rendendosi rivelativa di contenuti che non si esauriscono nel contesto storico-culturale in cui si sono manifestati. La categoria del diritto naturale si pone a fulcro concettuale di questa ricerca, proprio perché viene colta da Vico come il 'luogo ideale' in cui cogliere tale *ratio* profonda a partire dal suo fluire storico nella dimensione sociale dell'uomo, ossia all'interno di una socialità originaria[72]. *Ubi societas ibi jus - ubi jus ibi societas.*

---

[70] *Vita*, pg.44

[71] Del resto, come è stato osservato chiosando il pensiero di Vico, "la storia di un popolo è la storia del suo diritto"(D. Monteverdi, *Vico, Le XII tavole e lo spirito del tempo*, in "Revista General de Derecho Romano", 28/2017, pp. 1-34, qui p. 21).

[72] Cfr., L. Bellofiore, *La dottrina del diritto naturale in G.B. Vico*, Giuffrè, Milano 1954; L. Pompa, *Vico: A Study of the New Science,* Cambridge University Press, Cambridge 1975; J. C. Morrison, *Vico's Doctrine of the Natural Law of the Gentes*, in "Journal of the History of Philosophy" 16/1978, pp. 47–60; R. Caponigri,

Un problema interpretativo, a questo proposito, è quello di comprendere in che misura egli abbia ritenuto di essere debitore per questa intuizione nei confronti di Ugo Grozio, soprattutto alla luce di alcuni elementi di distanza che il pensiero vichiano sembra presentare rispetto a quello del filosofo olandese e all'eredità che quest'ultimo ha lasciato in seno al giusnaturalismo sei-settecentesco.

L'evolversi della concezione vichiana presenta, infatti, rilevanti discontinuità rispetto a quelle dei molti autori che dal pensatore nord europeo hanno tratto le linee-guida del giusnaturalismo moderno, e che tradizionalmente vengono ricondotti alla c.d. *Scuola del Diritto Naturale*. Questa distanza trova, peraltro, un rilevante riscontro anzitutto all'interno del pensiero dello stesso Vico, che assunse nei confronti del giurista olandese un atteggiamento contrastante. Da un lato, infatti, egli tributa al suo quarto *auttore* epiteti elevati come quello di *giureconsulto del genere umano*, con cui riconosce a Grozio, nel *De Uno*, un'importanza vitale nello sviluppo del suo pensiero giuridico[73]; dall'altro, già nella medesima opera, Vico non manca di confrontarsi criticamente con il suo *auctor*, fino a pervenire, in un momento successivo, (a partire dalla *Scienza Nuova Prima*, del 1725) ad una critica decisa e profonda della sua dottrina. Qui, Grozio è identificato come capostipite di un filone di pensiero fra i cui epigoni il pensatore napoletano annovera autori come Hobbes, Pufendorf o Selden, da lui aspramente criticati[74]. L'autore non

---

Jus and Aevum: *The Historical Theory of Natural Law in G.B. Vico*, in "American Journal of Jurisprudence" 25/1980, pp. 146–172, 163; R. Caporali, *Heroes gentium: Sapienza e politica in Vico*, Il Mulino, Bologna, 1992; U. Galeazzi, *Ermeneutica e Storia in Vico*, Japadre, Roma-L'Aquila 1993; E. Voegelin, *la Scienza Nuova nella storia del pensiero politico*, Guida, Napoli 1996.

[73] De Uno, cap. LXXVI, p. 96.

[74] Secondo il Fassò la critica a Grozio, pur presente nel *Diritto Universale*, che egli ritiene opera di transizione, matura definitivamente con la stesura della *Scienza Nuova*. Cfr. G. Fassò *Vico e Grozio*, cit., pp. 46-47. Ciò lascerebbe in ogni caso permanere una dualità, a detta di Fassò, per cui vi sarebbe, in Vico, un Grozio al quale il filosofo napoletano è riconoscente, ed un Grozio che invece egli avversa.

manca, poi, in altri passi della sua opera, di chiamare Grozio "*erettico*", prendendo distanza dalla matrice protestante (più precisamente sociniana) della sua filosofia, con particolare riferimento al ruolo del peccato originale (che i Sociniani, appunto, disconoscevano), e l'influenza che tale concetto avrebbe avuto anche sul delineare la concezione di *status naturae* soggiacente al giusnaturalismo groziano[75].

Questa breve parentesi consente di intuire alcuni punti salienti del progressivo delinearsi della concezione giuridica vichiana: essa emerge con taglio critico e con ambizione di originalità a contatto con autori influenti sulla sua contemporaneità, come appunto Grozio, che di certo diede al giusnaturalismo moderno un impulso vitale, se non 'originario'. Sarebbe erroneo pensare che i giudizi contrastanti emessi riguardo a questo pensatore rispondano ad un cambiamento di opinione avvenuto nel corso degli anni: la *Vita*, nella quale il filosofo olandese è citato dal Vico come suo *quarto auttore*, è stata scritta non più tardi del 1728, ossia pochi anni dopo la *Scienza Nuova Prima* (1725), nella quale, peraltro, "l'*erettico* Grozio" è duramente avversato, inaugurando una linea critica che Vico manterrà ferma anche nelle successive redazioni della *Scienza Nuova*[76].

Per la verità, Vico appare onesto nel raccontare come in lui l'idea di *meditare un sistema di diritto naturale* si consolidò definitivamente per effetto dell'incontro con il suo quarto *auttore*, dal quale, comunque

---

[75] Sulla matrice teologica di molti concetti emersi nel giusnaturalismo razionalistico moderno si rinvia a F. Todescan, *Le radici teologiche del giusnaturalismo laico*, Giuffrè, Milano, 2001. Sull'importanza dello sfondo biblico nella riflessione di Vico, con attenzione in particolare al tema del peccato originale, cfr. M. Belponer, *La traccia della Bibbia nel Diritto Universale di Vico*, in T. Piras (a cura di), *Gli scrittori italiani e la Bibbia*, EUT, Trieste 2011, pp. 55-66.

[76] Per quanto concerne la datazione della Autobiografia bisogna aprire una doverosa parentesi. La Vita fu pubblicata nel 1728, con il titolo di "Vita scritta da se medesimo"; in passato, sulla scia di quanto affermato da Croce e Nicolini, si riteneva che la prima parte di essa fosse stata terminata nel 1725. Tuttavia studi più recenti fanno risalire al 1723 l'ultimazione della prima parte, ed il suo completamento al 1725, anno di pubblicazione della Sn25.

inizierà un progressivo allontanamento a partire dal *Diritto Universale* fino alla *Scienza Nuova*. Ciò può aiutare a meglio comprendere la connotazione con cui il filosofo giunge ad attribuire la qualifica di *auttore*: essa, più che designare un'*adesione ad una linea di pensiero*, sembra piuttosto indicare *un ruolo esercitato nell'evoluzione del suo personale percorso*: sicché – in linea con l'origine etimologica del termine, dal latino '*augeo*' – l'*auctor* rappresenta un riferimento che ha permesso a Vico di espandere i propri orizzonti concettuali, grazie ad un confronto critico[77].

All'interno di un dibattito risalente, alcuni autori, come Benedetto Croce ed Enzo Paci, sono giunti a sostenere che Vico sarebbe stato debitore al filosofo olandese dell'idea che l'uomo, nella sua stessa natura, possa ritrovare un principio razionale, naturale – e pertanto non sovrannaturale – secondo cui regolare la propria condotta e le proprie leggi[78]. Questa tesi ha trovato una critica puntuale, ad esempio, in Guido Fassò[79] secondo il quale Vico innanzitutto imputa a Grozio "errore punto da non perdonargli" di aver professato "che'l suo sistema regga e stia fermo anche posta in disparte la cognizione di Dio"[80], con ciò apertamente criticando ipotesi di pensiero che possano espellere, dalla ricerca del principio della stessa dimensione giuridica, un riferimento ad una dimensione trascendente. Fassò riporta, inoltre, il passo di uno scritto anonimo ma ritenuto (in accordo con altri autorevoli interpreti tra cui egli annovera anche Dario Faucci e Fausto Nicolini) opera del filosofo napoletano: si tratta della dedica al principe

---

[77] Del resto, Vico intrattiene con i suoi *auctores* un rapporto interlocutorio, a tratti "agonistico", come sottolineato anche in A. Battistini, *Vico lettore agonistico*, in "Studi di Estetica", XIX, 3-4/1991, pp. 249-259.

[78] Cfr. B. Croce, *La filosofia di Giambattista Vico*, Laterza, Bari 1933; ed inoltre E. Paci, *Ingens Sylva*, Giuffrè, Milano 1949.

[79] Cfr G. Fassò, *Vico e Grozio*, cit. pp.45-51.

[80] Sn25, V, pg. 987, in riprensione alla nota espressione groziana dell'*etiamsi daremus deus non esset aut ab eo non curari negotia humana,* contenuta nel Prolegomeni, 11, del *De jure belli ac pacis*.

Eugenio di Savoia di un volume appunto del *De jure belli ac pacis* (che il Nostro pare abbia firmato solo con la sigla "*DJDB, Advocatus Neapolitanus*") nella quale la celebre espressione di Gaio, che del diritto afferma *naturalis ratio inter omnes homines constituit*, viene ripresa e mutata nell'analoga – ma anche profondamente diversa – *Divina Providentia inter omnes homines constituit.*

Vico, dunque, non avrebbe appreso dal pensatore fiammingo l'idea di un diritto naturale inteso quale prodotto della ragione umana e privo di aggancio alla trascendenza: Grozio, per il filosofo napoletano, aveva proposto, mediante la categoria del diritto naturale, un ideale punto d'incontro prospettico fra la storicità contestuale del diritto stesso, 'vivente' in norme e istituzioni concrete, ed una dimensione ideale, legata al diritto quale 'fatto antropologico', con ciò evidenziando l'importanza di pervenire ad uno studio filosofico del fenomeno giuridico[81].

Il campo giuridico costituisce quindi un terreno ideale per porre in relazione studio storiografico e riflessione filosofica, cogliendone la manifestazione nel problematico incontro che nel diritto sussiste tra *ratio* ed *auctoritas*[82]. Grozio aveva evidenziato, ad esempio, come nel diritto internazionale (*ius gentium*), in assenza di un'*auctoritas*, la validità degli istituti giuridici non potesse nascere dalla volontà del legislatore ma da una certa razionalità condivisa che essi sembravano rivelare: ciò probabilmente suggerì a Vico l'idea che fosse nel *proprium* stesso del diritto la possibilità di riconoscere, al di là di forme specifiche, contenuti condivisi, o meglio, condivisibili, perché razionalmente

---

[81] G. Fassò, *Vico e Grozio*, cit. p. 67.

[82] Il merito dell'Olandese, pertanto – conclude Fassò – "è di avere non soltanto compreso la necessità di unire insieme filosofia e filologia, ma di averle *poste in un sistema di un dritto universale*: cioè di essere pervenuto, mediante la connessione della ragione e della storia, della conoscenza universale e di quella empirica, ad una considerazione filosofica del diritto" *(G. Fassò,* Vico e Grozio, cit. p. 67).

approvabili[83]. Sia quest'atto più o meno consapevole, esso precede l'autorità nel riconoscere la giuridicità di determinati contenuti, e allo stesso tempo offre all'autorità, che deve concretamente dare forma storica ad un contenuto normativo e garantirne l'attuazione, una *quaedam pars rationis* che giustifica (in modo più o meno cosciente) l'attivarsi di una volontà che attribuisce forma storica ad un contenuto razionalmente ritenuto degno di essere approvato[84].

Da questi elementi ci pare legittimo scorgere uno specifico interesse da parte di Vico a leggere l'emergere e l'evolversi di questa razionalità nella storia e il dipanarsi delle relazioni umane. Ciò che quindi possiamo ritenere che il filosofo del diritto napoletano abbia maturato - anche grazie all'incontro con il pensiero di Grozio - è proprio l'idea che nel diritto si manifesti un peculiare campo di osservazione per una prospettiva capace di coniugare la ricerca del *vero* con la disamina del *certo*: lo studio della materia giuridica può, infatti, procedere dal dato storico per dirigersi alla scoperta di una ragione naturale che, pur radicata in una matrice contestualizzata, trascende il fatto empirico delle singole storiche manifestazioni giuridiche[85]. Quindi, l'elemento concreto delle istituzioni giuridiche colte nella loro contestualità storica non esaurisce il diritto bensì apre a una serie di ulteriori riflessioni sui principi e sulle strutture (antropologiche, sociali, narrative...) ad esso inerenti: in tal modo, alimenta anche un anelito verso lo *justum* che non può accettare lo *jus* come puro prodotto di un'*auctoritas* storicamente determinata[86].

---

[83] Id. pp. 89-100

[84] Espressione che ricorre nel *De Uno* e che viene ripresa anche nella *Scienza Nuova.* Qui si trova, a nostro avviso, quel *quid pluris* che consente a Vico, rileggendo Grozio, di superare le aporie da lui individuate nel pensiero di Bacon.

[85] Cfr., sul punto, C. López Bravo, *Una reflexión sobre la vigencia del pensamiento viquiano*, in A. de Julios-Campuzano (a cura di), *Constitucionalismo. Un modelo jurídico para la sociedad global*, Thomson Reuters Aranzadi Cizur Menor 2019.

[86] Ad ulteriore conferma del fatto che – in contrasto con quanto detto dal Croce e dal Paci - nel diritto naturale vichiano vi è sì un principio razionale ed

Non è mancato chi ha ipotizzato una singolarità nella lettura, da parte di Vico, del pensiero di Grozio: secondo Caruso, ad esempio, Vico avrebbe inteso che quando il pensatore olandese parlava di *jus naturale et gentium*, anziché intendere due distinte branche del diritto, egli facesse riferimento, a due congiunte caratteristiche del diritto in quanto tale: storico e razionale nel contempo[87]. Questo argomento offre un interessante punto di osservazione per cogliere una significativa differenza nelle linee di pensiero dei due filosofi, differenza anche filologica[88]. Per Vico non doveva rilevare se lo *ius naturale* e lo *ius civile* fossero entrambi riferibili al genitivo *gentium*. La sottolineatura di Caruso assume, quindi, la seguente portata: mentre lo *ius gentium* era inteso da Grozio come *ius inter gentes ("naturale" certo nelle sue premesse ma creato e pattizio nel contenuto*) Vico lo avrebbe inteso come diritto dei

---

umano che emerge nella storia, ma questo "*semen veri*" ha origine e fine sommo in un Principio trascendente e soprannaturale, qual è la Provvidenza vichiana. Lo chiarisce Vico stesso nella *conchiusione* del *De Uno*, ponendo come principio e fine ultimo del diritto Dio. L'intento (soprattutto del Croce, poi seguito da autorevoli interpreti soprattutto di ispirazione marxiana, tra cui emerge soprattutto Badaloni) di spersonalizzare e immanentizzare la Provvidenza vichiana costituisce un rilevante filone interpretativo vichiano che tuttavia ha suscitato –anche in tempi recenti- non poche perplessità da parte di diversi autori, (Amerio, Fassò, Gebhart, Ambrosetti, Bellofiore, Galeazzi tra gli altri), secondo i quali una simile interpretazione comporterebbe una non trascurabile forzatura del testo del Vico.

[87] "È possibile che in Vico, almeno fino al 1721 (*De Constantia*) vi sia stato un certo equivoco circa gli intendimenti della nuova scuola *filosofica* del diritto naturale, identificata essenzialmente con Grozio. Egli deve avere inizialmente creduto [sembrerebbe suggerirlo anche il Fassò] che Grozio avesse già realizzato ciò che lui aveva in animo di fare: congiungere filosofia e filologia, per saldare le certezze superne della ragione alle umane verità della storia. È quello che potremmo chiamare l'equivoco dell'*et*". S. Caruso: La miglior legge del regno, Giuffrè Milano, 2000; pp. 916-917.

[88] Nel capitolo CXXXVI del *De Uno*, dove si afferma che giustamente alcuni interpreti del diritto romano (diversamente dal Grozio) compresero che dal titolo delle *Institutiones* denominato *De jure naturali gentium, et civili* dovesse essere espunta la virgola. De Uno, pg 164. cap. CXXXVI.

popoli, sorto e vigente all'interno di ciascuna nazione[89]. Il *gentium* vichiano sarebbe quindi un genitivo di appartenenza[90].

Vi sia stato o meno un equivoco da parte di Vico nell'interpretazione del pensatore nordeuropeo, appare verosimile ritenere che il filosofo napoletano fosse consapevole tanto del contributo di Grozio nell'evoluzione della sua prospettiva filosofica, quanto dell'esigenza di prendervi distanza[91].

Concludendo questo breve *excursus*, possiamo quindi sostenere che, nell'accingersi alla redazione delle sue opere giuridiche Vico avesse già maturato uno sguardo critico nei confronti delle linee dominanti nel giusnaturalismo moderno, rispetto alle quali egli esprimerà, non a caso, forti motivi di discontinuità[92].

---

[89] Di qui matura l'attitudine di Vico a confrontare costumi, istituzioni, costumi, miti e narrazioni dei popoli alla ricerca dei principi soggiacenti alle diverse forme giuridiche, che abilita ad una lettura comparatistica la cui attualità è stata evidenziata anche in G. Repetto, *Il metodo comparativo in Vico e il diritto costituzionale europeo*, in "Rivista critica del diritto privato", 2/2009, pp. 295-334. Sul piano degli studi filosofico-giuridici non va invece trascurato l'apporto che questa prospettiva vichiana ebbe, nella seconda metà del '900, sugli studi di filosofia del costume condotti da Giovanni Ambrosetti e recentemente riportati all'attenzione in F. Costantini, *L' «ontologia sociale» di Giovanni Ambrosetti. Una visione del diritto naturale classico tra «verità» e «prassi»*, ESI, Napoli 2014.

[90] S. Caruso, *La miglior legge del regno*, cit, p. 917.

[91] E tale distanza matura e si conferma, negli anni successivi alla redazione delle opere giuridiche (che risalgono, come noto, al biennio 1720-1721), ossia negli anni caratterizzati dallo studio e dall'approfondimento dei principi, ivi compresi quelli teologici, dai quali Vico aveva mosso nell'elaborazione della sua concezione giuridica, e nei quali matura l'elaborazione della Scienza Nuova. A questo proposito cfr. anche F. Piro, *I presupposti teologici del giusnaturalismo moderno nella percezione di Vico*, in "Bollettino del Centro di Studi Vichiani", XXX, 2000, pp. 125-149.

[92] "Il Grozio a cui il Vico è grato non rappresenta il giusnaturalismo moderno, ma quella concezione storicistica del diritto naturale (…) che del giusnaturalismo settecentesco è l'antitesi" (G. Fassò, *Vico e Grozio*, cit., p. 105).

4. *Nova Scientia Tentatur: Dal Diritto Universale alla Scienza Nuova*

Gli anni dal '19 al '21 vedono Vico impegnato nella pubblicazione del *De Uno Universi Juris Principio et Fine uno* e poi del *De Constantia Jurisprudentis*, raccolti insieme, preceduti da una *Sinossi*, ne'*Il Diritto Universale*, che costituisce l'opera precipuamente giuridica del filosofo del diritto napoletano, con eccezioni di alcune brevi aggiunte del 1722.

Forte di questa ampia elaborazione, con la quale egli si misurò con temi fortemente influenzati dal dibattito giusnaturalistico del suo tempo, nel 1723 si presentò al concorso per ottenere la cattedra mattutina di diritto civile, aspirando a tale insegnamento per meriti di cultura, prestigio ed anzianità, nonché per migliorare le sue condizioni economiche. Partecipò – lo racconta nella stessa autobiografia – con fiducia e forte dei recenti ed approfonditi studi giuridici compiuti nei cinque anni precedenti, ma l'insegnamento venne conferito ad un candidato dotato di appoggi politici nella Napoli del tempo.

"Questa disavventura, per la quale disperò per l'avvenire aver mai più degno luogo nella sua patria" si rivelò tuttavia, in un certo senso, 'vichianamente' provvidenziale inserendosi, così nel solco di molti, aderenti al noto "*nemo propheta in patria*" [93]. Infatti, il *Diritto Universale*" aveva frattanto raccolto insperata fama in Olanda, ad Amsterdam, presso Jean Le Clerc, direttore della rivista *Bibliothèque ancienne e moderne*, che recensì l'opera vichiana tributandole grande riconoscimento. Le Clerc aveva apprezzato, in particolare, la prospettiva entro la quale l'opera vichiana evidenziava una connessione intima tra diritto, storia e filosofia. Vico stesso riporta nell'autobiografia un significativo periodo tratto dalla lettera del Le Clerc: nel *De Uno* "si vede una mescolanza di materie filosofiche, giuridiche e filologiche, poiché il signor Vico si è particolarmente applicato a queste tre scienze e le ha ben meditate, come tutti converranno coloro che leggeranno le sue opere. Tra queste scienze vi ha un sì forte legame che non può

---

[93] Vita, pg. 52.

uom vantarsi di averne penetrata e conosciuta una in tutta la sua distesa senza averne altresì grandissima cognizione delle altre"[94].

Grazie a questo riconoscimento, e dopo la pubblicazione delle *Notae in duos libros*, compendio critico del *Diritto Universale*, l'entusiasmo del Vico si accrebbe, e dal "colpo di avversa fortuna onde altri avrebbe rinunziato a tutte le lettere (...) egli non si ritrasse punto di lavorare altre opere"[95].

Per comprendere quale direzione abbia intrapreso, a questo punto, il filosofo nell'accingersi ad intraprendere questo nuovo corso di studi diretto, alla realizzazione di quella che sarà la sua opera definitiva ovvero la *Scienza Nuova*, appare opportuno evidenziare come la ricerca di una 'nuova scienza' fosse già un obiettivo perseguito da Vico sin dalla realizzazione delle sue opere giuridiche. Un indizio filologico viene già dal primo capitolo del *De Constantia Jurisprudentis*, non a caso intitolato *nova scientia tentatur*.

Se, quindi, è palese la diversità di oggetto che distingue le opere giuridiche dalla successiva produzione di Vico, il cui oggetto viene progressivamente a lasciare in controluce il tema giuridico, per estendersi ad altri ambiti del sapere, principalmente di taglio umanistico, non pare, tuttavia, corretto considerare il *Diritto Universale* come un'avventura isolata nel percorso filosofico del poliedrico autore napoletano [96].

---

[94] Vita, pg. 53. Per il testo integrale della lettera di Le Clerc a Vico si fa rinvio alla raccolta di rari scritti vichiani riportata al termine del seguente testo: A. Marchetti, *Riscoprire Vico. Attualità di una metafisica della storia*, Scienze e Lettere, Roma, 1994, pp. 167-171. Accanto al rilevante apprezzamento di LeClerc, iniziatore di una "*amicitia*" fra Vico e la filosofia in Olanda (visibile nel '900, ad esempio, nell'opera di August C. 't Hart), non sono mancate voci fortemente critiche in Nord Europa, come l'anonimo che screditò Vico come "papista", negli *Acta Eruditorum Lipsensia* (cfr. R. Caporali, *La tenerezza e la barbarie. Studi su Vico*, Liguori, Napoli 2006, p. 21).

[95] Vita, pg. 54.

[96] Va ad ogni modo tenuto presente l'avvertimento di chi invita a non considerare il *Diritto Universale* solamente come punto di partenza, come

Se la sintesi di filologia e filosofia, stella polare del pensiero vichiano, da gemma nella riflessione attorno al diritto, sboccia e fiorisce nel più ampio ed onnicomprensivo tema di 'filosofia della storia' (uno degli obiettivi prospettici della *Scienza Nuova)*, il diritto naturale rimane un *trait d'union* fra le opere giuridiche e la successiva speculazione vichiana, rivolta a ritrovare i principi del *dritto natural delle genti* dentro *quegli dell'umanità*[97].

Non a caso, dunque, nel 1725 Vico pubblica la cosiddetta *Scienza Nuova Prima* con il titolo di *Princìpi di una Scienza Nuova d'intorno alla natura delle nazioni, per li quali si ritruovano altri princìpi del diritto natural delle genti.* Inizia così l'avventura che, attraverso diverse redazioni e pubblicazioni, e non pochi travagli, impegnerà il filosofo fino alla morte, anno in cui viene pubblicata anche l'ultima edizione della *Scienza Nuova*, a conclusione di una vita dedicata allo studio[98].

"piccola Scienza Nuova *in nuce*", con il risultato di privare l'opera giuridica vichiana di una propria identità ed organicità. Cfr. C. Cantone, *Il concetto filosofico di diritto in Giambattista Vico*, Sciascia, Mazara, 1952, p. 29. Tuttavia, come ricorda Caporali, Vico, in una aggiunta del 1731 alla sua Autobiografia, avrebbe criticato il suo Diritto Universale distaccandosi dall'impostazione troppo deduttiva di quest'opera, rispetto alla quale l'Autore propendeva per una lettura più complessa e magmatica dei flussi storici (R. Caporali, *Vico e la "temperatura": sull'idea di stato misto nel Diritto Universale*, in "Biblioteca Elettronica su Montesquieu e Dintorni" 1/2009, pp. 1-16). Nonostante questo importante rilievo filologico, non pare vi sia spazio per parlare di un distacco o addirittura di un netto capovolgimento, quanto piuttosto di una evoluzione del pensiero vichiano, coerente anche con l'allargamento di visuale prospettica che la Scienza Nuova attua rispetto alle Opere Giuridiche.

[97] Sull'importanza del diritto naturale colto nel suo sviluppo storico rinvio al recente studio proposto in: W. Rech, *History of Normativity: Vico's Natural Law of Nations'*, in "Journal of the History of International Law", 17/2015, pp. 147-169.

[98] Relativamente alle tre edizioni della Scienza Nuova, i veda: M. Sanna (a cura di), *La Scienza nuova: Le tre edizioni del 1725, 1730 e 1744,* Milano, Bompiani, 2012.

CAPITOLO II

La Critica di Vico ai suoi contemporanei

1. Vico ed il giusnaturalismo moderno: termini preliminari di un confronto critico – 2. La critica di Vico alla modernità e il ruolo centrale del giusnaturalismo come struttura interpretativa – 3. Vico e la gnoseologia moderna. Una possibile interpretazione: La gnoseologia moderna come *hybris* – 4. Il matematismo. 5. Una possibile bipartizione – 6. Critica all'idea astratta della legge sulla natura e alla visione stato-centrica delle moderne teorie della politica – 7. Antropologia individualistica, utilitarismo, *status naturae* e rigetto del contrattualismo – 7.1. Verifiche – I: Hobbes e la '*distruzione della umana società*' – 7.2 Verifiche – II: Grozio, Selden, Pufendorf e gli esiti scettico-utilitaristici delle loro dottrine.

1. Vico e il giusnaturalismo moderno: termini preliminari di un confronto critico

Costituisce opinione diffusa che vi siano elementi comuni – formali e contenutistici – sulla base dei quali ricondurre a linee unitarie i caratteri fondamentali del giusnaturalismo razionalistico moderno, pur nelle differenze sussistenti fra vari autori e scuole di pensiero[99]. Nel

---

[99] Pur su diverse posizioni ed orientamenti, è ormai 'classica' nella storia della filosofia del diritto la riconduzione ad elementi comuni della c.d. "*Scuola del Diritto Naturale*", identificabile con il giusnaturalismo moderno, e di cui comunemente si individua, a capostipite, Ugo Grozio (sia pur con autorevoli precedenti individuati nella seconda scolastica, in particolare in Suarez, per cui si vedano i riferimenti a Fassò e Todescan, infra). Cfr., per una prima lettura, G. Ambrosetti, *Diritto naturale cristiano*, Giuffrè, Milano 1985; G. Ambrosetti, *La storia del giusnaturalismo nella storia d'Occidente*, in "*Jus*" 3-4/1963, pp. 317-328; N. Bobbio, *Il diritto naturale nel secolo XVIII*, Giappichelli, Torino, 1947; N. Bobbio, *Giusnaturalismo e positivismo giuridico*, Giuffrè, Milano 1965; J. J. Chevallier, *Storia del pensiero politico*, I e II, Il Mulino, Bologna, 1990; S. Cotta, *Giusnaturalismo*, voce, in *Enciclopedia del diritto*, Milano, 1970; G. Fassò, *Storia della Filosofia del Diritto*, Laterza, Bari-Roma 2001, vol. I e II; P. Grossi, *L'Europa del Diritto*, Laterza, Roma-Bari 2009; J. Habermas, *Dottrina politica*

valutare, tuttavia, se ed in che misura l'approccio di Vico al giusnaturalismo si rapporti con quanto emerge dal *mainstream* della modernità sei-settecentesca, è fondamentale chiedersi se egli stesso non avesse già percepito la presenza di linee unitarie ed elementi comuni all'interno delle diverse concezioni di diritto naturale elaborate dai suoi contemporanei[100]. In questo soccorre il dato filologico, dal momento che lo stesso filosofo napoletano rivela di aver intuito l'esistenza di fattor comuni, pur nelle diversità, tra le differenti teorie: egli, infatti, a sviluppare questa intuizione dedicò parte della *Scienza Nuova Prima*[101].

---

classica e filosofia sociale moderna, in *Prassi politica e teoria critica della società*, Il Mulino, Bologna, 1973; P. Piovani, *Giusnaturalismo ed etica moderna*, Laterza, Bari, 1961; C. Pollock, *The History of the Law of Nature*, in Id., *Jurisprudence and Legal Essays*, Routledge, London, 1961; H. Rommen, *Die ewige Wiederkehr des Naturrechts*, Kösel, München 1947; F. Todescan, *Le radici teologiche del giusnaturalismo laico*, Milano, Giuffrè 2001; F. Todescan, *Metodo, diritto e politica*, Cedam, Padova 1999; F. Gentile, *Politica Aut/Et Statistica*, Giuffè, Milano 2000; H. Welzel, *Diritto naturale e giustizia materiale*, Giuffrè, Milano 1965; A. Zanfarino, *Il pensiero politico dall'umanesimo all'illuminismo*, Cedam, Padova 1991; F. Zanuso, *Conflitto e Controllo sociale nel pensiero giuridico moderno*, Cleup, Padova 1993.

[100] Qui Vico stesso ricorda: "*Sursero ne' nostri tempi tre celebri uomini, Ugone Grozio, Giovanni Seldeno e Samuello Pufendorfio, faccendo Ugon capo, i quali meditarono ciascuno un proprio sistema del diritto naturale delle nazioni, perrocché Boeclero (verosimilmente Johann Heinrich Böckler, n.d.r.) e Vander Muelen, (certamente Willem van der Mühlen, n.d.r.); e altri non sono che adornatori del sistema di Grozio*" (Sn*25, passim*).

[101] D'altra parte, è noto, ed è stato già evidenziato l'importante ma controverso ruolo avuto da Grozio, "quarto auttore" di Vico; nella *Scienza Nuova Prima*, tuttavia, il filosofo napoletano si misura anche con l'eredità di quanti si sono richiamati alla lezione di Grozio (come Pufendorf, che aveva definito Grozio stesso fondatore della scuola del diritto naturale), individuando così un filone di pensiero che ancora più marcatamente si staglia dalle premesse concettuali che Vico andava sviluppando. Quanto invece agli "adornatori" si può presumere un possibile elenco di tali autori guardando, nuovamente, alle stesse fonti vichiane, e in particolare, innanziutto alle *Vici Vindiciae* (paragrafo 36), dove Vico menziona nomi come Jean Barbeyrac, Caspar Ziegler, Johann Friedrich Gronow, Philip Glaser, Franz Buddeus, Johann Joachim Zentgrav, Ulrich Hüber, Christian Thomasius; cfr. a questo proposito F. Piro, *I presupposti teologici del giusnaturalismo moderno nella percezione di Vico*, cit.,

Tutto ciò non sta a significare che Vico abbia accomunato in un'unica indistinta categoria diversi autori moderni che si sono occupati di tematiche giusfilosofiche, incentrate in particolare sul tema del diritto naturale: si può avanzare, con ragionevole grado di sicurezza, l'ipotesi che egli avesse ben chiara tanto la svolta rappresentata dall'avvento di Grozio quanto il fatto che molti studiosi, successivamente, avessero sposato buona parte delle sue tesi di fondo. Ciò che appare particolarmente interessante ai fini del presente scritto – ed è questo che si intende qui di seguito indagare – è come Vico abbia letto le principali fenditure concettuali di tale filone di pensiero e, in secondo luogo, come si sia rapportato con esse, consolidando, in una progressione che individua forti continuità dal *De Uno* alla ultima *Scienza Nuova*, una posizione marcatamente critica.

2. *La critica di Vico alla modernità e il ruolo centrale del giusnaturalismo come struttura interpretativa*

Si è anticipato – ed è una tesi portante del presente percorso – come la posizione di Vico nei confronti del giusnaturalismo moderno sia alquanto critica: come si intende mostrare, ciò dipende in realtà da una più generale e radicale eterogeneità della sua speculazione rispetto a temi portanti della mentalità moderna sei-settecentesca, che si addensa intorno ad alcune fondamentali prese di distanza. Esse possono essere, così, brevemente e schematicamente anticipate intorno a quattro aspetti che Vico critica apertamente: (I) la concezione antropologica individualistica, tanto diffusa tra le teorie (politico-filosofiche) moderne, spesso associata ad un'etica di stampo utilitaristico; (II) l'atteggiamento 'riduzionista' che egli contesta alla razionalità dei moderni; (III) l''idea 'astratta' di legge e giustizia sviluppata all'interno della scuola di pensiero di diritto naturale, strettamente connessa tanto

---

"Bollettino del Centro di Studi Vichiani", XXX, 2000, pp. 125-149, qui in particolare pp. 127-128.

al modello antropologico quanto all'attitudine gnoseologica sopra indicati; (IV) la (conseguente) visione stato-centrica delle moderne teorie politico-filosofiche che promana dal giusnaturalismo stesso, sia pur con accezioni differenti.

La sostanziale estraneità del pensiero giuridico dell'Autore rispetto alla tendenza dei suoi contemporanei si evidenzia, in particolare, nella chiarezza delle argomentazioni poste a sostegno delle sue prese di posizione relativamente alle ipotesi sullo *status naturae* o sulla figura concettuale del contratto sociale e, non da ultimo, nella differente concezione dello Stato (e della sua legittimazione politico-giuridica), che staglia la dottrina vichiana dal filone dominante del pensiero moderno. D'altra parte, lo stretto legame fra gnoseologia e antropologia, da un lato, e diritto naturale, dall'altro, è ravvisabile proprio nel 'collettore' concettuale della *physis*, nonché del rapporto sussistente tra quest'ultima e l'uomo, e che in forza di tale relazione si proietta sulla dimensione del *nomos*[102]. La 'ragione dei moderni' che, come si è visto, a partire dal *De Ratione* e dal *De Antiquissima*, Vico considerava nelle sue potenzialità ma anche nei limiti, risulta affetta da un marcato razionalismo in nome del quale si propugna l'elaborazione, in ogni campo del sapere, di un sistema ordinato di concetti a forte valenza progettuale; ne consegue l'assunzione di metodologie e linguaggio mutuati dalle scienze esatte (si pensi alle etiche o ai sistemi giuridici *more geometrico demonstrati*). Tali premesse, invero, si sposano strettamente con un'attitudine alla realtà come *machina mundi*: un fascio di fenomeni che l'uomo è in grado di conoscere, dominare e trasformare secondo il proprio individuale progetto. Non a caso, la cifra antropologica della mentalità moderna, è l'*homo faber*[103].

---

[102] Un profilo già noto e dibattuto nella classicità (si pensi alla diatriba fra Platone e i Sofisti), come rilevato, recentemente, anche in: P. Moro, *Alle origini del Nómos nella Grecia classica. Una prospettiva della legge per il presente*, FrancoAngeli, Milano 2014.

[103] Come evidenzia emblematicamente Hannah Arendt, con l'*homo faber* moderno si sposta la 'messa a fuoco' del pensiero, e con esso anche dell'agire pratico: ciò che importa massimamente non più il '*che cosa*' (il *ti esti*

Già questi primi accenni offrono argomenti per orientare l'indagine sulla portata della critica vichiana al giusnaturalismo moderno, ed in particolare per comprendere se essa si limiti agli aspetti del diritto naturale, dello *status naturae*, del contratto sociale, ed infine, della teoria dello Stato oppure investa motivi più radicali e profondi. Vi sono, infatti, diversi argomenti per ritenere che la critica di Giambattista Vico non si focalizzi solo sui *topoi* del giusnaturalismo, bensì coinvolga in modo più ampio e profondo alcune premesse fondanti del pensiero moderno.

Questo profilo – della cui attualità si evidenzieranno più avanti gli aspetti salienti – aiuta anche a comprendere come lo 'spaccato' della filosofia vichiana dedicato al diritto offra, comunque, un punto di osservazione privilegiato per ricondurre entro una continuità – pur fluida ma non frammentaria – l'avventura di pensiero dell'Autore: è già stato, dunque, posto in risalto come la riflessione sul diritto costituisca un *fil rouge* ben più rilevante rispetto alle mere opere giuridiche di Vico; qui si può notare come essa consenta un punto di osservazione particolare ma non restrittivo sul nostro *Auctor*, aiutando a cogliere forse con maggiore pregnanza, la poliedricità e la profondità del suo messaggio speculativo.

L'attacco al giusnaturalismo razionalistico evidenzia come l'Autore rifiuti la possibilità per l'uomo di pervenire ad un sistema ordinato di concetti, immutabile e perfetto; anzi, egli non esita a definire '*boria dei dotti*' l'atteggiamento di chi pensa di poter avere la 'verità' come prodotto diretto della propria intelligenza, puntualizzando con sarcasmo: "*la mente umana, per sua indiffinita natura, ove si rovesci nell'ignoranza, essa fa sé regola dell'universo intorno a tutto ciò che ignora*"[104]. V'è,

---

dell'interrogare socratico) o il '*perché*' (inteso in senso causale e, ancor più, in senso teleologico), bensì il '*come*'. Un 'come' orientato allo scoprire meccanismi, in vista del loro riprodurli e dominarli tecnicamente. H. Arendt, *Vita activa. La condizione umana*, Bompiani, Milano 2000, p. 227).

[104] *Sn44*, 181. Ancora insiste l'Autore: "*La curiosità, proprietà connaturale dell'uomo, figliuola dell'ignoranza, che partorisce la scienza, all'aprire che fa della nostra mente la*

dunque, una netta differenza tra l'ignoranza in cui la mente 'si rovescia' con la pretesa di farsi regola dell'universo e l'ignoranza di cui parla Vico nella XXXIX *Degnità* della *Scienza Nuova*. Quest'ultima è coscienza del proprio ignorare e genera nell'uomo la meraviglia; essa è a sua volta il motore della scienza, la quale, secondo la prospettiva vichiana, è innanzitutto *ricerca*. Questa attitudine di umiltà della ragione – non ripiegata, ma ricercante – si basa su una presa di coscienza del limite umano che Vico aveva maturato già nelle basi gnoseologiche del proprio pensiero: "*omne quod homini scire datur, ut ipse homo, finitum et imperfectum*"[105]. In forza di questo, e senza modificare tale premessa, Vico, nel *De Uno*, esordisce ricordando che il *nosse* umano è per sua natura finito, ma la ragione umana, in ossequio alla forza attrattiva della *vis veri*, è impegnata in un costante protendersi nella ricerca del vero, ossia nel *conatus ad verum*. Ma, se il vero stesso sfugge alla piena comprensione razionale, v'è il rischio di confondere la *mens* con la *mensura*, e di surrogare il vero con il certo, confondendo ipotesi convenzionalmente stabilite, coerentemente sviluppate, con la verità[106].

La critica al modello di pensiero analitico-deduttivo – privilegio della ragione dei moderni – è un punto saliente del pensiero di Vico, il quale ricorda come con il sapere ipotetico sia possibile, senz'altro, realizzare edifici logici "ampi e ben costruiti", ma con un pericolo ben riassunto dal monito ai suoi contemporanei: "stiano attenti a non trattare con sicurezza la natura, sicché, mentre attendono a curare i tetti, trascurino con pericolo le fondamenta di quelle case"[107].

Questo perché, come è stato rilevato, per Vico non esiste "un criterio assiomatico di certezza razionale di cui l'uomo possa disporre

meraviglia, porta a questo costume: ch'ove osserva straordinario effetto in natura, come cometa o parelio (...), subito domanda che tal cosa voglia dire o significare"

105 *De Rat.*, pg. 97.

106 Cfr. *Sn44*, Degnità IX, 137.

107 *De Rat.*, IV, pg. 115.

per penetrare i segreti dell'universo"[108]. Ciò che l'uomo possiede, sarebbe, così, una ragione incompiuta e problematica che riflette la complessità e la indeterminatezza della condizione umana. Come emerge già dal confronto con le riflessioni che l'Autore sviluppa nel *De Ratione*, ma, soprattutto, nel *De Antiquissima*, la posizione critica di Vico non si traduce nell'affermazione di uno scacco totale della conoscenza, né nel propugnare l'abbandono del bisogno che l'uomo ha di conoscere. Il filosofo napoletano è tutt'altro che uno scettico: egli intende, piuttosto, rimarcare l'impossibilità per l'uomo di dominare razionalmente il mondo[109]. Alla luce di quanto osservato si può comprendere la pregnanza della scelta argomentativa con cui Vico, parlando di *"uomo fabbro"*, gli anteponga il riferimento ad una *"divina architetta"*, rimarcando con tali espressioni che all'uomo sfugge il disegno globale del mondo.

Queste considerazioni, che hanno portato il nostro *Auctor* – sin dal *De Antiquissima* – a concentrare gli sforzi sulle *humanitates*, a partire dalla storia che è meritevole di sforzo conoscitivo in quanto *fatta dagli uomini*, rivelano come esse siano, in ogni caso, intese da Vico come un terreno profondamente dinamico, in cui "gli sforzi non sono mai conclusi e gli equilibri sono sempre da rifare"[110]. Non solo: essa stessa

---

[108] A. Zanfarino, *Il pensiero politico dall'umanesimo all'illuminismo*, Cedam Padova, 1991, p. 301. Come rileva lo stesso, per Vico l'uomo "è un essere partecipe di ragione, non padrone completo di essa, e pertanto la conoscenza non può dedursi da concettualizzazioni predeterminate" (*ibid*).

[109] "È infatti nel contrasto tra *ratio integra* e *ratio corrupta* che si forma quel prezioso concetto di *vis veri* o *vis rationis* che costituisce il cardine dell'apertura del *verum-factum* alle più attuali problematiche. È in relazione alla *ratio corrupta* che Vico porta alle ultime conseguenze le vaghe argomentazioni sul vero, il verisimile ed il certo emerse nel *De ratione*, riconoscendo nella ragione non più la facoltà in cui si realizza il possesso della verità, bensì quella aspirazione alla verità che compenetra ogni funzione umana"(A. M. Jacobelli Isoldi, *I limiti della fortuna di Vico nel pensiero contemporaneo*, in "Bollettino del Centro di Studi Vichiani", XXII-XXIII, 1992-1993, pp. 380-381.

[110] A. Zanfarino, *Il pensiero politico dall'umanesimo all'illuminismo*, cit., p. 302.

dimostra come molte volte gli uomini, operando per determinate finalità particolari, in realtà abbiano ottenuto risultati del tutto imprevisti ed imprevedibili, talora addirittura opposti a quanto essi avessero progettato[111].

Progetti di grandezza, possono, perciò, essere spesso destinati a crollare su se stessi. Le *conchiusioni* della *Scienza Nuova* e della *Scienza Nuova Prima* pongono entrambe severamente questo monito: nell'attacco all'*etiamsi daremus non esse deum* – che da Grozio diventerà cifra del razionalismo moderno, ben oltre, probabilmente, le intenzioni dello stesso autore[112] – il filosofo mette in guardia dalla *hybris dell'autosalvazione* – ben incarnata dalle 'architetture' politico-giuridiche del giusnaturalismo moderno, e non esita a preconizzare l'anarchia e la decadenza per le nazioni che abbiano operato nella fiducia di costruire un ordine di istituzioni stabile, e che a queste affidi appunto il compito monopolistico e salvifico di costituire un antidoto unico e certo all'anarchia e alla decadenza stesse.

Secondo Eric Voegelin, lettore del messaggio filosofico-politico della *Scienza Nuova*, questo monito vichiano costituisce una prima, embrionale, diagnosi di una crisi dell'Occidente: "egli ha riconosciuto senza errore come suo sintomo rivelatore il sentimento di ottimistica fiducia nell'uomo concepito individualisticamente quale fonte dell'ordine"[113]. Alla luce di queste considerazioni, forse non sarebbe neanche troppo azzardato, come si vedrà in seguito, ritenere

---

[111] È questa la nota teoria vichiana della "eterogenesi dei fini". Cfr. *Sn44*, LIV degnità.

[112] Così, nell'interpretazione sulla secolarizzazione proposta in F. Cavalla, *L'origine e il diritto*, FrancoAngeli, Milano 2017, ove l'*etiamsi daremus* di Grozio viene considerato 'formula' ed emblema di un ben più ampio e pervasivo cammino di rimozione del riferimento alla trascendenza.

[113] Una tesi particolarmente rimarcata nella lettura di Voegelin, per cui cfr. E. Voegelin, *La Scienza Nuova nella storia del pensiero politico*, Guida, Napoli 1996, *passim*. Sul radicamento moderno dell'idea di ordine, e sulle origini remote della stessa, cfr. M. Manzin, Ordo Juris. *Alle origini del pensiero sistematico*, FrancoAngeli, Milano 2008.

Vico profetico nell'individuare pericoli solo *in nuce* rilevabili al tempo suo, ma resisi ben evidenti negli esiti molto più avanti[114].

Certamente, nell'attacco ad alcuni capisaldi della modernità, egli finì con il criticare quelle che di fatto furono le premesse prime di una *Weltanschauung* che, pur nelle sue diverse articolazioni, si è trovata a caratterizzare il destino filosofico (e non solo) dell'Occidente, sino alla parabola del XX secolo. Qui, tale 'mentalità dominante' è giunta a sperimentare molteplici motivi di crisi, se non uno scacco, e a generare dalle proprie ceneri un pervasivo scetticismo nelle cui espressioni più forti si può scorgere oggi un grave motivo di *impasse* per il pensiero occidentale[115].

Ciò che, però interessa, a questo punto, porre in evidenza, è la stretta correlazione fra la sopra citata fiducia nella capacità umana di costituire un ordine 'salvifico' e il ruolo che, all'interno delle strutture logico-argomentative dei suoi contemporanei, ebbero le categorie politico-giuridiche del giusnaturalismo. Ben si può sostenere, dunque, che la riflessione filosofica sul diritto costituisca una struttura interpretativa che consente di accedere, più ampiamente, alla voce critica che Vico rappresentò rispetto al suo tempo, e il cui campo d'azione valica i confini dell'ambito giuridico.

---

[114] Si segue in questo la chiave di lettura di Franco Amerio, il quale affermò che il grande valore della speculazione vichiana deriva dalla sua contrapposizione agli errori del pensiero e del mondo moderno "quegli errori appunto di cui è figlio il travaglio angoscioso del nostro secolo". Cfr. F. Amerio, *Introduzione allo studio di G. B. Vico*, Giappichelli, Torino 1947, p. 27.

[115] Senza aprire in questo momento ampie parentesi sulla post-modernità nel suo radicarsi sulla crisi della visione moderna (cfr., in primis, F. Lyotard, *La condizione postmoderna* (1979), Einaudi, Torino 2014), rinvio alle considerazioni proposte da Francesco Cavalla in tema di secolarizzazione in F. Cavalla, *La verità dimenticata. Attualità dei Presocratici dopo la secolarizzazione*, Cedam, Padova 1996 e Id., *All'origine del diritto al tramonto della legge*, Jovene, Napoli 2011.

3. Vico e la gnoseologia moderna come hybris.

La lettura filosofico-politica di Eric Voegelin propone una suggestiva e provocatoria interpretazione della resistenza opposta da Vico a diversi profili della mentalità moderna: vale qui la pena di ripercorrerla brevemente, perché offre alcuni spunti fecondi per comprendere più a fondo la portata della critica vichiana ai suoi contemporanei, che include, fra l'altro, rilevanti motivi di opposizione al giusnaturalismo moderno[116].

Voegelin identifica alcuni atteggiamenti del razionalismo moderno come tracce di una prospettiva *gnostica*: anzi, egli definisce lo gnosticismo come *la caratteristica della modernità* che si inserisce in quella propensione secolarizzante che già si era manifestata negli sviluppi tardo-scolastici del tomismo[117]. Secondo questo autore "il tentativo di immanentizzare il significato dell'esistenza è, in sostanza, il tentativo di assicurare alla nostra conoscenza del trascendente una presa più salda di quella consentita dalla *cognitio fidei*"[118]. Ciò ha una immediata ricaduta sulle architetture politico-giuridiche, nelle quali si manifesta in modo evidente, ad esempio, l'atteggiamento "*prometeico* della riflessione contrattualista, che ritiene di poter creare l'ordine politico dal *caos* dello stato di natura"[119]. D'altra parte, quest'ultimo, come viene evidenziato da Vico, non viene considerato nella sua valenza di dato storico, bensì posto come premessa artificialmente elaborata per un 'teorema' funzionale a giustificare un progetto politico: esso, nella lettura di

---

[116] Si fa qui riferimento, in particolare, al saggio di G. Zanetti, *Vico, pensatore antimoderno, l'interpretazione di Eric Voegelin*, in *Bollettino del Centro di Studi Vichiani*, XX, 1990, pp. 185-194.

[117] E. Voegelin, *La nuova scienza politica*, cit., p. 195. Sullo sviluppo razionalistico del tomismo insiste, ad esempio, F. Cavalla, *La verità dimenticata. Attualità dei presocratici dopo la secolarizzazione*, Cedam, Padova 1996

[118] E. Voegelin, *La nuova scienza politica*, cit., p. 195.

[119] G. Zanetti, *Vico, pensatore antimoderno, l'interpretazione di Eric Voegelin,* in "Bollettino del Centro di Studi Vichiani", XX, 1990, pp. 185-194, qui p. 190.

Voegelin, è specchio di un "atteggiamento scientizzante" tipico "di chi rifiuta – insieme ai suoi limiti – la specificità della *conditio humana.* La *hybris* gnostica, decapitando l'essere del suo fondamento trascendente, rende l'essere stesso controllabile dall'uomo[120]. Il che costituisce forse *il tratto essenziale* di una pretesa tipica della modernità[121].

Voegelin rinviene, così, nella argomentazione vichiana alcune *grandi contrapposizioni* alla modernità che, qui indicate, verranno sviluppate nel corso della trattazione. Esse possono essere identificate come segue:

a) Il rigetto del *cogito* cartesiano quale affermazione di un *principio creativo indipendente*[122], il quale porta a disconoscere quello che

[120] Ciò è visibile negli "atteggiamenti tipici dell'*homo faber*": la sua strumentalizzazione del mondo, la sua fiducia negli strumenti e nella produttività del costruttore di oggetti di artificiali, nella portata omnicomprensiva della categoria mezzi-fine, la sua convinzione che ogni problema possa essere risolto e ogni motivazione umana ridotta al principio dell'utilità; la sua sovranità, che considera come un 'immenso tessuto da cui possiamo ritagliare ciò che vogliamo', la sua equiparazione di intelligenza ed ingegnosità, cioè il suo disprezzo per ogni pensiero che non possa essere considerato" come orientato alla fabbricazione di oggetti artificiali o di strumenti utili in tal senso; "infine la sua identificazione acritica della fabbricazione con l'azione"(H. Arendt, Vita activa. *La condizione umana*, Bompiani, Milano 2000, p. 227. Il corsivo è la citazione che Arendt stessa propone di un'espressione contenuta in H Bergson, *L'Évolution créatrice*).

[121] Osserva infatti Cavalla: "la pretesa a raggiungere un sapere indefettibile, universale ed esaustivo sul mondo implica l'esclusione che possa sussistere una potenza esorbitante la struttura della conoscenza e perciò capace di rendere insufficiente e provvisoria – per l'esigenza umana di verità – qualsiasi forma di certezza acquisita". F. Cavalla, *La verità dimenticata. Attualità dei presocratici dopo la secolarizzazione*, cit., p. 48.

[122] Come evidenzia Antonio Livi, Vico reagisce alla gnoseologia cartesiana perché vuole superare la dialettica gnosi-scetticismo. Egli propone, invece, una filosofia del *sensus communis.* Questa si caratterizza dal fatto che essa utilizza davvero e appieno la ragione proprio per costruire – a differenza di ogni razionalismo, sia cartesiano e spinoziano che lo precede, sia hegeliano che lo segue – una filosofia del limite della ragione, una filosofia contraria alla pretesa

invece costituisce un elemento fondamentale della gnoseologia vichiana ossia il *sensus communis*[123]. Ciò che Vico, infatti, contrasta è la esasperazione del cogito cartesiano nel *cartesianesimo*, ovvero quella tendenza, tipica dei suoi tempi, a considerare il 'metodo' come una specie di "panacea gnoseologica"[124].

b) Il rifiuto – che si è visto prender vita in particolare nella critica all'antropologia adottata da Grozio – rivolto al Pelagianesimo, di cui Vico vede il riflesso nell'idea di una natura buona e semplice dell'uomo, risorsa sulla base della cui sostanza immanente dare vita – in modo autonomo – ad un ordine politico. Accanto a questo, Vico rigetta anche l'apparente opposto, ovvero l'idea di una natura umana votata al conflitto, e incapace autonomamente di esercitare una socialità. Entrambe le visioni, sia pur con argomenti differenti, sono funzionali all'idea di un ordine politico-giuridico inteso quale 'prodotto artificiale', dimentico tanto della 'natura umana sociale' quanto del ruolo della Provvidenza nel salvaguardare tale profilo dell'umanità[125].

---

di tutto comprendere e tutto spiegare. A. Livi, *Il senso comune tra razionalismo e scetticismo*, Massimo, Milano 1992, pp. 65-68.

[123] Cfr., nuovamente, A. Livi, *Il senso comune tra razionalismo e scetticismo*, Massimo, Milano 1992, pp. 63-78 (esplicitamente dedicate al Vico)

[124] Del cartesianesimo Vico dà un'icastica definizione nella lettera a F.S. Estevan, indicandolo come l'atteggiamento di chi segue "l'autorità di Renato delle Carte nel suo metodo, ed in grazia del suo metodo, perrocchè voglia per tutto il suo metodo". *Epist*, (a Estevan), 333. Un metodo spesso adottato da chi "'n breve tempo e con pochissima fatiga vorrebbe saper tutto" (*Ibid*).

Il Croce propone l'idea di una "gnoseologia dell'umiltà" propugnata da Vico, in contrapposizione alla "gnoseologia della superbia" dei cartesiani. Cfr. B. Croce, *La filosofia di Giambattista Vico*, Laterza, Bari 1933, 27.

[125] Sul rapporto tra la Provvidenza e la libertà umana in Vico si riportano ora alcune brevi considerazioni dell'Agrimi: "L'ordine divino calandosi dall'eternità del tempo (...) incontra resistenze e difficoltà, rischia

c) Vico si contrapporrebbe infine – e questa forse costituisce la parte più personale dell'interpretazione di Voegelin – all'idea di progresso, idea (ancora non concettualmente definita all'epoca) che egli combatte indirettamente attraverso la sua manifestazione nella *hybris dell'autosalvazione* insita nel razionalismo e nel progettualismo moderno (soprattutto quando si declinino attraverso la cesura con la tradizione classica)[126]. Secondo Voegelin, il pensatore napoletano avrebbe qui intuito i presupposti dell'inevitabile decadenza della civiltà occidentale, di cui il sintomo più preoccupante sarebbe "il sentimento ottimistico che pone l'individuo al centro dell'ordine politico"[127].

D'altra parte, la tesi del pessimismo vichiano riguardo al futuro della civiltà occidentale, per quanto suggestiva, porta ad interrogarsi sul senso delle *conchiusioni* della *Scienza Nuova*, dalle quali non è dato comprendere, con chiarezza, se la decadenza e la rinnovata barbarie non si riferiscano a un ciclo storico compiuto o non siano piuttosto prefigurazioni di eventualità, di pericoli anche futuri dai quali guardarsi. Certo, Vico stesso ricorda come l'opulenza della vita e la raffinatezza degli intelletti si possano facilmente tradurre in *mollezza dei costumi* e *riflessiva malizia*, ossia in fattori disgregatori della società. Certamente

---

rovesciamenti. Incontra cioè l'uomo corrotto, il libero arbitrio, in breve la libertà umana: e in Vico è la grandiosa presa d'atto di questa drammatica e ineludibile realtà". E prosegue l'autore "a Vico non sfugge quanto sia complicata la collaborazione Provvidenza-genere umano, ma nello stesso tempo è anche vero che la Provvidenza interviene con i suoi *rimedi* e *soccorsi* utilizzando le forze naturali degli uomini, avvalendosi dei *dettami delle umane necessità e utilità*". M. Agrimi, *Vico e la tradizione platonica*, in "*Bollettino del Centro di Studi Vichiani*", XXII-XXIII, 1992-1993, pp. 76-77. I corsivi sono tratti da *Sn44*, 343.

126 Cfr., sul punto, M. Veneziani, *Di padre in figlio. Elogio della Tradizione*, Laterza, Bari 2001, pp. 104-107.

127 G. Zanetti, *Vico, pensatore antimoderno, l'interpretazione di Eric Voegelin*, p. 191.

Voegelin pone l'accento su una 'fiducia' ed un 'ottimismo' riposti dal razionalismo moderno nelle capacità umane, ben lontano dalla gnoseologia vichiana, per la quale l'uomo conosce le cose in modo esteriore e parziale, quindi imperfetto, anche quando le cose sono frutto del suo ingegno, opera delle mani dell'uomo: quindi le costruzioni umane risentono dell'imperfezioni del loro artefice, e come tali sono rivedibili e soggette a vigilanza critica, non a ingenuo ottimismo[128]. L'adesione di Vico ad una idea di naturale socievolezza umana non porta il Nostro, come vedremo, a trascurare che nella storia operano sempre dinamiche conflittuali e che esse possono costituire tanto un'occasione virtuosa, di sviluppo, di consapevolezza e di civiltà, quanto processi potenzialmente distruttivi[129].

4. *Il matematismo e il privilegio moderno per il metodo analitico-deduttivo*

Un aspetto rilevante del pensiero politico-giuridico moderno è, come si è accennato, l'assunzione di linguaggio e metodologie mutuati dalle scienze esatte; donde derivano ragionamenti costruiti ad imitazione delle deduzioni di tipo assiomatico e argomentazioni *more geometrico demonstratae*, corredate dalla pretesa che solo queste siano via privilegiata, se non unica, per un sapere ordinato e, in quanto tale, vero.

Come è stato magistralmente sottolineato, "la tendenza generale, se non addirittura universale, della nuova filosofia fu di dichiarare che, qualora fosse possibile liberare la mente umana dai dogmi, dai pregiudizi, dalle vuote chiacchiere delle oscurità organizzate e del gergo aristotelico degli scolastici, la Natura si sarebbe, alla fine, rivelata nella

---

128 Si rinvia, su questo punto, alle considerazioni dedicate, al cap I e al cap IV, al principio del *verum-factum*.

129 Appare opportuno menzionare nuovamente come questo profilo di riflessione si intrecci con il complesso e delicato ruolo che Vico attribuisce alla Provvidenza, su cui per ora ci si limita a richiamare l'ancora attuale analisi proposta in L. Bellofiore, *La Dottrina della provvidenza in G. B. Vico*, Cedam, Padova 1962.

piena armonia e nella simmetria dei suoi elementi, così da poter essere descritta, analizzata e rappresentata da un linguaggio logicamente appropriato – il linguaggio delle scienze matematiche e fisiche"[130]. Emblematici sono, a questo proposito, alcuni asserti di Thomas Hobbes[131] il quale, non a caso, traspone tali metodologie applicandole – almeno retoricamente – anche al mondo del diritto e della politica[132]. Nella prospettiva del filosofo inglese – avversata, come si vedrà, da Vico - tutto ciò che è aperto alla conoscenza della ragione si deve poter calcolare. Così, nelle parole stesse di Hobbes, la conoscenza della funzione di una cosa – ivi compresa la società civile – può esservi solo se la si conosce analiticamente in tutte le parti, come se si trattasse di ingranaggi di un meccanismo[133]. Come noto, invece, Vico si oppone sin dal De *Ratione* all'idea di questa trasposizione nel campo delle scienze morali delle metodologie tipiche dell'ambito scientifico, ribadendo che "le azioni degli uomini non si lasciano misurare con la rigida squadra dell'intelletto"[134].

---

[130] I. Berlin, *Il divorzio tra le scienze e le discipline classiche*, in E. Nuzzo (a cura di), *Giambattista Vico*, Armando, Roma, 1975, p. 226.

[131] *"Se i filosofi morali avessero compiuto i loro studi con altrettanto successo [dei geometri e dei fisici], non vedo come l'impegno umano avrebbe potuto contribuire meglio alla propria felicità terrena". "Quando si ragiona non si fa altro che concepire una somma totale ottenuta dall'addizione di particelle, oppure un resto risultante dalla sottrazione di una forma dall'altra"* (T. Hobbes, Il *Leviatano*, I, 5).

[132] *"In qualsiasi materia, in cui c'è posto per l'addizione e per la sottrazione, c'è pure posto per la ragione; e dove queste non sono applicabili, la ragione non ha niente a che fare"* (T. Hobbes, Il *Leviatano*, I, 5).

[133] Cfr. T. Hobbes, *De Cive*, Pref.

[134] Habermas contrappone Vico ad Hobbes, attribuendo all'autore della *Scienza Nuova* il merito di aver denunciato i pericoli che derivano dall'adozione dell'atteggiamento e delle categorie di pensiero scientifico-tecniche alle discipline politiche. Egli invece "rimane fedele alle determinazioni aristoteliche della differenza tra scienza e saggezza" (J. Habermas, *Dottrina politica classica e filosofia sociale moderna*, in *Prassi politica e teoria critica della società*, Il Mulino, Bologna, 1973, p. 82).

E', poi, agevole notare come il giurista partenopeo comprenda i pericoli insiti nello scientismo e nel matematismo moderni, evidenziando tale consapevolezza sotto diversi profili; inoltre, con un'intuizione che davvero colpisce per lungimiranza e lucidità, pone in risalto la *convenzionalità* che sta alla base della matematica come metodo e come linguaggio. La matematica conduce effettivamente a proposizioni chiare, irrefutabili, universalmente valide; "ma ciò non avviene perché il linguaggio della matematica sia un riflesso dell'immutabile struttura base della realtà (...); avviene così perché la matematica non è il riflesso di nulla" [135]. Essa è un sistema coerente basato su assiomi e definizioni convenzionalmente stabiliti, insomma, "una specie di gioco (per quanto Vico non la chiamasse in questo modo) le cui regole sono costruite dagli uomini, i procedimenti e le loro implicazioni sono effettivamente certe – ma a prezzo di non descrivere nulla: è cioè un gioco di astrazione controllato dai suoi creatori"[136].

Ciò, tuttavia, reca in sé due pericoli:

a) Che si rischi di dimenticare la convenzionalità delle ipotesi, ritenendole, anziché *certe*, necessariamente *vere* – errore che, come si è visto – Vico icasticamente qualifica con il confondere 'tetti' e 'fondamenta' delle costruzioni;
b) In secondo luogo, e questo è il pericolo più grave, v'è la possibilità di porre arbitrariamente *determinate* premesse per giungere a *determinate* conclusioni, con la pretesa che la semplice coerenza possa significare verità. Inutile ricordare come un sillogismo che muove da premesse false, per quanto possa essere coerente, logicamente corretto, porta, inevitabilmente a conclusioni altrettanto false[137]

---

[135] I. Berlin, *Il divorzio tra le scienze e le discipline classiche*, cit., p. 241.

[136] *Ibid.*

[137] "*Perciò codeste cose che in fisica si presentano per vere in forza del metodo geometrico, non sono che verisimili, e dalla geometria ricevono il metodo, non la dimostrazione: dimostriamo le cose geometriche perché le facciamo; se potessimo*

E, se il metodo geometrico-matematico non è garanzia di verità per la fisica – la quale deve sempre misurarsi con la verifica empirica – ancora meno esso sarà garanzia di verità per quelle discipline umane che non attengono alla materia di studio delle 'scienze esatte', come la politica ed il diritto. Questo pensiero viene ripreso da Vico nella *Lettera ad Estevan*, datata 12 gennaio 1729, dedicata al cartesianesimo e alle ragioni della poca fortuna della *Scienza Nuova Prima* (di cui Vico stava elaborando una seconda, rielaborata versione proprio in quegli anni)[138].

È interessante come il filosofo napoletano, peraltro, ponga già in evidenza il rischio che un simile razionalismo 'si rovesci' in scetticismo. Certo Vico non rivendica la sostituzione del vero con il verisimile e/o con il senso comune; egli, piuttosto, mette in guardia dagli esiti a cui ci si consegnerebbe negando ad essi ogni valore: d'altro canto, non si deve considerare la riscoperta di questi elementi – da lui propugnata – come "mero antidoto del criterio cartesiano e del metodo geometrico",

---

dimostrare le cose fisiche, noi le faremmo. Nel solo Dio ottimo massimo sono vere le forme delle cose, perché su quelle è modellata la natura" (*De Ratione* IV ,117).

[138] Lettera in cui si lamenta di come le Accademie educano i giovani: queste "*empiono lor il capo de' magnifici vocaboli di dimostrazioni, di evidenze, di verità dimostrate*" come se essi "*dovesser uscire nel mondo degli uomini, il qual fossesi composto di linee, di numeri e di spezie algebraiche*". In questo modo si condanna il verisimile, con detrimento di tutte quelle discipline le quali si nutrono del "magma vivente" della verosimiglianza; sicché "*non ha più sicura i politici in prender i loro consigli, (...) né gli oratori in condurre le loro cause, né i giudici nel giudicarle*" *Quid iuris*, dunque? Sopravviene "*finalmente la regola sopra la quale tutto il mondo si acquieta e riposa in tutte le liti e controversie, in tutti i consigli e provvedimenti, in tutte le elezioni, che tutte si determinano con tutti o con la maggior parte de' voti*". Vico qui sottintende – ed infatti lo chiarisce poco sotto – che "*dappertutto celebrandosi il criterio della verità del medesimo Renato, che è la chiara e distinta percezione*", in tutti i campi nei quali tale criterio non individua certezze razionalmente condivisibili, si giunge a fondare una scelta non tanto sulla ragione degli argomenti, ma su quella dei "numeri", la quale, a ben pensare, è pur sempre una logica di forza. *Epist., a Estevan*, p. 335.

quanto piuttosto come "punto di riferimento per una concezione non idolatrica della scienza"[139].

Solo in questa consapevolezza si può comprendere pienamente il senso ed il valore dei costanti riferimenti che Vico fa, nella *Scienza Nuova*, a Dio ed alla Provvidenza, che, se certamente rispecchiano la religiosità cristiana dell'Autore, possono essere, laicamente, visti anche come richiamo al limite che s'impone dinnanzi al *metà tà physikà*[140].

Per non esporre la ragione alla *boria dei dotti*, occorre, per Vico, non rimanere affossati in uno sterile scetticismo, che affossi lo slancio dell'uomo alla ricerca del vero e del giusto. È nella presenza della Provvidenza, nel suo problematico rapportarsi con la libertà umana, che il filosofo scorge, al di là e al di sopra del susseguirsi – spesso caotico e incomprensibile – degli eventi, il cammino di una *civitas Dei* che, pur conscia della necessità dell'intervento salvifico divino, non assiste inerte allo scorrere della storia, ma anzi è condotta – come

---

[139] A. Livi, *Il senso comune tra razionalismo e scetticismo*, cit., p. 76.

[140] Osserva Composta, che richiama il pensiero di Vico proprio in conclusione del suo saggio sulla complessa presenza (o assenza) del divino all'interno della speculazione filosofico-giuridica moderna: "la trascendenza (...) del diritto, nella sua funzione storica, è stretta esigenza razionale. Del resto, Platone, proprio dallo scarto tra l'ideale di giustizia e la corruzione umana, invocava una Giustizia trascendente, quando raffigurava plasticamente nel tremendo mito *delle anime nude*, alla fine del suo *Gorgia*, e nell'altro di *Dio re e pastore degli uomini* del *Politico*, l'avvento di un giudice divino che ristabilisse l'ordine e giudicasse la storia umana. Del resto, tutte le letterature religiose del mondo invocano più giustizia sulle povere giustizie umane". Il diritto, dunque, pur orientato verso una maggiore giustizia, "aspetta una giustizia più alta. Quale? Ma è appunto il segreto racchiuso nella storia che postula la *metabasis eis allon genos*. Un deismo (come anche il musulmanesimo), che fa della divinità l'Essere Supremo senza segreti, non avrebbe nulla di misterioso da attendere dalla Provvidenza. Il cristianesimo invece rappresenta il teismo più conforme alle esigenze di questa trascendenza del diritto che non solo possiede una apertura puntuale e finale, verticale ed orizzontale, verso la Provvidenza divina, ma intravede nell'enigma della storia una Volontà che va oltre i piani della ragione umana"(D. Composta, *L'ateismo nella filosofia del diritto*, in "*Salesianum*", XXVI, 1964, pp. 3-53).

rammenta nel *De Mente Heroica* – a *trovare soddisfazione nelle cose divine, infinite ed eterne*, a *meditarne di sublimi*, a *tentarne di grandi*, a *compierne di egregie*.

Ecco, dunque, che la conoscenza umana per Vico, in consonanza con il sentire dell'umanesimo classico, presuppone un atteggiamento non di 'preteso dominio' del *logos* che è in ogni cosa, ma di 'ascolto' e ricerca di una *sin-tonia*[141].

Risulta lecito domandarsi se tale convinzione non possa, invero, apparire nutrita da un semplice fideismo, emblema di una mentalità 'reazionaria' che non accetta il proprio esaurirsi ad opera della modernità, e che sembra cercare conferma della propria esistenza in un rassicurante mondo di categorie e di concetti, quale quello scolastico[142].

A tale domanda si può forse rispondere cercando di comprendere se il monito all'osservanza dei limiti della ragione implichi, in Vico, necessariamente sfiducia nella ragione stessa, e quindi 'rifugio' in verità rivelate, o se, invece, non rappresenti un invito a preservare l'avventura del pensiero umano da voli troppo vicini al sole, il cui unico esito non può essere che la rovinosa caduta[143].

Su queste basi, che segnano punti di riferimento fondamentali per comprendere l'atteggiamento critico di Vico verso alcune tendenze dominanti della mentalità del suo tempo, si può, ora, volgere lo sguardo, più nel dettaglio, alla serrata critica, del tutto coerente, che l'Autore rivolge al giusnaturalismo razionalistico moderno.

---

141 Cfr., sul significato di tale '*homologein*', F. Cavalla, *La verità dimenticata*, cit., p. 157.

142 Una tendenza a sottolineare i temi di 'arcaismo' in Vico è ravvisabile, ad esempio, in: N. Badaloni, *Vico prima della Scienza Nuova*, in *Rivista di filosofia*, LIX, 1968, pp. 46-62; N. Badaloni, *Sul vichiano diritto naturale delle genti*, in G. B. Vico, *Opere Giuridiche*, Sansoni, Firenze 1974; P. Rossi, *Le sterminate antichità e nuovi saggi vichiani*, La Nuova Italia, Firenze, 1999.

143 Su questo cfr. anche G. Mazzotta, *La nuova mappa del mondo*, Einaudi, Torino, 1999. L'Autore sottolinea come Vico sia "tanto fuori quanto dentro il suo tempo". La reazione a molti dei *topoi* moderni non lo porta, infatti, a chiudersi uno sterile passatismo (cfr. *ibid.*, prefazione).

5. Una possibile bipartizione.

L'analisi che Vico compie a tal riguardo può essere vista articolarsi in due filoni, in entrambi i quali è possibile ravvisare un confronto con alcuni precisi *topoi* del giusnaturalismo moderno.

Da un lato abbiamo la critica alle tesi favorevoli alla superiorità assoluta dell'arbitrio umano, tra cui Vico annovera innanzitutto gli Epicurei, in cui il "cieco caso" fa sì che "il piacere regoli le passioni" e la mutevole utilità "sia la regola del giusto"[144]; dall'altro quello della critica ad alcuni *loci communes* del giusnaturalismo razionalistico moderno; critica rivolta *in primis* alla triade Grozio, Selden, Pufendorf, ricorrente in vari luoghi delle redazioni della *Scienza Nuova* a noi pervenute[145].

(I) Gli "Epicurei"

In questo 'gruppo' Vico annovera una folta schiera di filosofi caratterizzati – a suo vedere – da una visione materialistica e utilitaristica circa le origini della società e del diritto, onde le note e professate conseguenze: il diritto è il tornaconto di ognuno, l'utile del più forte; solo i deboli acclamano la giustizia; l'interesse e il timore stanno alla base dell'unirsi in società[146].

---

[144] *Sn25, III; e cfr., in generale Sn25, Conchiusione, nonché Sn44, Conchiusione, 1109.* Vico non risparmia nemmeno il "sordo fato degli Stoici": esso muove da premesse per certi versi opposte alla visione epicurea, eppure, nel suo meccanicismo, sembra eliminare ogni umano arbitrio, finendo per legittimarne l'indiscriminata libertà, senza porvi freno alcuno. *Cfr., in questo senso,* C. Cantone, *Il concetto filosofico di diritto in Giambattista Vico,* Sciascia, Mazara 1952, p. 251.

[145] Va rilevato che taluni autori, nel trattare la critica vichiana ai temi portanti del giusnaturalismo moderno, si soffermano unicamente su questo particolare filone. Cfr. G. Fassò, *Storia della filosofia del diritto*, cit., vol II, pp. 278-285; S. Caruso, *La miglior legge del regno. Consuetudine, diritto naturale e contratto nel pensiero e nell'epoca di John Selden*, Milano, Giuffrè 2001, pp. 916-927.

[146] Cfr,. C. Cantone, *Il concetto filosofico di diritto in Giambattista Vico*, cit., pp. 253-255. Come si vedrà Vico estende le definizioni di "epicurei" e "stoici" anche a

Un tema antico, questo, appartenente alla seconda Sofistica e che è stato ripreso, in epoca ellenistica, dalle correnti epicuree e scettiche. Vico è ben consapevole di questa "storica disputazione" e non esita ad evidenziare tale consapevolezza: nella lista di filosofi che riconduce a questa visione egli, infatti, cita autori appartenenti ad epoche diverse, ossia Epicuro, Carneade, Machiavelli, Hobbes, Spinoza, Bayle[147].

Questa elencazione di pensatori, che più volte compare nella *Scienza Nuova*, a prima vista potrebbe apparire addirittura pericolosamente approssimativa: tuttavia, letta con più attenzione, mostra come il filosofo napoletano non miri ad equiparare i contenuti delle dottrine di filosofi appartenenti a contesti e ad epoche storiche ben distanti, cosa che rivelerebbe ingenuità storica; quello che, piuttosto, egli intende – nella sua lettura filosofica della storia – è evidenziare come le tesi utilitaristiche siano più volte comparse nella storia del pensiero politico-giuridico occidentale, ponendosi a fenditura concettuale di primaria importanza, pur se declinata in modalità differenti. Al di là delle contingenze storiche, dunque, Vico scorge un principio generatore comune a queste dottrine, ed è su questo che egli concentra il proprio sforzo critico.

La *Scienza Nuova*, come si è visto, trae origine dalla meditazione e dall'approfondimento dei principi filosofici e metodologici che Vico stesso aveva posto alla base del suo pensiero giuridico. È proprio grazie a questa presa di coscienza che ci è consentito, in tale opera, apprezzare pienamente anche la portata e il significato della concezione giuridica vichiana, soprattutto alla luce delle sue profonde implicazioni

---

filosofi moderni: tra i primi figurano in particolare Machiavelli e Hobbes, mentre tra i secondi Vico annovera Spinoza.

[147] Questo, per lo meno, è l'elenco che ricorre più spesso, e che si ritrova così esposto nel *De Uno*, per cui si rinvia, ad esempio, al *Proloquio dell'opera*, 17, pg 30. Sull'aggiunta del nome di John Locke alla nutrita lista dei "neo-epicurei", con particolare riferimento all'epistolario vichiano, cfr. M. SANNA, *Vico e lo "scandalo" della "metafisica alla moda" lockiana*, in *Bollettino del Centro di Studi Vichiani*, 2000, XXX, pgg. 31-50.

filosofiche. Nella sua *opera summa* Vico certamente esce dall'ambito strettamente giuridico, ma, in un certo senso, per approfondirlo, per inserirlo con la giusta importanza e complessità all'interno di una visione filosofica complessa e poliedrica. Nella *Scienza Nuova* si ritrovano, infatti, oltre alle ragioni profonde della sua dottrina giuridica, anché i motivi di critica delle altre concezioni giuridico-filosofiche con cui egli si confronta. Ovviamente, per quanto sinora evidenziato, si comprende parimenti perché le critiche mosse da Vico non si limitino a riflessioni meramente 'giuridiche' ma risalgano a motivi più profondi e radicali.

Il filosofo stesso, dunque, ci riconduce alle considerazioni circa il 'rapporto di reciproca implicazione' che sussiste tra il diritto e la visione filosofica di uomo e di natura. Un rapporto, una *cognazione – ex intima philosophia*, per usare le parole di Cicerone – che non sminuisce il diritto: sganciandolo dall'essere mera *techne*, Vico gli restituisce una connessione con il pensiero e la storia dell'umanità che, in tempi recenti, sembrano spesso essere mancate, privando il diritto di un'autentica dimensione all'interno delle discipline umane[148]. La categoria eterogenea degli 'Epicurei' è funzionale, pertanto, ad individuare una opzione etico-antropologica ricorrente nel pensiero occidentale, e destinata ad influenzare l'idea stessa di diritto, rivelando un valore concettuale di primaria importanza nell'ottica della prospettiva dell'Autore.

(II) I "prìncipi del diritto naturale"

Il secondo filone della critica vichiana a stereotipi e contraddizioni del giusnaturalismo moderno è rivolto, come si è anticipato, alla triade 'Grozio, Selden, Pufendorf'. Le articolazioni di

---

[148] La stretta correlazione fra elemento antropologico e forme sociali, fra costume, morale e diritto, è la cifra degli studi vichiani di Giovanni Ambrosetti, su cui cfr. F. Reggio, *La filosofia giuridica di Vico nella lettura di Giovanni Ambrosetti,* in "Rivista Internazionale di Filosofia del Diritto", 03/2005, pp. 461-480, nonché la ampia e recente valorizzazione proposta in F. Costantini, *L'ontologia sociale di Giovanni Ambrosetti*, cit., in particolare cap II.

questa critica sono molteplici e complesse, tuttavia è di grande aiuto, nel ricostruirle in modo sintetico, il capitolo V della *Scienza Nuova Prima*, espressamente intitolato "difetto di una sì fatta scienza per gli sistemi di Grozio, di Seldeno, di Pufendorfio", nel quale Vico riassume alcuni dei temi fondamentali della sua confutazione dei sistemi elaborati dai 'tre *prìncipi* del diritto naturale'.

Essi si possono sintetizzare, in modo schematico, nelle seguenti tematiche:

I. L'aver peccato di *astrattismo*: questi studiosi non riescono ad avere una visione sufficientemente concreta e in grado di rendere appieno la complessità nella quale il diritto va letto e 'interpretato'; essendo impensabile, per Vico, disgiungerlo dallo studio delle "parti che compongono tutta l'iconomia del diritto natural delle genti"[149];

II. Essere caduti in una sostanziale *astoricità:* essi non colgono la dinamicità del diritto naturale attraverso la storia, né il suo ruolo di 'promozione umana' dagli albori dell'umanità[150]. Il diritto naturale che Grozio, Pufendorf e Selden individuano come tale è, per Vico, lo "*ius naturale philosophorum*", ovvero l'ultima fase dello sviluppo storico del diritto naturale. Prima del "diritto naturale della ragion tutta spiegata" vi era, infatti, il diritto naturale delle genti, sorto all'albore dell'umanità sulla base del *sensus communis*;

III. *Scarso rigore*, nell'accertare le loro tesi: più che dati verificati, esse risultano, in realtà, contenuti funzionali a sorreggere un

149 *Sn25*, V, p. 19.

150 "*E per non averne scoverte le origini, dànno tutti e tre di concerto in questi gravissimi errori. De' quali il primo è che quel diritto naturale che essi stabilirono per massime ragionate di morali filosofi e teologi e, 'n parte, di giureconsulti, come egli in verità è eterno nella sua idea, così stimano che fosse stato mai praticato coi costumi delle nazioni*"; *Ivi*, p. 20.

discorso meramente ipotetico[151]. Qui traluce, in modo significativo, l'attenzione con la quale il filosofo contrasta la tendenza – insita nelle argomentazioni *more geometrico demonstratae* – a far prevalere la coerenza interna rispetto alla fondatezza delle tesi stesse;

IV. 'Ateismo", ovvero *non considerare,* ognuno a suo modo, *la provvidenzialità* dello sviluppo, ed in generale, del ruolo assunto dal diritto naturale nella sua portata antropologica e ontologica. Prendono corpo, a questo punto, anche valutazioni di carattere teologico, che non sono di secondaria importanza per comprendere la portata della critica vichiana ad alcuni capisaldi del pensiero moderno, emblematicamente riassunta dal rigetto dell'*etiamsi daremus* groziano, divenuto poi manifesto delle istanze razionalistiche moderne[152];

V. Una considerazione a parte va fatta per la specifica critica vichiana al *modello antropologico individualistico e razionalistico* proposto dai tre autori, dove le tematiche filosofiche si intrecciano con considerazioni di carattere teologico ma, soprattutto, vengono ad intersecarsi con le argomentazioni del primo filone del pensiero critico vichiano; in forza di questa opzione antropologica i tre *prìncipi del diritto naturale* sono portati, per Vico, a sposare tesi utilitaristiche circa l'origine del diritto e della società, confondendo il ruolo delle *utilitates*, che l'Autore chiarirà essere *non caussae sed occasiones* dell'agire intersoggettivo nelle forme giuridiche[153]. Non è casuale l'inserimento, a questo proposito, del nome di Hobbes assieme

---

151 "*Le auttorità con le quali ciascuno conferma il suo (...) non portano seco alcuna scienza e necessità*" *Ivi*, p. 21.

152 Cfr, *Ibid*, 16. Grozio infatti, scrive il Vico, "*professa che 'l suo sistema regga e stia fermo anche posta in disparte ogni cognizione di Dio*".

153 *Ibid*, 21.

a quelli dei *trè prìncipi*, individuandone un profilo di convergenza[154].

(III) Oltre le distinzioni: una trama unitaria

Il fatto che Vico citi Hobbes accanto a Grozio, Selden e Pufendorf induce ad interrogarsi sulla portata della distinzione in due filoni della critica vichiana ad alcuni capisaldi del pensiero giuridico moderno.

Pur riconoscendo che tale divisione consente di leggere in modo più chiaro il complesso dipanarsi delle argomentazioni e delle confutazioni di Vico, non si può non rilevare che essa, quando venga considerata al di là della sua utilità d'uso, può condurre ad una lettura eccessivamente semplificativa, che rischia di porre in ombra importanti profili comuni alle due categorie[155]. Non è riscontrabile, infatti, una dicotomia netta tra i due 'gruppi' di filosofi: anzi, essi talora si intersecano, rilevando una trama comune sottostante ai due filoni.

Vi sono, tuttavia, alcune ragioni che rendono tutt'altro che superflua la distinzione che si è sinora operata, e sulle quali è opportuno brevemente soffermarsi: in primo luogo si può evidenziare come la critica che Vico rivolge, ad esempio, a Bayle e ad Hobbes, incardinandoli nella tradizione epicurea, sia più grave rispetto a quella che egli pone a Grozio, Pufendorf e Selden: i primi, infatti, si collocano espressamente come "esponenti moderni di ogni negazione provvidenzialistica, di ogni 'Divinità Provedente', e rappresentano in questa loro eccentricità una posizione ben più grave ed estrema"

---

[154] *Ibid*, 18.

[155] Non si condivide, pertanto, quanto afferma Cantone scrivendo che "*l'esercito dei giusnaturalisti il Vico divise, dopo averlo semplificato, in due diverse schiere, e giustamente: da una parte sono Hobbes, Spinoza, Bayle, Locke, Machiavelli, dall'altra Grozio, Selden, Pufendorf*". C. Cantone, *Il concetto filosofico di diritto in Giambattista Vico*, cit., p. 251.

rispetto alla nota triade della quale è a capo Grozio[156]. Vico considererebbe Grozio, Pufendorf e Selden addirittura quali "alleati nella guerra agli Epicurei del suo tempo"[157]. Egli riconoscerebbe, infatti, ai *tre prìncipi del diritto naturale* il merito di aver affermato il fondamento del diritto non nella bruta sensibilità e materialità ma nella ragione, nella *natura umana ragionevole*, riconoscendo un'apertura alla *socialitas* che non è presente negli 'Epicurei'[158]. Epicuro - scrive Vico - "per il suo ossequio ai sensi, ha trovato poi facile ossequio in Machiavello, Obbes, Spinosa e Baille"[159]. Marcatamente scettiche,

---

[156] L. Bianchi, "*E contro la pratica de' governi di Baile, che vorrebbe senza religioni possano reggere le nazioni": note su Bayle nella corrispondenza di Vico*, in "*Bollettino del Centro di Studi Vichiani*", XXX, 2000, p. 27.

[157] C. Cantone, *Il concetto filosofico di diritto in Giambattista Vico*, cit., p. 254. Sul fatto che Pufendorf stesso controbattesse le tesi hobbesiane, propugnando il diritto come espressione della razionalità umana, rilevando anche una certa tendenza dell'uomo alla socialità, emerge un importante punto di distinzione introdotto da Vico stesso, che riconosce al 'Pufendorfio' un'apertura alla *socialitas*, ma contesta l'origine essenzialmente utilitaristica del moto che l'uomo compie verso tale direzione. Cfr., in merito a tali profili del pensiero dell'autore tedesco, con particolare riferimento all'eredità di Grozio, N. E. Simmonds, *Grotius and Pufendorf*, in S. Nadler (a cura di), *A Companion to Early Modern Philosophy*, S. Nadler, Blackwell, Malden, MA 2002, pp. 210–223; V. Fiorillo, *Tra egoismo e socialitá. Il giusnaturalismo di Samuel Pufendorf*, Napoli, Jovene 1991; S. Darwall, *Pufendorf on Morality, Sociability, and Moral Powers*, in "Journal of the History of Philosophy" 50(2)2012, pp 213–238. Su linee di continuità e discontinuità fra Pufendorf e il giusnaturalismo del suo tempo, con particolare riferimento a Hobbes, si veda, infine, più recentemente, D. Döring, (a cura di), *Samuel Pufendorf in der Welt des 17. Jahrhunderts*, Klostermann, Frankfurt am Main 2012.

[158] Epicuro, invece, scrive Vico nel *De constantia*, "ha ritenuto che non vi fosse in natura alcun diritto, e ha riposto questo nelle opinioni; non sull'onestà eterna, ma sulla fluidità dell'utilità materiale; al variar di questa, secondo lui, varia quello". Cfr. *De const*, cap. XVIII, p. 382.

[159] *Sinopsi*, p 6.; *Epistole*, p 218. I nomi di Machiavelli, Hobbes, Spinoza e Bayle, al seguito di Epicuro, compaiono per lo più insieme. Cfr., nel *Du*, pp. 6, 30, 60, 382, 410. Va inoltre ricordato all'elenco degli Epicurei Vico aveva accluso, nella *Lettera a F. M. Monti* (del 1724), il nome di John Locke.

"epicuree", sono, dunque, quelle tesi negatrici di una socialità naturale, in cui si inscrive anche la dimensione giuridica, e delle quali, già nella *Sinopsi del De Uno*, l'Autore denuncia la presenza nel pensiero, appunto, di Machiavelli, Hobbes, Spinoza e Bayle. Il loro scetticismo è, per Vico, evidente quando non anche apertamente dichiarato; per questo motivo tali pensatori vengono da lui criticati con una gravità che è apparsa maggiore rispetto a quella che anima le confutazioni alle tesi dei 'prìncipi' Grozio, Pufendorf e Selden.

Se si può ipotizzare che in Vico sia presente, *in nuce*, la percezione di una differenza tra argomentazioni giusnaturalistiche di matrice volontaristica e di matrice razionalistica, propendendo l'Autore per una critica meno radicale nei confronti delle seconde, ciò non significa che egli ne sposi le tesi. Infatti, l'aver posto a fondamento del diritto la '*umana natura ragionevole*' non è sufficiente a tenere immuni da esiti utilitaristici, ed in ultima istanza scettici, le dottrine di Grozio, Selden e Pufendorf; è qui che, chiarita la distinzione rispetto agli Epicurei, torna in evidenza un profilo comune al giusnaturalismo moderno. L'adesione ad una gnoseologia razionalistica e ad un'antropologia individualistica porta, necessariamente, gli esponenti della Scuola moderna del Diritto Naturale a muovere da una premessa comune, ovvero il riconoscimento dell'insanabilità del conflitto intersoggettivo; sia esso un hobbesiano *bellum omnium contra omnes* – inevitabile nello stato di natura – sia esso un semplice rischio da prevenire, per cui, come asseriva Grozio, vero contenuto del diritto naturale è lo *stare pactis* (grazie al quale si tutela la propria incolumità). Di qui discende l'esigenza – vero principio e fine del giusnaturalismo moderno – dello Stato quale detentore di un potere in grado di prevenire, se non impedire, con la sua presenza e con la sua attività giuridica, la deflagrazione di un esiziale conflitto. Il costituirsi in società, per timore o semplice convenienza, si poggia pur sempre su un calcolo utilitaristico, traendo origine ed efficacia da un atto di volontà[160].

Vico non esita a rinvenire anche nelle tesi giusnaturalistiche di tipo razionalista – quali quelle del filosofo olandese e dei suoi 'adornatori' – tesi viziate da prospettive utilitaristiche e, in ultima istanza, non immuni da ricadute nello scetticismo[161].

Si può capire, giunti sin qui, come la bipartizione sopra prospettata, fra Epicurei e Prìncipi del Diritto Naturale, non si presti ad essere assunta quale *regula aurea*. Questo accade sia perché, da un punto di vista formale, è possibile rilevare nel testo vichiano non poche 'eccezioni' ai 'raggruppamenti' Grozio-Selden-Pufendorf *versus* Machiavelli-Hobbes-Spinoza-Bayle; sia perché – da un punto di vista contenutistico – emergono precisi tratti comuni che unitarietà alla critica vichiana. Una lettura attenta delle argomentazioni che Vico oppone alle teorie dei suoi contemporanei evidenzia quanto il filosofo fosse consapevole della loro convergenza, individuata la quale risulta

---

160 Non a caso, infatti, la società può crearsi e mantenersi in vita, per il Rousseau, solo a patto di 'modificare la natura umana'. Cfr. J.J. Rousseau, *Emilio*, I. e, per una lettura critica attualizzante, F. Zanuso, *Autonomia, uguaglianza, utilità. Tre paradossi del razionalismo moderno*, in F. Zanuso, *Custodire il fuoco*, FrancoAngeli, Milano, pp.15-81. Emblematico, invece, quanto scrive il Vico a proposito del compito della filosofia: "la filosofia, per giovar al genere umano, dee sollevar e reggere l'uomo caduto e debole, *non convellergli la natura* né abbandonarlo nella sua corruzione". *Sn44*, 129.

161 Cfr., altresì, A. M. Damiani, *Die Wiederlegung des metaphysischen und politischen Skeptizismus: Vico gegenueber Descartres und Grotius*, in "Archiv für Rechts – und Sozialphilosophie", 2/2000, pp. 207-214. Un altro elemento – peraltro connesso a quanto evidenziato sinora – che conferisce peculiarità alla critica vichiana di Grozio, Selden e Pufendorf, la quale matura e si esplicita pienamente in un momento successivo alla redazione del *Diritto Universale*, sta nel fatto che essa è accompagnata da precise constatazioni di carattere teologico. Cfr., a questo proposito, F. Piro, *I presupposti teologici del giusnaturalismo moderno nella percezione di Vico*, in "Bollettino del Centro di Studi Vichiani", XXX, 2000, pp. 125-149; e, più risalente, D. Pecilli, *Diritto e religione nel pensiero di G. B. Vico*, in "Rivista Internazionale di Filosofia del diritto", 1952, pp. 715-736.

più agevole operare un confronto tra la Sua posizione e, diremmo oggi, il *mainstream* dei giusnaturalisti moderni.

6. Critica all'idea astratta della legge sulla natura e alla visione stato-centrica delle moderne teorie della politica.

Si è visto come Vico ravvisi nelle impostazioni dei suoi contemporanei un pericolo di 'astrattismo': nella sua concezione, per contro, come si vedrà in seguito più dettagliatamente, la legge della natura è "*etterna ma corre nel tempo*" - eterna nella sua idea, ma storica nelle sue manifestazioni[162]. Una tale idea del diritto ha, quindi, una doppia dimensione: rivela alcuni principi duraturi e universali, ma è anche radicata, 'vivente' e contestuale (identificabile), nella storia. Lo studio sul diritto naturale, dunque, si dipana alla luce di una continua co-implicazione tra umanità, società e diritto, per effetto della quale la dimensione giuridica è il segno di un'organizzazione sociale originariamente incarnata nella condizione umana e nei diversi *mores*. Tale convinzione riflette chiaramente la visione antropologica del filosofo napoletano, orientata ad una originaria *socialitas*: se gli esseri umani sono relazionali - e hanno sempre vissuto in una struttura sociale - e se il diritto è la sfera dell'esperienza umana cui è deputato il compito di organizzare, promuovere e proteggere tale trama relazionale, è chiaro che la legge è 'naturale' e 'duratura' nella sua co-implicazione con l' umanità, ma è anche 'storica' e 'contestuale', poiché le leggi - come manifestazioni pratiche e storiche - sono un prodotto umano e quindi informate dalla comprensione di quelli che le concepiscono e le applicano concretamente. Possiamo capire perché Vico ha criticato le teorie 'astratte' del diritto naturale avanzate dai moderni 'sostenitori' della *Scuola di diritto Naturale* (in particolare Hobbes, Spinoza, Pufendorf, Selden, e in alcuni termini anche Locke), le quali – pur con elementi anche marcatamente differenti fra loro –

---

162 *Sn 35*, II, IV.

tendono ad essere accomunate da un 'teorema' di fondo, ovvero l'ipotesi di uno stato di natura che richiede – a causa della sua condizione insostenibile, o comunque, inidonea a fornire garanzie di sicurezza, durevolezza e stabilità – la creazione artificiale di un ordine politico, lo Stato, di cui il diritto (positivo) costituisce prodotto e strumento primario nel contempo. Tale costruzione concettuale, ignora, per Vico, come la storia stessa provi la sostenibilità di una condizione sociale e, quindi, la 'naturalità' tanto della *societas* quanto della regolarità giuridica come mezzo, e pure come rispecchiamento di una relazionalità che si esplica nelle varie forme dell'organizzazione sociale[163]. Soprattutto, questa idea riflette una visione in cui la legge è un 'prodotto' dello Stato (e, quindi, un atto di autorità) e lo Stato è il proprietario e il solo garante di ordine sociale. La prospettiva vichiana è opposta: lo Stato è uno dei possibili risultati (né il principio, né la fine) di un ordine dinamico e relazionale che preesiste allo Stato stesso, e che non ha bisogno di essere creato artificialmente[164].

Secondo l'Autore lo spazio del diritto appare ovunque ci siano relazioni intersoggettive e organizzazioni sociali, rispetto alle quali l'ambito giuridico svolge funzione abilitativa, protettiva e di garanzia di una regolarità 'stabilizzata' in forme vincolanti; di conseguenza, nella *Scienza Nuova* il filosofo evidenzia come, tra individuo e Stato, esistano (e 'debbano' essere garantite) molte 'comunità' intermedie in cui l'etica, le pratiche, le abitudini, e gli accordi (e, in definitiva, le forme di normatività) sono modellate attraverso il dialogo, la discussione, la

---

[163] Cfr., per un approfondimento storico, sia pur ancorato allo spaccato dell'esperienza giuridica fornito dal diritto penale, B. Lenman – G. Parker (a cura di), *Crime and the Law: the Social History of Crime in Western Europe since 1500*, Europa Publications, London 1979; H. Zehr, *Changing Lenses. A new Focus on Crime and Justice*, Herald Press, Scottsdale 1990; F. Cavalla, *La pena come problema*, Cedam, Padova 1979.

[164] Cfr., sul punto, *in primis*, L. Bellofiore, *La dottrina del diritto naturale in G. B. Vico*, cit., *passim*. Circa le implicazioni di tale visione nella metodologia giuridica vichiana, cfr , e.g., A. 'T Hart, *La metodologia giuridica vichiana*, "Bollettino del centro di Studi Vichiani", XII-XIII/1982-1983.

condivisione e l'organizzazione delle *utilitates*[165]. Secondo questa prospettiva, Vico attacca anche l'idea - che nella Modernità è diventata dominante – per la quale l'elemento fondamentale (o 'genetico') della norma giuridica sia basato su un atto di autorità. Dalla famiglia alle più ampie organizzazioni, la società è articolata attraverso una complessa rete di istituzioni interagenti e complementari, nelle quali la normatività non si esprime solo mediante regole poste attraverso comandi o divieti legati ad un'*auctoritas*, bensì anche attraverso altre forme, come la consuetudine, o l'accordo[166]. Non solo: la vasta gamma di queste 'forme' sociali e giuridiche sarebbe 'contenuta' all'interno dello stato, ma non da esso 'costituita', sicché l'autorità statuale troverebbe il proprio limite e la propria giustificazione proprio nel promuovere, favorire e proteggere uno spazio sicuro per quella rete più piccola di

---

165 Si ravvisa, in questo, una similitudine fra l'impostazione 'federalista' e 'comunitaria' di Vico e quella di Johannes Althaus (più noto come Althusius), per cui cfr., J. Althusius, *Politica methodice digesta* (1614), Harvard University Press, Cambridge (MA) 1932, e, per un primo inquadramento: O. Von Gierke, *Giovanni Althusius e lo sviluppo storico delle teorie politiche giusnaturalistiche. Contributo alla storia della sistematica del diritto*, Einaudi, Torino 1974; C. Malandrino e F. Ingravalle (a cura di), *Il lessico della Politica di Johannes Althusius*, Olschki, Firenze 2005. Recentemente, un parallelismo fra la 'via alternativa' di Altusio e di Vico, rispetto alla genesi dello stato moderno, è stato proposto in P. Becchi, *Per un'idea 'federativa' di Stato nazionale*, in "Paradoxa", 2/2017, pp. 157-169.

166 Ciò è ravvisabile sin dalle forme più arcaiche del diritto, rinsaldate a narrazioni mitologiche e a profili sacrali, in cui si condensano, all'interno degli "universali fantastici", simbologie che hanno valore euristico, didascalico e mnemonico al tempo stesso. Ecco che i riferimenti alle figure di Anfione e di Orfeo, correlati all'origine del diritto nella sua 'politicità', così come a Vesta, legata all'origine della dimensione processuale e a Mercurio, connesso alla dimensione negoziale, divengono rivelativi di un processo di autocoscienza che disvela progressivamente la co-implicazione fra diritto e intersoggettività, fra forme giuridiche storiche e principio della giuridicità come fattore iscritto nella reciprocità relazionale, e pur sempre inserito in un dibattersi magmatico e non lineare all'interno dei corsi storici. Cfr., sul punto, E. Mazzoleni, *Universali fantastici giuridici. Narrazioni normative in Giambattista Vico*, in "Diritto penale e uomo", 25.09.2019, pp. 1-22.

strutture relazionali[167]. Come si vedrà anche in seguito, il concetto stesso di '*auctoritas*', per Vico, non è affatto sinonimo di una '*voluntas*' dotata di un potere in grado di rendere coattive le proprie decisioni; essa rinvia, piuttosto ad un ambito di validità in cui è presente anche l'aspetto de-limitativo dell'*auctoritas* stessa, intesa come sfera giuridica di azione e come spazio (auto)regolativo.

La distanza della concezione vichiana da quelle dominanti nel giusnaturalismo moderno è, dunque, evidente e molto marcata. Non resta che individuare le 'tappe concettuali' attraverso le quali tale modello emerge, stagliandosi da altre proposte, e che si articolano attraverso la critica di ben precisi 'loci' del giusnaturalismo moderno: la natura umana e lo *status naturae*; il contratto sociale, lo stato. Attaccando la premessa antropologica (e l'idea di 'stato di natura' disegnata intorno ad esso, funzionale a sua volta alla 'figura' concettuale del contratto sociale), Vico ha come obiettivo dialettico quello di minare l'intera costruzione delle moderne teorie dello stato, il cui *focus* su una tensione tra lo stato e individui atomizzati e votati ad un conflitto altrimenti irresolubile costituisce una delle giustificazioni filosofiche più forti per l'ideazione di un ordine statico ed organizzato, realizzato e garantito, in via monopolistica, dallo stato stesso[168].

---

[167] Un'impostazione seguita e ulteriormente attualizzata anche nel diritto contemporaneo da August C. 'T Hart, per cui rinvio a: A. C. 'T Hart, *Recht en Staat in het denken van Giambattista Vico*, Kluwer, Alphen aan den Rijn 1979. Per uno sviluppo di tale prospettiva all'interno di una critica radicale del diritto penale moderno, cfr., altresì, *Recht als schild van Perseus. Voordrachten over strafrechtstheorie*, Kluwer, Arnhem/Antwerpen 1991. Ringrazio il prof. John R. Blad per le segnalazioni e l'aiuto nei chiarimenti linguistici e concettuali in merito all'autore *de quo*.

[168] È interessante confrontare una frase di Vico del *De Uno* con una del *De Cive* di Hobbes: Vico scrive che "*senza la Divina Provvidenza nel mondo non ci sarebbe niente altro che errore, bestialità, violenza, ferocia, sangue e sporcizia; e forse, o anche senza dubbio, oggi non ci sarebbe più umanità lasciata sull'ampia massa di una Terra orrida e stupida*" (Sn25, p. 476). Hobbes, invece, sostiene che "*Fuori da questo stato, ogni uomo ha un diritto su tutto e tutti, fino a quando non può godere di nulla; in esso, ognuno gode in modo sicuro del suo diritto limitato, fuori di esso, qualsiasi uomo può giustamente*

7. *Antropologia individualistica, utilitarismo, status naturae e rigetto del contrattualismo*

Nel ripercorrere i tratti salienti della critica che Vico rivolge a dottrine di pensiero riconducibili ai dettami del giusnaturalismo moderno, accomunandole intorno ad alcuni nuclei concettuali che ne attenuano le diversificazioni, è utile ricordare come uno dei tratti comuni a tali orientamenti di pensiero fosse costituito dal teorizzare, quale *prius* logico del ragionamento, uno *stato di natura*, inteso come condizione pre-statuale dell'uomo nella quale i rapporti intersoggettivi sono regolati dal diritto naturale. Questa condizione - ipotetica o storica che sia - viene riconosciuta come instabile, latrice di un insanabile conflitto dal quale si può uscire attraverso una regolamentazione artificiale e volontaria dell'essere in società, ovverosia il *contratto sociale*.

Lo *status naturae* è, invero, il riflesso della concezione antropologica delineata dai singoli autori, dal momento che tale

---

'spogliare' o uccidere il proprio simile; fuori di esso siamo protetti dalle nostre stesse forze, al suo interno, dal potere di tutti. Fuori di esso nessun uomo è sicuro del frutto delle sue fatiche; in esso, tutti gli uomini lo sono. Infine, fuori di esso, c'è un dominio di passioni, guerra, paura, povertà, solitudine, barbarie, ignoranza, crudeltà. In esso, il dominio della ragione, pace, sicurezza, ricchezza, decenza, società, eleganza, scienze e benevolenza" (*De Cive*, X). Il ruolo che Vico attribuisce a un Dio provvidente appartiene, nel mondo hobbesiano, allo stato: la secolarizzazione di Dio e l'assolutizzazione dello stato - come due risultati collegati della modernità - sembrano essere qui pienamente tematizzati (del resto, come ricorda Howard Zehr, già Martin Lutero aveva teorizzato l'idea per cui lo Stato dovesse essere 'agente di Dio in terra', con ciò finendo per favorire una 'avocazione' del ruolo divino in quello dello stato (H. Zehr, *Changing Lenses*, cit., passim), di cui – aggiungiamo noi – è efficace 'ipostatizzazione' l'immagine del Leviatano di Hobbes. Non si può mancare di rammentare come, nella filosofia giuridica contemporanea, si sia sovente dibattuto sul '*monopolio assente*' lasciato, nella post-modernità, dallo stato (questo il titolo di una serie di incontri seminariali tenutisi presso il *Dipartimento di Scienze Giuridiche dell'Università di Verona* negli ultimi anni), e che è stato, fra gli altri, evidenziato, in B. Montanari (a cura di), *La possibilità impazzita. Esodo dalla modernità*, Giappichelli, Torino 2015.

condizione pre-statuale raffigura l'uomo com'è – o come sarebbe – se affidato alla sua sola natura, in assenza dunque di istituzioni politiche o giuridiche.

Qui si addensa uno dei punti salienti della differenza fra l'approccio vichiano e quello dei suoi 'avversari' giusnaturalisti moderni: analizzando i principali argomenti emersi nel contesto del dibattito sulle teorie del diritto naturale Vico osserva (sin dal *De Uno* e con intensità maggiore nella *Scienza Nuova Prima*) come la corrente ampiamente maggioritaria dei giusnaturalisti a lui contemporanei assuma quale premessa più o meno esplicita la natura individualistica degli esseri umani; questa caratteristica il cui coerente prisma è la delineazione di uno *status naturae* che riflette tale concezione, si rivela come una situazione alquanto instabile e 'pericolosa' per la pace sociale, come per l'uomo stesso, invocando quindi il ricorso ad una regolamentazione artificiale. Questa tesi – sostiene Vico – sarebbe, anzitutto, smentita dalla storia stessa: da quando ne abbiamo memoria, infatti, l'umanità ha vissuto all'interno di una struttura sociale, senza che vi sia prova di una condizione di originaria a-socialità[169]. Pertanto, come conclude Vico, l'idea di una condizione naturale, pre-sociale, degli esseri umani (che può essere trovata in molte teorie aventi ad oggetto il diritto naturale, da Grozio a Locke, con un forte accento in Hobbes), sarebbe solo ipotetica e priva di conferma storica. Ciò che invece è dimostrato dai dati storici è l'attitudine originaria, 'naturale', dell'umanità a vivere e rimanere in una società. L'evidenza di un atteggiamento sociale, infatti, è nella 'memoria riposta' dell'umanità stessa, trovando peraltro conferme 'naturali' in molte caratteristiche dell'uomo, come, per esempio, il linguaggio, segno della struttura comunicativa che lo configura per un'interazione organizzata e dialogica[170]. Più specificamente, il modello antropologico di Vico è incentrato sull'idea di una strutturale relazionalità degli esseri umani,

---

[169] *Sn 44, VIII degnità.*

[170] Cfr. *De Uno,* XLV.

che si collega fortemente a quella di legge naturale[171]. Di qui l'equazione proposta da Vico: l'argomentare l'origine naturale della società (dal momento che siamo costitutivamente orientati all' organizzazione sociale) equivale ad ammettere la presenza di un diritto naturale (e viceversa), poiché una struttura sociale richiede regole, e le regole stesse richiedono una struttura sociale. Con questa argomentazione, Vico sottolinea che la dimensione 'originaria' del diritto è legata alla necessità di stabilizzare, promuovere e proteggere (*dominium, libertas, tutela*) una reciprocità intersoggettiva già inscritta nella natura umana. La connessione bi-univoca tra la predisposizione relazionale degli esseri umani e il ruolo normativo della regola giuridica mostra che la giuridicità è una delle espressioni più importanti dell'attitudine delle persone a 'essere' e 'vivere' in una società, aiutando a regolare, proteggere e coltivare un rapporto di mutualità all'interno di tale cornice[172]. Seguendo questa linea di pensiero, emerge che 'relazione' e 'reciprocità' agiscono sia come *principio* che come *limite* del diritto stesso, e ciò vincola contenutisticamente e funzionalmente la dimensione giuridica: le sue manifestazioni dovrebbero dunque essere valutate alla luce della loro capacità di *abilitare*, *promuovere* e *proteggere* relazioni di mutualità e equità tra le persone.

L'ipotesi, dunque, dello *status naturae*, tipica del giusnaturalismo moderno, viene contestata sia nei presupposti che negli esiti, perché Vico non concorda con la teoria di un'origine utilitaria e artificiale della società (e dello stato), anzi afferma che la presenza e la necessità di scambiare 'utilità' non sarebbe l'origine della società stessa ma, più

---

[171] Cfr., *in primis*, le ricostruzioni proposte in: L. Bellofiore, *La dottrina del diritto naturale in G.B. Vico*, Giuffrè, Milano 1954; G. Ambrosetti, *Idea ed esperienza del diritto in Vico*, in E. Riverso (a cura di), *Leggere Vico*, Spirali, Milano 1982; U. Galeazzi, *Ermeneutica e storia in Vico*, cit., *passim.*

[172] Tale punto di vista può essere confermato anche dalla considerazione che Vico dedicò al tema della pena nel *De Uno*, per il quale rinvio a F. Reggio, *Una riflessione si concetti vicini di 'pena e 'penitenza'*, in F. Zanuso – S. Fuselli (a cura di), *Ripensare la pena. Teorie e problemi nella riflessione moderna*, Cedam, Padova 2004, pp. 253-295.

correttamente, uno degli 'argomenti' intorno ai quali gli esseri umani sperimentano la loro capacità di creare schemi organizzativi all'interno di un quadro sociale[173]. L'uomo, invero, non può per utilità 'mutare' la propria natura, bensì, intorno all'argomento delle *utilitates*, può iniziare a sperimentare e coltivare capacità che ha in sé connaturate: la comunicazione, lo scambio, l'accordo, la definizione di comportamenti e regole condivisi, la fissazione di diritti, doveri e strumenti posti a tutela degli stessi.

Su questa scia, Vico sostiene che uno scambio di utilità, anche sotto forma di un ipotetico contratto sociale volto a 'creare' uno Stato, si basa sulla capacità comunicativa e su una effettiva possibilità di mutualità, presupponendo e traendo profitto dalla socialità (già in atto), invece di 'crearla' artificialmente[174]. Del resto, con il filosofo partenopeo, dovremmo chiederci come mai, ad esempio, i *lupi* hobbesiani scoprano improvvise capacità di autolimitazione e di negoziazione nel momento in cui decidono di evitare il *bellum omnium contra omnes* e dar vita al *pactum* da cui trae origine (o meglio, giustificazione) lo stato. Sempre con Vico dovremmo chiederci come ciò possa accadere *una tantum*, per poi relegare la dimensione politica e giuridica a una totale eteronomia, monopolizzata dal sovrano, destinato, nella sua assolutezza, a *signoreggiare su una sciocca moltitudine.*

In questo modo, Vico mostra non solo i limiti del modello antropologico individualistico dominante nel suo tempo, bensì anche la configurazione di un'ipotetica condizione 'di natura', fatta di individui autosufficienti e solipsistici, e, per questo, incapaci di rimanere in tale condizione senza cadere in uno stato di conflitto irresolubile[175]. Si tratta, invero, di una creazione 'logica' che appare, nella sua astrattezza e astoricità, del tutto funzionale non tanto a spiegare un fatto storico (la

---

[173] *DU*, capp. XLVI-XLVII

[174] Sn44, VIII *degnità*

[175] Cfr. A. M. Damiani, *Die Widerlegung des metaphysischen und politischen skeptizismus: Vico gegenüber Descartres und Grotius*, in "Archiv für Rechts - und Sozialphilosophie", II/2000 pp. 207 -214.

nascita dello stato), quanto, piuttosto, a giustificare a posteriori un'entità già esistente, la cui presenza viene legata all'esigenza – postulata – di affidare la convivenza intersoggettiva a una regolamentazione artificiale, senza la quale un ordine sociale sarebbe impossibile (Hobbes) o costantemente privo di difesa in caso di violazione dei diritti naturali intorno a cui esso si coagula (Locke)[176].

Contestando la premessa di antropologia individualistica, quindi, si può dire che il filosofo napoletano si scaglia, insieme allo *status naturae*, contro uno dei pilastri su cui è stata fondata l'intera giustificazione moderna dello Stato (intesa anche come concessione ultima ed esclusiva di ordine legale)[177]. D'altra parte, come si vedrà più in dettaglio con riferimento al ruolo del *pudor* nel risveglio della *socialitas* umana, i "bestioni" che Vico descrive nella *Scienza Nuova*, in una narrazione apparentemente simile ai 'miti fondativi' sullo *status naturae* – tipici del giusnaturalismo moderno – non si pongono come prototipi della natura umana: tale condizione è, piuttosto, quella di uno *status naturae lapsae*: il riferimento non è solo alla 'caduta' avvenuta con il peccato originale, bensì alle molte, possibili cadute che l'umanità può sperimentare nel momento in cui l'uomo dimentica la propria finitezza e si cade in forme di solipsistica auto-assolutizzazione[178].

---

176 Cfr., ad esempio, F. Todescan, *Le radici teologiche del giusnaturalismo moderno*, Giuffré Milano 2000; F. Zanuso, *Conflitto e controllo sociale nel pensiero giuridico moderno*, Cleup, Padova 1993; A. Cavanna, *Storia del diritto moderno in Europa*, Giuffré, Milano 1982; J.J. Chevallier, *Storia del pensiero politico*, Il Mulino, Bologna 1990

177 In merito alla relazione tra individualismo e la moderna filosofia politica, cfr. F. Gentile, *Intelligenza politica e ragion di stato*, Giuffré, Milano 1983; P. Moro, *L'essenza della legge. Saggio sul Minosse platonico*, in F. Cavalla (a cura di), *Cultura moderna e interpretazione classica*, Cedam, Padova 1996.

178 Appare ora importante un ulteriore chiarimento circa la nozione vichiana di *stato ferino*. Scrive Piovani: nel pensiero di Vico "lo stato ferino non è condizione originaria fissata in un dato momento dello sviluppo umano, bensì insidia che sta sotto ogni società storica come incombente frana in cui possa sprofondare se i livelli minimi non siano rispettati" (P. Piovani, *La filosofia nuova di Vico*, a cura di F. Tessitore, Guida, Napoli, 1990, p. 81). La naturale

All'opposto, ricordare la propria finitezza, costituisce, per il filosofo, un aspetto intrecciato strettamente con l'apertura alla relazione di reciprocità con condivide tale condizione perché versa nella medesima situazione: qui, come un richiamo circolare, viene ribadita la dimensione strettamente relazionale della soggettività[179].

Il diritto e la società non nascono, dunque, per effetto di una regolazione artificiale con la quale si esce dallo stato naturale, bensì costituiscono degli strumenti attraverso i quali gli uomini *celebrano la loro natura sociale*. La società umana – che sempre più si estende a partire dalla forma primaria ed elementare dell'*autorità famigliare*, "cellula della società", è la vera 'condizione naturale':[180] non è dunque necessario realizzare quella forma di secolarizzata redenzione, di passaggio salvifico dallo *status naturae* allo *status beatitudinis*, che nel *mainstream* della *Scuola del Diritto Naturale* viene affidato ad un atto volontario e pattizio, com'è, appunto, il *contratto sociale*[181].

Sulla base di quanto sinora ripercorso, si comprende perché la filosofia giuridico-politica di Vico non lasci spazio a teorie contrattualistiche circa l'origine della società[182].

---

socievolezza dell'uomo vichiano deve pur sempre misurarsi con la "finitezza" dell'animo umano: il rischio di "imbestialirsi", di farsi inferiore a se stesso, è presente per l'uomo di ogni tempo.

[179] Secondo la dinamica già esposta al capitolo II, paragrafo 3.3, sezione a.

[180] cfr. Sn44, Degnità, VIII "*Le cose fuori del loro stato naturale_né vi si adagiano né vi durano. Questa Degnità sola, poiché 'l genere umano, da che si ha memoria del mondo, ha vivuto e vive comportevolmente in società, ella determina la gran disputa della quale i migliori filosofi e morali teologi ancora contendono con Carneade scettico e con Epicuro (né Grozio l'ha pur inchiovata): se vi sia diritto in natura e se l'umana natura sia socievole, che suonano la medesima cosa*".

[181] Sul contratto sociale come forma secolarizzata di passaggio dallo *status naturae* allo *status beatitudinis* cfr. F. Todescan, *Metodo, diritto e politica*, cit., pg. 98.

[182] Sul rigetto del contrattualismo di Vico cfr., fra gli altri, L. Bellofiore, *La dottrina del diritto naturale in G. B. Vico*, cit., *passim*; E. Voegelin, *La Scienza Nuova nella storia del pensiero politico*, cit., *passim*. Lo stesso Norberto Bobbio, molto nettamente, ha posto in evidenza come il filosofo napoletano parli un linguaggio distante – se non addirittura decisamente opposto – rispetto a

Abbiamo letto, nelle parole dell'Autore stesso, come egli contesti a Grozio e ai suoi 'adornatori' l'aver mancato di rigore storico, dal momento che *le auttorità con le quali ciascuno conferma il suo (...) non portano seco alcuna scienza e necessità*[183]. Vico non ravvisa l'esigenza di un ipotetico contratto sociale, perché la dimensione della socialità per lui è originaria e costitutiva, oltre che storicamente provata. Come rileva August C. 't Hart, il filosofo napoletano ha il duplice obiettivo polemico di attaccare chi (come gli Epicurei) neghi radicalmente una propensione sociale dell'uomo, e parimenti, chi, pur avendo una maggiore apertura ad un'idea di originaria *socialitas*, pur sempre affidi la *societas* ad una ipotetica e volontaristica creazione artificiale (aspetto che apre anche a considerazioni di carattere teologico, su cui Vico insiste, e che in questa sede non si intende esplorare dettagliatamente)[184].

L'idea di *contratto sociale* è derubricata come un'ipotesi partorita all'interno di uno "*ius naturale philosophorum*" [185]. Il cammino verso il "*diritto della ragion tutta spiegata*" è lento e progressivo, e non è un contratto a realizzarlo, bensì la storia intera, attraverso una *dialettica*

---

quello del giusnaturalismo moderno: egli, nelle parole del giurista, non solo è *antirazionalista* ma anche *antiindividualista* e *anticontrattualista*. Cfr. N. Bobbio, *Il diritto naturale nel secolo XVIII*, cit., pp. 116-127.

[183] Cfr. *Vita*, pg 59. I *tre prìncipi del diritto naturale "hanno errato di concerto" perché "non videro che a' gentili la providenza fu divina maestra della sapienza volgare, dalla quale tra loro, a capo di secoli uscì la sapienza riposta; onde han confuso il diritto naturale delle nazioni, uscito con i costumi delle medesime, col diritto naturale dei filosofi, che quello hanno inteso per forza de' raziocini*"

[184] Cfr. A. 't Hart, *La metodologia giuridica vichiana*, cit., p. 16. L. Bianchi, '*E contro la pratica de' governi di Baile, che vorrebbe senza religioni possano reggere le nazioni': note su Bayle nella corrispondenza di Vico*, in "Bollettino del Centro di Studi Vichiani", XXX, 2000, pp. 17-30; M. Marzano Parisoli, *Lo ius naturale gentium in Vico: la fondazione metafisica del diritto universale,* in "*Rivista internazionale di Filosofia del Diritto*", 2000, pp. 59-87; F. Piro, *I presupposti teologici del giusnaturalismo moderno nella percezione di Vico*, in "Bollettino del Centro di Studi Vichiani", XXX, 2000, pp. 125-149.

[185] Sulla critica di Vico allo *ius naturale philosophorum* cfr. S. Caruso, *La miglior legge del regno*, cit., pp. 917-922.

continua, nella quale sono presenti tanto fattori di propulsione quanto rischi di decadenza e di ritorno alla barbarie[186].

7.1 Verifiche (I): Hobbes e la "distruzione della umana società"

Sulla 'instabilità' dello *status naturae* e sul suo essere votato ad un irresolubile ed esiziale conflitto è emblematica la posizione di Hobbes: non a caso Vico la coglie come 'estrema', e pertanto la attacca con particolare durezza[187]. Il filosofo partenopeo evidenzia che, nella lucida coerenza della trattazione hobbesiana, il problema è 'originario', ossia posto a livello delle premesse: l'argomentare dell'inglese procede, infatti, *more geometrico* a partire da un 'cortocircuito' iniziale posto all'interno della stessa concezione antropologica da lui delineata, e per la quale lo *status naturae* è un terreno di conflitto perenne, non solo fra individui, nel *bellum omnium contra omnes*, bensì anche all'interno di ogni soggetto, 'diviso' fra istinto di autoconservazione e il concepirsi titolare di uno *ius in omnia*[188]. L'architettura concettuale di Hobbes viene in questo colta da Vico nel sostanziale scetticismo che la informa, e che è visibile tanto nelle premesse quanto negli esiti volontaristici: com'è noto, infatti, dall'insostenibilità dello *status naturae*, e dalla configurazione del *pactum* sociale, emerge una *eterogenesi dei fini*, per cui

---

[186] Per il rischio del ritorno alla barbarie cfr. la Conclusione della *Sn44*, e infra, *Prime Conclusioni*.

[187] La figura di Hobbes – ormai è noto – è spesso affiancata a quelle dei "contemporanei" Bayle e Spinoza, che Vico pone sulla scia dello scetticismo materialista di Epicuro e Carneade. La critica di Vico ad Hobbes non si risolve pertanto in un attacco personale nei confronti delle idee del filosofo inglese: queste vengono piuttosto considerate come emblema di un modo di pensare che Vico stesso trova ricorrente nella storia e che egli avversa duramente.

[188] Scrive infatti Hobbes: "non si può negare che lo stato naturale degli uomini, prima che si costituisse la società [leggi: lo Stato], fosse uno stato di guerra, e non di guerra semplicemente, ma di guerra di tutti contro tutti". Cfr T. Hobbes, *De Cive*, I, 12.

l'assetto politico-giuridico delineato dall'autore inglese è quello di un diritto totalmente eteronomo e contenutisticamente disponibile al Sovrano, nella cornice di un modello politico assolutistico.

Il Nostro combatte con forza questo assetto argomentativo, ravvisando in esso i germi rinnovati del pensiero sviluppatosi in seno alla Sofistica, che – non di rado servendosi di un collegamento concettuale fra *physis* e *nomos* – veniva ad assorbire la dimensione del diritto in quella della forza, confondendo *jus* e *iussum*, giuridicità e istituzionalizzazione di un atto di potere. Icastico, Vico: "*Si viene a conchiudere che l'umana società col timore si raffrena, e che le leggi altra cosa non sono se non un mezzo della podestà ritrovato a signoreggiare la sciocca moltitudine*"[189].

Il filosofo non accetta che la *lex* sia concepita come mero atto autoritativo; l'*auctoritas* deve cercare di esprimere un imprescindibile *verum* preesistente alla volontà umana e che a quest'ultima non è pienamente disponibile: nella prospettiva dell'Autore, infatti, pur nella sua mutevolezza storica, il diritto – per creare *leges* e non *monstra legum* – deve cercare di non contraddire i principi fondamentali del diritto naturale, che identifica con i classici *neminem laedere, suum cuique tribuere, honeste vivere.*

La prospettiva vichiana, peraltro, si pone in aperta polemica con l'antropologia hobbesiana, a partire da una considerazione esperienziale, ossia la struttura relazionale dell'uomo, la quale, senza escludere la possibilità di conflitti e ricadute nella violenza, è *condizione di possibilità*, oltre che *de-limitazione* della dimensione politica e giuridica, entrambe 'naturali' perché strutturali nell'uomo. D'altra parte, l'astrattismo hobbesiano, pur nella sua 'geometrica coerenza', cade in contraddizione nel momento in cui configura un uomo atomizzato e irrelato, predatorio come una belva feroce, ma pone in capo proprio a

---

[189] *De Uno*, *proloquium*, p. 30. L'accostamento fra la polemica di Vico contro Hobbes e quella che Platone, per mezzo di Socrate, conduce contro i Sofisti, è proposto in A. Livi, *La filosofia e la sua storia*, cit., p. 389.

quello stesso individuo la capacità di incontrare i suoi simili per negoziare ed accordarsi intorno ad un *pactum (unionis et) subiectionis*.

Ovviamente, nella concezione del filosofo partenopeo, non si può pensare ad una 'natura' senza richiamarsi ad un Dio creatore e provvidente, sicché, come Vico spiega – indirizzando espressamente ad Hobbes la XXXI *Degnità* della *Scienza Nuova* – Dio ha creato gli uomini con una natura relazionale, e nella storia, anche a fronte di momenti di imbarbarimento ed *imbecillitas*, ha offerto loro molteplici opportunità per risvegliarli alla vera natura umana, ossia quella di esseri sociali, aperti alla comunicazione delle nozioni e delle utilità nonché alla ricerca di un loro conguaglio[190].

Se l'uomo hobbesiano si muove verso l'altro mosso da *metus*, e per mera utilità pragmatica, l'uomo vichiano si apre all'altro spinto da un *pudor*, sul risveglio del quale – spiega Vico nei paragrafi 339 e 340 della *Scienza Nuova* – "la cognizione di Dio" di cui non sono privi gli uomini "quantunque selvaggi", svolge un ruolo fondamentale[191]. Questa percezione di una realtà superiore, alla quale l'uomo, "caduto nella disperazione di tutti i soccorsi della natura", volge lo sguardo alla ricerca della salvezza, conduce l'umano arbitrio e l'umana volontà a produrre il *conatus*, grazie al quale si innesca il faticoso cammino dalla barbarie alla civiltà[192]. Ecco che l'Autore – nella epistola al Monti – non risparmia ad Hobbes, unitamente ad altri 'Epicurei', un commento particolarmente aspro: con il loro "ateismo", "Obbes, Spinoza, Bayle, e

---

[190] *Sn44*, 179.

[191] Sul punto rinvio all'originale contributo di G. Zanetti, *Il rosso e il bianco. Una nota sul ruolo delle emozioni nella 'Scienza Nuova' di Vico* in "Filosofia Politica" XXI, 3/2007, pp. 477-487, e, per un approfondimento sul tema del *pudor*, al cap. IV del presente scritto.

[192] Cfr. *Sn44*, 339-340; "*Onde quella che regola tutto il giusto degli uomini è la giustizia divina, la quale ci è ministrata dalla divina provvedenza per conservare l'umana società*". Cfr, altresì, *Sn44, 341; dai "violenti" di Hobbes "non sarebbe mai potuta incominciare la società"(Vico Sn25,58).*

ultimamente [anche] Locke (...) si dimostrano andar essi a distruggere, per quanto è loro, tutta l'umana società"[193].

Perché Vico è così duro? Cosa intende per "*distruggere tutta la società*"? Non pare difficile avanzare la seguente ipotesi interpretativa: in una *societas* nata dal timore e dall'utile e retta unicamente da un potere che "signoreggia sulla moltitudine" – vi è una *reductio* del diritto al *positum*, e del *positum* allo *iussum*, ovvero, in fin dei conti, a un trasimacheo utile del più forte[194]. Questo equivale ad una indifferenza verso i contenuti del diritto, che per il giurista partenopeo è una rinunzia alla ricerca di una giustizia e, con essa, alla tutela di una reciprocità intersoggettiva che non può darsi se si pensa al diritto stesso come mero frutto di un potere eteroposto. "Che la verità e l'equità imposte all'uomo dalla giustizia, sieno il doppio fondamento di ogni società, ce lo insegna Scipione Africano, quando interviene in un dialogo di Cicerone, allegato da S. Agostino, dichiarando che *sine iustitia nullam stare posse civilem societatem*"[195].

7.2 Verifiche (II): Grozio, Selden, Pufendorf e gli esiti scettico-utilitaristici delle loro dottrine.

Si è già sottolineato come in realtà le critiche di Vico a Hobbes, Spinoza e Bayle si intersechino con quelle rivolte ai tre *prìncipi del diritto naturale* rivelando l'esistenza tanto di aspetti specifici che caratterizzano la critica a Grozio, Pufendorf e Bayle, quanto di una trama unitaria sottostante alle diverse teorie con cui Vico si confronta.

---

[193] Si veda, infine, *Epist, Lettera a F.M. Monti, passim.*

[194] Sul rifiuto da parte di Vico del "vivere in solitudine" quale etica connessa al cartesianesimo ed agli esiti scettici cui apre il razionalismo moderno cfr. J. Gebhardt, *Sensus ommunis: Vico e la tradizione europea antica*, in "Bollettino del Centro di Studi Vichiani", XXII-XXIII, 1992-1993, pgg. 50-51.

[195] *De Uno*, LIX, "*La giustizia fondamento di ogni società*".

Vico riconosce ai *prìncipi del diritto naturale* il merito di aver fondato i loro sistemi sull'*umana natura razionale*, in ciò differenziandosi dal modello degli Epicurei che, nel suo 'scetticismo', tende ad esaltare i profili volontaristici a scapito dell'elemento razionale[196]. Grozio, Selden e Pufendorf *credevano*, se così si può dire, *nel diritto naturale* – ovvero nella possibilità di enucleare, per mezzo di questo, ben precisi principii giuridici – perciò il filosofo partenopeo li avrebbe assunti quali alleati nella lotta contro chi, come Hobbes, al diritto naturale finiva col negare ogni valore, configurando un sistema politico-giuridico, nei suoi esiti, informato al positivismo[197].

Ciò non di meno, come è stato osservato, la lettura che lo studioso napoletano propone delle linee comuni sussistenti fra gli autori *de quibus*, sembra rilevare una "contraddizione fra gli intenti iniziali e dichiarati del pensiero [di Grozio, Selden e Pufendorf] e l'esito effettivo dei loro presupposti e della logica del loro discorso"[198].

Tralasciando, volontariamente, la meno influente figura di Selden, occorre comprendere, su quale base Vico ravvisi una convergenza concettuale fra i *sistemi di diritto naturale* di Grozio e Pufendorf e l'epicureismo hobbesiano: questa va ravvisata, a nostro avviso, nel fatto che – a dispetto dell'atteggiamento meno incline al volontarismo – sia Grozio che Pufendorf muovono da ipotesi

---

[196] Sullo scetticismo Vico è durissimo in più passi della sua opera. Per restare a quelle giuridiche, citiamo, ad esempio, quanto afferma nel *De Constantia Jurisprudentis*: "Questi Carneadi (...) che riescono a dissertare senza sbilanciarsi a favore o contro l'esistenza di una giustizia nelle cose umane, un giorno così, il giorno dopo colà, siano pubblicamente cacciati da ogni stato, come già un tempo furono cacciati da Roma"(*De Const.*, Cap II, p. 354).

[197] L'idea di poter formulare norme giuridiche in modo sistematico sulla base del diritto naturale è un tratto che distingue il giusnaturalismo volontaristico da quello giusnaturalismo razionalistico, al quale Galeazzi, lettore di Vico riconduce Grozio, Selden e Pufendorf, chiamandoli appunto "esponenti del giusnaturalismo razionalistico". Cfr. U. Galeazzi, *Ermeneutica e Storia in Vico*, cit., p. 138.

[198] U. Galeazzi, *Ermeneutica e Storia in Vico*, cit., p. 138.

antropologiche individualistiche, e informate, pur in misura diversa, da un tratto utilitaristico, le quali si rendono visibili nel modo in cui gli autori configurano, nelle loro teorie, l'ipotetico *status naturae*[199].

Ciò che accomuna Grozio e Pufendorf, pur nelle inevitabili differenze, consentendo al giurista napoletano di avvicinarli ad Hobbes, è, innanzitutto, il loro essere filosofi – per dirlo in termini vichiani – "monastici o solitari", non "politici"[200], intendendo con ciò l'adozione di una antropologia individualistica. Ad essa fa da corollario un utilitarismo pulsionistico, che informa il comportamento umano: la "morale del piacere" che, secondo il filosofo napoletano, essi propugnano, infatti, è "buona per uomini che debbon vivere in solitudine"[201]. L'autore della *Scienza Nuova* evidenzia, così, che uomini guidati, edonisticamente, dal proprio piacere, trascurano ciò che consente l'apertura al riconoscimento e alla relazione con il proprio simile[202]. Ciò, da un lato, mostra come la possibilità che, nello stato di natura, si pervenga ad un *conflitto irresolubile,* lucidamente teorizzato da Hobbes, non sia dunque semplicemente un aspetto peculiare della dottrina del filosofo inglese, ma piuttosto un rischio in cui incorrono,

---

199 Scrive Vico: (Sn25, p. 16): "*Grozio, sociniano che egli era, pone il primo uomo buono, perché non cattivo, con queste qualità di solo, debole, bisognoso di tutto, e che, fatto accorto de' mali della bestial solitudine, sia egli venuto in società, e 'n conseguenza che 'l primo genere umano sia stato di semplicioni, solitari, venuti poi alla vita socievole, dettata loro dall'utilità. Che è, in fatti, l'ipotesi di Epicuro*". E, inoltre (Sn 25, 18): "*Finalmente Pufendorfio, quantunque egli intenda servire alla provvedenza e vi si adoperi, dà un'ipotesi affatto epicurea ovvero obbesiana (che in ciò è una cosa stessa) dell'uomo gittato in questo mondo senza cura ed aiuto divino. Laonde non meno i 'semplicioni' di Grozio che i 'destituti' di Pufendorfio devono convenire coi 'licenziosi violenti' di Tommaso Obbes, sopra i quali egli addotrina il suo 'Cittadino' a sconoscere la giustizia e seguire l'utilità*".

200 *Sn44*, 130.

201 *Vita*, 19.

202 E', invero, un tema portante delle concezioni illuministiche, e che si trova emblematicamente ripreso, anni più in là, anche da Cesare Beccaria. Rinvio, per una lettura critica in tal senso, a F. Zanuso, *Cesare Beccaria; il diritto penale fra la tutela dei diritti umani e le ragioni dell'efficienza*, in G. Rossi – F. Zanuso (a cura di), *Attualità e storicità di "Dei Delitti e delle Pene"*, ESI, Napoli 2015, pp.111-139.

costitutivamente, tutte le ipotesi antropologiche che trascurino la componente relazionale dell'uomo, compellendo nell'*utilitas* il movente principale dell'agire e dell'unirsi in società. Ciò accade anche per Grozio, che pur sembrava configurare un uomo non animato da ostilità per il proprio simile nello *status naturae,* ma che in realtà non appare immune dal giustificare la costituzione della società sulla base di istanze utilitaristiche, scivolando financo in derive volontaristiche sul fondamento del diritto[203]. Vico coglie in Grozio una oscillazione fra un diritto naturale fondato razionalmente anche nei suoi contenuti, e posizioni in cui il fondamento razionale della *societas* giuridica poggia unicamente su un calcolo, rispetto al quale *necessitas, utilitas* o *inopia* appaiono le vere cause del costituirsi in società, e i termini e le implicazioni di questo atto costitutivo rimangono contenutisticamente indifferenti. Questa ambiguità risulta particolarmente grave, perché consente a Vico, lettore di Grozio, di trovare nell'elaborazione del suo 'quarto auttore' un punto debole: il *De Groot* non esclude, anzi sembra sostenere, in ultima istanza, che gli esseri umani siano pervenuti alla società, e, quindi, ad un certo ordine giuridico, prescindendo da una tensione e da un riferimento a un ideale di giustizia, bensì operando (prevalentemente) in base a esigenze o calcoli di convenienza: il che equivale a "sconoscere la giustizia e seguire l'utilità"[204].

Come è stato rilevato, peraltro, Vico non nega che sullo sfondo del diritto naturale sussista "un processo che, prendendo le mosse da

---

[203] Cfr. N. Badaloni, *Sul vichiano diritto naturale delle genti*, in G. B. Vico, *Opere giuridiche*, cit., pp. I-XLI, qui p. XXXIX. Del resto, questo pone il De Groot sulla scia di quella irrisolta dialettica fra istanze volontaristiche e derive razionalistiche insita negli ultimi sviluppi della Seconda Scolastica, verso cui Grozio è filosoficamente debitore. Cfr., sul punto, F. Todescan, *Metodo, Diritto e Politica*, cit., *passim*, e Id., *Introduzione*, in F. Suarez, *Trattato delle Leggi e di Dio Legislatore*, Libro I., a cura di O. De Bertolis, Cedam, Padova, 2008, pp. I – LVI; G. Fassò, *Introduzione*, in U. Grozio, *Il diritto della guerra e della pace – Prolegomeni e libro primo*, a cura di F. Arici e F. Todescan, Cedam, Padova 2010, pp. XIII-XLVI.

[204] *Sn25*, 18

comportamenti che sembrano identificarsi con determinazioni naturali (*necessitas, utilitas, ferinitas*), conduce, invece, attraverso la *communitas* dei linguaggi, delle religioni, delle leggi ad un modo sociale di riferirsi ai valori, che rinvia al dispiegarsi di una comune razionalità"[205]. Quest'ultima, peraltro, non è posta in sovrapposizione o contrapposizione con la dimensione naturale, bensì costituisce "l'esplicitarsi di questa" attraverso il dipanarsi articolato, complesso, a tratti magmatico delle vicende storiche[206]. Qui Vico scorge la possibilità di una correlazione fra le forme e lo sviluppo della razionalità umana e le modalità e lo sviluppo delle forme di convivenza civile: un tema già presente nelle *Opere Giuridiche* e condotto a pieno sviluppo nella *Scienza Nuova*[207].

Vi è poi l'accusa di socinianesimo, che il giurista napoletano rivolge a Grozio, la quale ruota attorno ad uno dei concetti cardine della dottrina sociniana: la negazione del peccato originale, che Vico desume dall'idea di uomo primitivo propugnata dal giurista olandese, per il quale l'uomo delle origini era "*ex semplicitate animi*" collocato in una "vita semplice ed innocente"[208]. Nessuno *status naturae lapsae*, dunque, nessuna caduta[209]. Ecco allora che, dentro questa cornice

---

[205] N. Badaloni, *Sul vichiano diritto naturale delle genti*, cit., p. XLI. L'Autore intravede in questo, un argomento che consente di ricondurre Vico entro l'Illuminismo (p. XL).

[206] *Ibid.*

[207] Cfr., sul punto, recentemente, J. Trabant, *G. B. Vico. Poetische Charaktere*, De Gruyter, Berlin-Boston 2019.

[208] U. Grozio, *De jure belli ac pacis*, cit, II, 2. Sul rapporto fra Vico e Grozio, letto anche alla luce di 'stratificazioni culturali' insite nel dibattito della Napoli sei-settecentesca, rinvio nuovamente a N. Badaloni, *Sul vichiano diritto naturale delle genti*, cit., *passim*, e, al più recente G. Limone, *Fra Grozio e Vico : il problema del « diritto naturale » come tesi rigorosa*, in V. Fiorino – F. Vollhardt (a cura di), *Il diritto naturale della socialità. Tradizioni antiche e antropologia moderna nel XVII secolo*, Giappichelli, Torino 2004, pp. 51-77.

[209] Si accenna, solo a titolo di suggestione, al fatto che l'idea di uomini primitivi "semplici e innocenti", propugnata dall'eresia sociniana, era

teologica, la discussione sulle ipotesi antropologiche unisce al tema dell'utilitarismo quello razionalistico dell'*etiamsi daremus non esse deum*: le istanze volontaristiche e quelle razionalistiche, compresenti in Grozio non senza ambiguità, sembrano così trovare un punto di incontro ideale in una visione sostanzialmente individualistica della *auto-nomia*[210].

Per quanto concerne Pufendorf, invece, non vi sono 'accuse di eresia' alla base della critica vichiana. Lo studioso tedesco aderisce ad una visione antropologica meno 'ottimistica' di quella del Grozio, e pone in secondo piano, almeno apparentemente, il tema dell'utilità sostenendo che l'uomo si accosta al diritto e alla società per effetto dell'adesione ad una legge impartita dall'alto, che è legge in quanto manifestazione di una volontà superiore[211]. Ci sarebbe, dunque, un razionale assenso al riconoscere la coercitività del diritto, la quale, però, sembra fondare la propria validità proprio sull'elemento volontaristico. Non solo: anche in Pufendorf, l'idea di un uomo originario "solo e abbandonato a se stesso", ossia per natura individualista e assolutamente autonomo nella conoscenza dei contenuti e nella determinazione delle scelte, implica lo slittamento della tesi antropologica del giurista tedesco verso un'ipotesi, per usare le parole di Vico, "affatto epicurea ovvero obbesiana"[212].

I due elementi individuati dal filosofo partenopeo si combinano nel determinare l'esito scettico-volontaristico della dottrina di Pufendorf: se quest'ultimo individua nell'essenza della legge l'essere un

---

fortemente legata – anche per la forte cointeressenza con l'ambiente ginevrino – alla dottrina calvinista. È curioso che proprio un filosofo di Ginevra, Rousseau, abbia teorizzato un'ipotesi di uomo-primitivo quale "buon selvaggio".

[210] Cfr. anche U. Galeazzi, *Ermeneutica e storia in Vico*, cit., pp. 130-141. Sulla autonomia come una delle cifre del pensiero moderno, in cui si addensano anche rilevanti contraddizioni, cfr. F. Zanuso, *Autonomia, uguaglianza, utilità. Tre paradossi del razionalismo moderno*, in F. Zanuso (a cura di), *Custodire il Fuoco*, FrancoAngeli, Milano 2013, pp. 15-81.

[211] Cfr. F. Piro, *I presupposti teologici del giusnaturalismo moderno*, cit., p. 137.

[212] *Sn25*, 18

comando dotato di coercitività, ed altresì afferma l'autonomia di ogni uomo rispetto ad una legge superiore che afferisca alla *provvidenza*, rimane un'unica ipotesi plausibile riguardo a quale sia la *volontà superiore* cui il filosofo tedesco fa riferimento: la *volontà di chi detiene il potere*[213]. L'avvicinamento della prospettiva di Pufendorf a quella di Hobbes è così, agli occhi di Vico, compiuto.

Vi è dunque una sostanziale differenza tra i "bestioni" primigenii di cui parla Vico da un lato, i "sempliciotti" di Grozio, i "destituiti" di Pufendorf, i "priapi" di Hobbes[214]? Le visioni antropologiche concepite da questi autori – sia pur con toni ed intensità differenti – sono in realtà caratterizzate dall'affermazione dell'autonomia individualistica (e razionalistica) e dalla presenza – attuale o potenziale – di un irrisolvibile conflitto qualora tali "autonomie" giungano a incontrarsi. Ne deriva l'utilità del convenire in società attraverso un 'patto' che, lungi dall'

---

[213] Osserva infatti Cavanna, a conferma della fondatezza delle osservazioni di Vico: "il razionalismo del Pufendorf si esaurisce nell'affermazione che è la ragione a dimostrare la validità e la necessità delle leggi naturali come possibile espressione della volontà divina e nell'implicito corollario di una possibile corrispondenza delle norme positive alla razionalità di quelle naturali (...). Ma nel pensiero di questo eclettico giusnaturalista entrano anche argomentazioni di tipo utilitaristico (la propensione alla socievolezza in vista della propria conservazione) e, soprattutto, sulla scia di Hobbes, un predominante volontarismo". A. Cavanna, *Storia del diritto moderno in Europa,* cit., pg. 339. Non a caso un celebre allievo di Pufendorf, Thomasius, giunge a concludere che sono giuste unicamente le azioni conformi al precetto giuridico, identificando la giuridicità di una norma con la sua coercibilità, a riprova degli esiti giuspositivistici del giusnaturalismo moderno. (Cfr. C. Thomasius, *Fundamenta iuris naturae et gentium*, libro I, capp. 4 e 5). Sulla dottrina giuridica di Pufendorf cfr. H. Welzel, *La dottrina giusnaturalistica di Samuel Pufendorf*, tr.it. di U. Fiorillo, Giappichelli, Torino, 1993.

Sull'incontro di volontarismo e razionalismo in Pufendorf cfr. D. Composta, *L'ateismo nella filosofia del diritto*, cit., pp. 12-17; e F. Todescan, *Le radici teologiche del giusnaturalismo laico*, cit., vol II, *infra.*

[214] Le parole "sempliciotti", "destituiti" e "priapi", riferiti ai modelli antropologici rispettivamente di Grozio, Pufendorf e Hobbes, sono espressioni vichiane. Cfr. *Sn25* e *Sn44*, *infra.*

'inverare' la *socialitas humana,* suona piuttosto come 'patto di non belligeranza' con cui si rinsalda il diritto alla volontà del sovrano. Di qui emerge un paradosso tipico del giusnaturalismo moderno: una esaltazione marcata dell'autonomia a livello di condizione pre-sociale, che si traduce nella teorizzata esigenza di superare l'inevitabile conflitto attraverso la realizzazione di un ordine artificiale ed eteronomo. Questo slittamento appare, in effetti, specchio della perdita di una visione antropologica relazionale: solo grazie ad essa, infatti, la auto-nomia si può ambientare e sviluppare all'interno di una socialità che, per quanto problematica, è possibile e sostenibile senza 'snaturare' l'essere umano o condensare la dimensione politico-giuridica in un ordine imposto[215].

Vico chiarisce, invece, in vari passi della sua opera, che questa opzione concettuale si basa su un'erronea lettura dell'utilità, che, come chiarisce è '*occasione*', non già '*causa*' dell'essere in società. Quand'anche vi sia un argomento, legato all'*utilitas*, alla base dei vincoli sociali che l'uomo viene a porre in essere (famiglia, clientele, rapporti commerciali, legami comunitari), la comunicazione, comprensione ed 'equazione' delle stesse non è né la causa né il fine della socievolezza umana: quest'ultima, è *condizione di possibilità* e *fattore delimitativo* della stessa *utilitas*, dal momento che senza una struttura relazionale pregressa, e costitutiva, nemmeno sarebbe possibile alcuna forma di ragionamento o di 'scambio' intorno all'utilità stessa. Non solo: proprio perché condizione di possibilità, la relazionalità – e la reciprocità ad essa

---

[215] Che questa sia una cifra essenziale della critica di Vico ai suoi contemporanei emerge anche dal recepimento del suo pensiero in capo ad altri autori da lui poco distanti, come Emanuele Duni, che estende la critica di Vico al giusnaturalismo moderno (Cfr. E. Duni, *La Scienza del Costume o sia sistema sul diritto universale*, Simoniana, Napoli 1775, si veda in particolare pp. 35-38). Lo "snaturamento" dell'uomo è, invero, un tema roussoviano, ed è interessante notare come l'apparato argomentativo di Vico sia servito a FrancescoAntonio Grimaldi (1741-1784) per rivolgere una circostanziata critica nei confronti di Rousseau (Cfr. F. Grimaldi, *Riflessioni sopra l'ineguaglianza fra gli uomini*, Vincenzo Mazzola-Vocola, Napoli 1779-1780). Cfr., per un approfondimento, G. Scarpato, *Vico e Rousseau nel Settecento Italiano*, in "Pensiero Politico" 1/2017, pp. 27-58.

collegata – costituisce anche un fattore delimitativo dell'*utilitas*, ponendo la questione sulla sua corretta ed equa comunicazione e distribuzione, ivi compresa la questione relativa al '*suum cuique tribuere*': ed è qui che inizia la domanda sulla giustizia, la quale, come si è visto, è per Vico inscindibilmente connessa al diritto.

CAPITOLO III

La concezione giuridica di Vico fra filosofia e metodologia. Itinerari esplorativi.

Sommario: 1. La concezione giuridica vichiana: complessità e punti di tensione – 2. Elementi fondamentali della prospettiva giuridica vichiana – 3. Fenditure. Alcuni approfondimenti – 3.1 Fenditura I - la naturale socievolezza dell'uomo: la famiglia come *prima societas* – 3.2 Fenditura II – verso la *civitas*: *utilitas occasio non autem causa* (ossia l'apparente utilitarismo di Vico) – 3.3 Fenditura III – *jus naturale prius* e *jus naturale posterius* – 3.4 Fenditura IV – dal costume ai principii – 3.5 Fenditura V – *diritto natural delle genti*, costume e *sensus communis* – 3.6 Fenditura VI – *honeste vivere* e i principii del diritto naturale vichiano – 4. Risvolti metodologici nella riflessione giuridica vichiana – 4.1 Fenditura VII – verisimile e *infima veri*: il diritto fra *prudentia*, *sapientia* ed *eloquentia* – 4.2 Fenditura VIII – la metodologia giuridica vichiana e il suo risvolto processuale – 4.3 Fenditura IX – *Aequitas* come mediazione fra *lex* e caso concreto

1. La concezione giuridica vichiana: complessità e punti di tensione.

Già esaminando la *pars destruens* delle argomentazioni con cui Vico si misura dialetticamente con autorevoli giuristi del suo tempo si è potuto vedere come per l'Autore il diritto naturale non possa essere concepito alla stregua di un insieme di dettagliate prescrizioni razionali, ma nemmeno come un semplice riflesso di valori e interessi dominanti. Strettamente radicato in una originaria socialità intersoggettiva, il diritto naturale vichiano si pone in una tensione problematica tra gli ideali che la norma giuridica può incarnare e perseguire (giustizia, equità, reciprocità…) e la possibilità di adattare concretamente questi ideali alla realtà, mutevole, complessa e contestuale.

La concezione giusnaturalistica vichiana richiama, infatti, il problematico emergere di strutture razionali e relazionali da istituzioni e pratiche storicamente contestualizzate; quindi, sebbene, come si è detto, 'corra in tempo', la legge rivela la presenza di strutture e ideali che non possono mai essere pienamente identificati con le norme e le istituzioni emergenti da ogni contesto, ma nemmeno apertamente ignorati o contraddetti, pena un pervertimento del diritto[216]. Ideale e storico, unitamente all'esigenza di porre una sintesi fra questi ultimi, costituiscono un tema portante – e nel contempo problematico – all'interno della speculazione di Vico, e la sua riflessione filosofico-giuridica rappresenta un singolare punto di osservazione per cogliere questa tensione e gli sforzi di armonizzazione compiuti dal pensatore partenopeo.

Nel *Diritto Universale*, con accento più marcatamente giuridico, e nella *Scienza Nuova* con uno sguardo, diremmo oggi, ampiamente 'interdisciplinare', gli sforzi di Vico sono volti a far emergere, da leggi, abitudini e istituzioni storiche, alcune 'ragioni' in grado di trascendere il contesto storico e di mostrare contenuti condivisi dagli esseri umani perché profondamente radicati in un'umanità comune[217].

A partire dalla rilettura dell'esperienza giuridica romana, Vico mostra come la storia incarni un insieme articolato di complessi processi volti ad abilitare il riconoscimento e la tutela della socievolezza umana. Ciò implica molteplici situazioni di contrasto e tentativi di negoziazione e composizione del conflitto. Ne discende che molti sono i potenziali e attuali momenti di scontro, molti i 'contratti sociali' che ne vengono stipulati e nessuno di essi determina un passaggio da uno *status naturae* ad una condizione sociale; sono tutti 'terreni' in cui

---

[216] Una tale continua tensione e dinamicità mostra anche che - secondo Vico - la giustizia (così come la verità) esprime un'aspirazione umana ma anche (e soprattutto) un'apertura alla trascendenza (intesa in termini religiosi, cristiani). La legge sarebbe, quindi, un espediente grazie al quale la Divina Provvidenza lascia che gli esseri umani conservino la loro natura relazionale e razionale e coltivino - insieme all' aspirazione alla giustizia - un'apertura al Principio e alla Fine della Giustizia, che è Dio. Tale tesi è l'architrave del *De Uno*.

[217] L'interpretazione vichiana del diritto naturale è stata magistralmente posta in risalto in L. Bellofiore. *La dottrina del diritto naturale in GB. Vico,* Giuffré, Milano 1954; L. Bellofiore, *Morale e storia in Vico,* Giuffrè, Milano 1972

l'umanità si misura con la propria capacità di superare logiche violente e sopraffattorie e di attivare la ricerca di una equa composizione delle *utilitates*. Questo è il 'cuore' del diritto, nella sua genesi e nel suo sviluppo[218].

L'idea del 'diritto' che emerge dalla sua riflessione non esprime, dunque, un'immagine fissa e statica dell'ordine, pronta alla 'codificazione' o alla 'positivizzazione', né la semplice manifestazione di equilibri di potere estrinsecatisi in strutture coercitive. La dimensione giuridica rinvia all'idea di un ordine dinamico e relazionale, che continuamente interroga lo studioso e l'interprete del diritto sulle tensioni che si dibattono nel formarsi storico della normatività: *ratio* ed *auctoritas*; *utilitas* e *justitia*; *jus* e *jussum*; *principia* e *regulae*.

Già questo carattere intrinsecamente 'dialettico' mostra la peculiarità e la vitalità della concezione giuridica di Vico, della quale si intende ora ripercorrere alcuni aspetti rilevanti, senza pretesa di affrontare esaustivamente la complessa e ricchissima elaborazione dell'Autore. Ciò che preme, in questa sede, è evidenziare alcuni tratti

---

218 Come osserva Daniela Monteverdi, Roma è per Vico una "esperienza morfologicamente forte" e, quindi, in grado di mostrare, grazie ai tempi lunghi della sua struttura politica, il compimento di un 'ciclo' storico, dalla genesi alla decadenza, che consente di istituire correlazioni fra istituzioni sociali e sviluppo della teoria e della prassi giuridiche (D. Monteverdi, *Vico, le XII tavole e lo spirito del tempo*, in "Revista General de Derecho Romano", 28/2017, pp. 1-34, qui p. 15). Nel *De Constantia*, ad esempio, Vico dedica interessanti riflessioni ai conflitti e alle negoziazioni che hanno avuto luogo intorno alla genesi e allo sviluppo delle *leggi agrarie* in Roma (con riferimento al sorgere della 'proprietà' bonitaria o all'istituto del *nexus*), e proprio qui osserva: "(...) in quel frangente ove i padri, per iscansare i sanguinosi conflitti, si piegarono a richiamare le plebi, l'intervenuto accordo dovette fondarsi sotto una qualche equa condizione" (...) "Questa legge 'agraria' fu la prima delle leggi fondamentali che hanno consitutito le civili società" (*De Const.*, CXXVII, p. 148). Va notato come Vico non neghi la possibilità di conflitti intorno alla proprietà e allo sfruttamento dei beni; egli però riscontra anche la capacità di superare lo scontro attraverso l'attivazione di una facoltà di promuovere l'accordo, tanto più durevole e solido quanto più capace di esplicitare e incarnare forme (riconosciute) di equità.

salienti della proposta vichiana, dapprima concentrandosi su profili teorico-generali, per poi volgere lo sguardo alla metodologia giuridica.

Taluni elementi fondamentali della prospettiva filosofico-giuridica elaborata da Giambattista Vico sono, invero, già emersi nel capitolo precedente, nello stagliare la visione dell'Autore da quella dei giuristi da lui criticati. Si procederà, pertanto, schematicamente, a riprendere tali punti, in modo da consentire una rapida individuazione delle peculiarità che caratterizzano, in via di *pars construens*, la concezione vichiana.

Seguiranno, poi, alcuni brevi approfondimenti condotti attraverso 'fenditure' che consentano di individuare più nel dettaglio, anche attraverso le stesse parole di Vico, ulteriori elementi caratterizzanti della sua proposta filosofico-giuridica.

2. Elementi fondamentali della prospettiva giuridica vichiana.

Dal confronto con il giusnaturalismo moderno – con gli 'Epicurei' e con i 'Prìncipi del diritto naturale' sono, invero, emersi già, *via negationis*, diversi profili di singolarità della proposta vichiana. Il seguente percorso per punti ha l'obiettivo di individuarne, schematicamente, i più rilevanti.

I. Il modello giuridico vichiano è basato su un'antropologia relazionale, la quale trova, a sua volta, un punto di appoggio su una gnoseologia non razionalistica. Senza cadere in una visione irenistica, l'uomo appare strutturato per essere *naturaliter socialis*, e ciò risulta visibile all'Autore per la convergenza di molteplici argomenti di diversa natura: (a) a livello esperienziale, ad esempio, l'umanità è storicamente configurata attraverso varie forme sociali; (b) sul piano della conformazione fisica, l'uomo è strutturato per la relazione, non da ultimo per esser dotato di '*espressiva favella*'. Infine, anche (c) la riflessione filosofica conferma una visione antropologica relazionale: nella strutturale finitezza umana, infatti, si dà un'apertura all'altro come reciproco e come interlocutore, sia per l'accesso al sapere che per la vita pratica.

II. A corollario della visione relazionale sopra indicata, vi è un dato storico-antropologico, rimarcato da Vico nella sua produzione giuridica, e ulteriormente sviluppato nella *Scienza Nuova*: l'equazione, in termini commutativi, fra naturale socievolezza ed esistenza del diritto in natura. La costitutiva attitudine sociale dell'uomo è interconnessa con la naturalità del diritto, perché *ubi societas ibi jus*, e viceversa. Ciò rivela anche la stretta correlazione che il diritto ha con l'intersoggettività, di cui esso è promotore, garante, e stabilizzatore, nelle dimensioni di *dominium*, *libertas* e *tutela*.

III. Vico rigetta l'idea di un'origine 'artificiale' di società, diritto e stato e, con essa, di un contratto sociale. Tali teorie prospettano il passaggio da una ipotetica o storica condizione di instabilità o insostenibilità in direzione di una politicità artificialmente costruita. La naturalità della *societas* e, con essa, del diritto, fa sì che vi sia 'continuità nella diversità' fra esperienze giuridiche, ma non un 'salto' da una condizione originaria, pre-politica, a una politica. Ne consegue che il legame fra diritto, istituzioni sociali e legami intersoggettivi è costitutivo e opera anche come limite e fattore di legittimazione per istituzioni e norme: il giusnaturalismo vichiano, in questo senso, non pone lo *jus* nella disponibilità dell'autorità sovrana, bensì, piuttosto, a suo limite.

IV. Le forme giuridiche non si esauriscono nel concetto di norma come comando, dell'autorità, ma si estendono ad una pluralità di manifestazioni che, nelle declinazioni interne a *dominium, libertas* e *tutela*, possono esprimere la dimensione normativa e relazionale del diritto: l'attenzione di Vico alle 'forme giuridiche' si estende, dunque, oltre le leggi, e riguarda anche l'attività giurisdizionale, oltre che altri profili, come le negoziazioni e gli accordi, le consuetudini e le proiezioni giuridiche dei costumi.

V. Diritto e socialità si manifestano e 'vivono', dunque, ben al di là della sola dimensione statuale – 'figura politica' principale della modernità giusfilosofica: la concezione politica vichiana riconosce l'esistenza e la giuridicità (intesa come legittimità ma anche come spazio di autonomia e di edificazione e sperimentazione di regolarità giuridica) di forme 'politiche' differenti, 'comunitarie', e 'intermedie': famiglia, relazioni di parentela, rapporti commerciali, comunità, stato. Viene così spezzata la 'dialettica' stato-individuo, tipica del diritto moderno, in favore di una concezione 'federale' e 'policentrica' della società politica, e di una concezione non puramente autoritativa della '*rule of law*'[219]. Per tale ragione, il destinatario delle riflessioni giuridiche di Vico non è un ipotetico legislatore, bensì la società nelle sue complesse e intersecate componenti.

VI. La dottrina giuridica vichiana, nelle sue strutture, non appare costituita per essere un mezzo di legittimazione del potere politico; al contrario l'obiettivo di Vico sembra piuttosto dirigersi verso una riflessione, anche attraverso la contestualizzazione storica, sulla giustificazione e sul limite di diritto e istituzioni politiche.

---

[219] Questo profilo della visione vichiana è visibile, ad esempio, nelle riflessioni di un suo acuto lettore, come August C. 't Hart, il quale sostiene che la *rule of law* è una struttura "in cui il potere è diviso fra i partecipanti che si danno riconoscimento reciproco e nella quale il diritto e la legge funzionano in primo luogo come la struttura che costituisce la relazione fra i partecipanti al potere". Se ne ha che "la legge non è un puro strumento di potere, bensì una trama di relazioni (…) che esprime un comprensivo equilibrio il quale autorizza sia la limitazione che la diffusione e distribuzione dell'esercizio di potere"(A. C. 't Hart, *Openbaare Ministerie in Rechtshandhaving*, Arnhem, Gouda Quint 2004, p. 216, ns. trad.).

VII. In conclusione, emerge una visione fortemente contestuale del diritto che non è, quindi, razionalisticamente inteso come un insieme di norme da codificare, né viene scetticamente ridotto a mero prodotto di autorità. Il diritto naturale vichiano, nel suo essere '*etterno*' pone un insieme di vincoli contenutistici inviolabili (*neminem laedere, honeste vivere, suum cuique tribuere*) ma problematici e aperti a una continua attualizzazione storica. Il diritto naturale, dunque, si esprime attraverso princìpi, non traducibili in un assetto di regole stabile e valevole in ogni condizione (tale sarebbe uno *jus naturale philosophorum*); pertanto ingaggia ogni generazione e ogni interprete in un continuo sforzo interpretativo ed attualizzante, da ritenersi mai esauribile e, pertanto, anche sempre discutibile. Si tratta di un ordine dinamico, aperto al suo stesso continuo superamento.

VIII. I punti su evidenziati spiegano l'attenzione che Vico tributò a profili metodologici del diritto particolarmente 'sensibili' – soprattutto per l'epoca – al tema dell'interpretazione e dell'attualizzazione, come la *sapientia*, la *prudentia*, l'*eloquentia* e l'*aequitas*. Lontano dalle pretese di 'geometrica chiarezza' e coerenza, il profilo metodologico delle riflessioni vichiane rimanda ad un'idea di diritto che richiede strumenti idonei a 'porre in atto' e a 'onorare' la relazionalità e la dinamicità che lo caratterizza.

3. Fenditure. Alcuni approfondimenti.

Sin qui, dunque, schematicamente, si sono individuati un insieme di elementi che, nella nostra lettura, sembrano costituire i tratti fondamentali della filosofia del diritto elaborata da Vico.

Sulla base di questo schema, si procederà, ora, ad approfondire brevemente alcune 'fenditure' ulteriori, che consentano di leggere, fra le righe delle argomentazioni vichiane, determinati profili salienti del suo pensiero.

3.1 Fenditura I - La naturale socievolezza dell'uomo: la famiglia come prima societas

La natura dell'uomo è socievole, e quindi vi è diritto in natura. Vi è diritto perché l'uomo è *sociabile*; ed il diritto stesso costituisce un fattore di promozione della socievolezza. Questa, la nota equazione vichiana. La socialità è sorta e si è sviluppata con naturalezza, progressivamente; ha seguito, insomma, il crescere stesso dell'umanità. Non si può, infatti, pensare, scrive Vico, di "trattare la storia dalle repubbliche già costituite, dagli imperi già stabiliti (...) come se tutte queste cose fossero nate ad un tratto tra gli uomini"[220].

Non vi è un repentino passaggio da una condizione 'atomizzata' di individui pre-sociali allo Stato: l'*autorità monastica*, prima di convertirsi in *autorità civile* sperimenta una prima, elementare – ma non per questo rozza – forma di *societas* nella *autorità familiare*. La prima società nasce dunque, secondo il filosofo napoletano, nel matrimonio, il quale non si presenta solo come *contractus*, come patto tra coniugi, ma come *amicitia* – e come luogo dove le *utilitates* e le responsabilità vengono comunicate, condivise, organizzate[221]. Non si tratta – si badi bene – di una antecedenza temporale bensì di un primato concettuale, che individua il nesso fra *socialità*, *regolarità*, *mutualità* e *responsabilità* all'interno di un nucleo esperienziale e che innerva in modo originario la socialità umana. Ciò che emerge della società familiare è l'idea della comunicazione intorno all'utile e al bene, e della loro composizione in un *con-sortium* che implica condivisione del bene e del male, sopportazione di sacrifici in nome del bene comune: esso non implica la rinuncia alla propria unicità ma l'affermazione piena di essa

---

[220] *De Uno*, cap. LIVIII

[221] *Sn44*, 554. Al concetto di *filia* Vico ricollega etimologicamente il termine latino *filius* ed il termine greco *fylè*, tribù; *Sn44,554*"D*a questa natura di cose umane restò quest'eterna proprietà. Che la vera amicizia naturale egli è 'l matrimonio, nella quale naturalmente si comunicano tutti e tre i fini de' beni, cioè l'onesto, l'utile e 'l dilettevole; onde il marito e la moglie corrono per natura la stessa sorte in tutte le prosperità e avversità della vita (...) per lo che da Modestino fu il matrimonio diffinito 'omnis vitae consortium'*

all'interno di un'unità più grande, in sé generativa, e quindi latrice di responsabilità dotate di proiezione generazionale. Le 'nozze' sono parte integrante della società, perché ne innervano la struttura comunitaria, stabiliscono nessi di 'cognazione', e proiettano una comunità attraverso le generazioni[222].

Se, dunque, le famiglie sono la prima forma di convivenza umana, il primo principio degli stati, lo stesso Autore chiarisce che questi non sono nati come "grandi famiglie". La storia dell'umanità, infatti, è connotata anche da contrapposizioni violente, da diritti affermatisi con la forza, o per sfuggire ad essa, da faticosa ricerca di compromessi ed equilibri fra spinte talora contrapposte. Ecco, dunque, che il "secondo abbozzo del civil governo" furono le clientele che nacquero, non tanto per effetto di una sopraffazione violenta, quanto per esigenze di tutela e di sviluppo delle comunità familiari: le famiglie che si erano meglio organizzate – gli *ottimi* – erano cresciute in numero e forza; e così "quei deboli che si vedevano sopraffatti dai violenti, la forza istessa delle cose li spinse a ricoverarsi nei sagri boschi e presso le are degli ottimi", divenendo loro *clienti*[223]. Il "*primo abbozzo dei civili governi* è la famiglia (*De Uno*, CIII); il secondo è costituito dalle clientele (CIV), mentre *la più ampia delle universalità giuridiche* è la *res publica* (CVII)". Infine: "la repubblica, la civile o politica società, lo stato, forma adunque la terza giuridica universalità, ed è di gran lunga la più estesa"[224].

---

[222] Non è un caso che, in una narrazione che sta all'origine dell'immaginario giuridico occidentale, come quella che nell'Iliade narra del leggendario fregio dello Scudo di Achille, la 'città della pace' contempli due figure della socialità umana: quella di un corteo di nozze, e quella di un processo, entrambi colti come momenti in cui si condensa il nucleo fondante di una comunità civile. Cfr., per una recente rilettura, P. Moro, *Lo scudo di Achille. Il processo come archetipo di pace*, in "Mediares" 1/2021, pp. 22-46.

[223] Cfr. *De Uno*, cap. CIV.

[224] *De Uno*, CVII

Questa è la lettura storica che Vico compie nella sua indagine, in cui particolare attenzione è tributata, come si è detto, alla storia del diritto romano. Vi è, tuttavia, una componente sincronica che si accompagna a quella diacronica: nel modello vichiano rimangono, come si è detto, compresenti e intersecanti, diverse forme di *communitates*, tutte dotate di un'autonoma (ma non isolata) dimensione politica e di uno spazio giuridico, perché generative di comportamenti normativi, talora viventi sotto forma di mero *ethos*, talora a supporto vivo di contenuti formalmente incorporati in norme giuridiche.

3.2 - Fenditura II: Verso la civitas: utilitas occasio non autem causa (ossia, l'apparente utilitarismo di Vico)

Non è in questa sede possibile seguire tutto il percorso che Vico compie nel ricostruire la genesi dello Stato[225]. Appare, piuttosto, interessante, considerare come il filosofo si stagli dall'utilitarismo da lui aspramente criticato presso le dottrine giusnaturalistiche degli 'Epicurei' e dei 'Prìncipi del diritto naturale', senza però trascurare l'importante ruolo attribuito all'utilità.

Alla base della nascita della *res publica* il filosofo riconosce, certamente, una considerazione di carattere utilitario, e parimenti va considerato il fatto che intorno alle *utilitates* sorgono contrasti e finanche conflitti da comporre: L' Autore lo chiarisce nel *De Uno*, rapportandosi - come è noto - alla storia romana: poiché la *clientela* era una condizione, "come vuole la natura istessa", difficilmente sopportabile, le plebi, stanche "di dover sempre a pro altrui coltivare i campi", cominciarono "sollevarsi contro gli ottimati"; i *patres* allora, "già naturalmente disposti alla sociabile compagnia, vennero tosto a proclamare tra di essi l'uguaglianza dei diritti", di modo da poter

---

[225] Cfr. *De Uno*, capp. CIII-CVIII. E, per una sintesi particolarmente efficace, cfr. D. Pasini, *Diritto, società e Stato in Vico*, cit., parte seconda, pgg. 171 e segg.

"viemmeglio contrastare" le eventuali "commozioni delle plebi"[226]. "Da cotal collazione di diritti (...) nacquero le repubbliche"[227]. In poche parole, esse nacquero per meglio garantire la difesa di prerogative acquisite contro le aggressioni di chi le reclama anche per sé. Vico non nega, dunque, che possano storicamente darsi contrasti sulla distribuzione delle utilità, e quindi anche del potere, ma questo profilo non esaurisce la politicità, né la dimensione giuridica, venendo a costituire, piuttosto, una manifestazione storica della continua tensione che l'umanità vive fra gli elementi ideali e le esigenze concrete, così come fra le aspirazioni più alte dell'essere umano e le sue stesse pulsioni e miserie.

A questo proposito è fondamentale rimarcare l'importanza della distinzione – già menzionata – che Vico introduce proprio nella critica ai suoi contemporanei, quando, riguardo l'utilità, li accusa di aver confuso l'*occasione* con la *causa*. Gli "scettici Epicuro, Machiavello, Obbes, Spinosa, Bayle ed altri dissero l'uomo esser socievole per utilità, la quale col bisogno o col timore vi portò". Ebbene, costoro "non avvertirono che altro son le cagioni, altro le occasioni delle cose; le utilità cangiarsi, ma l'uguaglianza di quelle rimanere eterna"[228]. Egli chiarisce ulteriormente: "l'utilità è la cagione per la quale si desti nella mente dell'uomo l'idea dell'egualità [*aequitas*] che è la cagione eterna del giusto"[229].

L'utilità è uno degli 'oggetti' di scambio e interazione umani, così come un 'argomento' di confronto, e di contrasto, ma il tema che accede alla dimensione giuridica non è l'utilità stessa, quanto, piuttosto, il profilo che riguarda la sua distribuzione, o la sua commutazione all'interno di rapporti intersoggettivi. Nel suo tentativo di leggere 'fra le righe' degli eventi storici alla ricerca di '*rationes*' trans-situazionali – di

---

[226] *De Uno*, CIV-CV

[227] *De Uno*, CVI0

[228] *Sin.*, pg 6.

[229] *Ibid*

cui *La Scienza Nuova*, "storia ideal eterna", è emblema – il filosofo scorge nel proteiforme e magmatico scorrere storico della molteplicità dei fatti, temi 'portanti', elementi interpretativi che possano fornire una lettura filosofica degli accadimenti. Nella sua prospettiva, dunque, l'*utilitas* ha sollecitato – talora in modo conflittuale, talora in modo più pacifico – una riflessione fra gli uomini che li ha sollecitati tanto alla comunicazione, quanto all'individuazione di regole e strumenti volti a consentire lo scambio, la composizione e la distribuzione delle *utilitates*.

Il giurista partenopeo, dunque, non disconosce l'importanza alla categoria delle utilità, della loro comunicazione, del loro perseguimento, della necessità di condurle ad equità. Titola così il capitolo XLVI del *De Uno*: "L'utilità è occasione, l'onestà è cagione del diritto e dell'umana società"[230]. Solo alla luce di quest'ultima affermazione si può comprendere quel passaggio del *De Uno* – del quale colpisce l'assonanza con alcuni *loci* hobbesiani – nel quale Vico scrive che se non vi fosse la società civile "vivrebbero tra loro gli uomini a guisa di feroci lupi, e forse in breve tempo spegnerebbesi il genere umano"[231]. Tale brano evidenzia come la *societas* – come proiezione dell'originaria socialità – *preceda* e *delimiti* le forme politico-giuridiche, ma questo vincolo non si regge solo sull'utilità – pur non essendo privo di risvolti apprezzabili anche su tale piano. La *societas*

---

[230] "*Non sono per se stesse né disoneste, né oneste le utilità, ma è disonesta la loro disuguaglianza, ed onesto l'adeguamento di esse. L'utilità del corpo, per essere del corpo, è cosa che svanisce e non dura, ma è eterna l'onestà, per essere sua essenza l'eterna verità, la mente. Le cose caduche e sfuggevoli non possono generare cosa eterna, né possono produrre ciò ch'è ad esse superiore; perciò altra cosa è l'occasione, ed altra la cagione, distinzione fondamentale non avvertita da Ugo Grozio, quando ha trattato quest'argomento"; Le utilità, dunque, furono occasioni perché l'uomo avvertisse l'idea della giustizia, l'esigenza di essa. L'utilità non fu madre del diritto, e non lo furono nemmeno né la necessità, né il timore, né il bisogno, come piacque di dirlo ad Epicuro, al Machiavelli, all'Obbes, allo Spinosa ed al Baille; l'utilità fu soltanto l'occasione per la quale gli uomini, sociali e compagnevoli per propria lor natura, ma pel peccato originale divisi, deboli e bisognosi, vennero a costituirsi in società ed a soddisfare ai loro compagnevoli e naturali impulsi*". (*De Uno*, p. 60).

[231] *De Uno*, CVII

vive e si tutela, anzitutto, attraverso un atto di presa di coscienza e di riconoscimento, individuale, intersoggettivo, e 'sociale', che rappresenta la consapevolezza di una caratteristica che per l'uomo è *munus*, nella duplice accezione di '*dono*' e di '*compito*'.

Vico non mira, dunque, a elevare lo stato a secolare "Dio in terra", bensì piuttosto quale uno dei possibili strumenti storicamente determinati grazie ai quali l'uomo può 'celebrare la sua natura sociale'. Si potrebbe ora obbiettare che, nel capo CXIII del *De Uno*, il filosofo sembra quasi teorizzare lo Stato quale proiezione di Dio in terra. La potestà civile viene presentata come *imago dei*: "*ut Deus aseitate est in omni natura summus... ita auctoritate civili est in civitate potestas civilis summa*". Tuttavia, è lo stesso filosofo napoletano, poco dopo, a dipanare il grave dubbio: la *potestas civilis* trova un limite invalicabile nel diritto naturale, il quale, se violato, comporta che "*divino conscientiae judicio damnatur*".

Se, come si è osservato, il diritto naturale appartiene alla natura umana, emerge che lo stato trova nella garanzia dell'intersoggettività, e della *socialitas* stessa, un preciso limite alla propria *potestas*[232]. L'ordine imposto dallo stato mediante, soprattutto, la legge positiva, deve pur sempre sottostare ai principii del diritto naturale. Poiché quest'ultimo si presenta sotto forma di principi non determinabili in modo stabile attraverso regole puntuali, se ne ha che l'ordine espresso dallo stato si pone sotto il profilo di una storicità determinata, il cui altro volto necessario è la rivedibilità e la non definitività[233]. Non solo: giacché

---

[232] Ecco allora che, come spiega Pasini, Vico non legittima la Ragion di Stato. Egli parla piuttosto di "Giusta Ragion di Stato" e, "perciò, di una equità civile o diritto statuale che, (...) implicando la netta superiorità dell'equità naturale, implichi (...) la presenza operante della giustizia. Di qui allora la dimensione umana, civile della Ragion di Stato e, quindi, del potere e del diritto dello Stato sovrano"(D. Pasini *Diritto, società e Stato in Vico*, cit., parte seconda, p. 244).

[233] Cfr., sul punto, L. Pompa, *La funcion del legislador en Giambattista Vico*, in in *Cuadernos sobre Vico*, 5-6, 1995-1996, pgg. 139-153; G. Folchieri, *Bene comune e legislazione nella dottrina di Vico, in* 'Rivista internazionale di Filosofia del Diritto", 1925; P. Piovani, "*Ex legislatione philosophia*", *sopra un tema di Vico*, in *La filosofia del diritto come scienza filosofica*, Milano, 1963.

utilitas occasio non autem causa, l'utilità stessa delle istituzioni storiche non costituisce una delega in bianco che le sottrae a un vaglio sia sul piano dell'*utilitas* stessa che della *justitia*.

Se questo tema è già al cuore delle *Opere Giuridiche*, è interessante volgere l'attenzione alla *Spiegazione della dipintura proposta al frontespizio*, che costituisce l'introduzione della *Scienza Nuova*[234]. Qui l'Autore spiega che la causa vera del sorgere della società è vivere in essa, aspirando a relazioni non dominative, ma eque ed equilibrate: l'utile, in questo senso, è 'espediente', 'argomento', di cui, nella prospettiva vichiana, la provvidenza divina si è servita per comunicare con menti *offuscate* che solo quella logica avrebbero potuto comprendere. Vi è, ovviamente, ben più di questa dimensione, e l'essere umano che aspiri alla pienezza della propria umanità – anche nella sua declinazione politica e giuridica – non può appiattire queste dimensioni alla sola *utilitas* o a un pragmatismo di corto raggio.

3.3 - Fenditura III – Ius naturale prius e ius naturale posterius

Vico non dimentica che l'uomo è capace di violenza, di barbarie, di nefandezze, e di comportamenti disgregativi della *societas*. E' un dato storico, e una possibile ricorsività. Tuttavia, nella costruzione del diritto naturale vichiano, anche l'ipotesi di una condizione di barbarie iniziale – successiva al peccato originale, nella lettura teologica del Nostro – non impedisce all'Adamo caduto un possibile risveglio:

---

[234]Gli uomini erano per natura socievoli, così Vico scrive: "*alla qual [proprietà] Iddio provvedendo, ha così ordinate e disposte le cose umane, che gli uomini, caduti dall'intiera giustizia per lo peccato originale, intendendo di fare quasi sempre tutto il diverso e, sovente ancora, tutto il contrario, onde per servir all'utilità, vivessero in solitudine da fiere bestie, per quelle stesse loro diverse e contrarie vie, essi dall'utilità medesima sien tratti da uomini a vivere con giustizia e conservarsi in società, e sì a celebrare la loro natura socievole: la quale, nell'opera, si dimostrerà essere la vera civil natura dell'uomo e sì esservi diritto in natura. La qual condotta della provvedenza divina è una delle cose che principalmente s'occupa questa Scienza di ragionare; onde ella, per tal aspetto, vien ad essere una teologia civile ragionata della provvedenza divina*"; *Sn44*, 2.

egli conserva in sé un *semen veri*, che lo trae, con la sua *vis*, verso la ricerca di verità e giustizia.

Vico accoglie a questo riguardo, la distinzione stoica di *ius naturale prius* e *ius naturale posterius*: il primo altro non è se non il naturale istinto alla autoconservazione ed all'incolumità, "*quod natura omnia animalia docuit*". Sarebbe una sorta di 'contenuto minimo', cui anche l'uomo imbarbarito è portato ad attenersi, e di cui si possono notare le affinità con altre elaborazioni tipiche del giusnaturalismo moderno. Tuttavia, la forza attrattiva della *vis veri* può risvegliare nell'uomo una dimensione più complessa e profonda, ma non perciò meno originaria: "la signoria della ragione, l'equilibranza degli affetti, l'autorità tutelare del consiglio, formano quel diritto naturale detto secondario"[235]. Il diritto naturale *posterius* (e che coincide con ciò che di norma si chiama con il generico termine di "diritto naturale") è effetto dell'opera della *vis veri* sulla mente umana. Esso non confligge necessariamente con lo *ius naturale prius*: quest'ultimo, in un certo senso, fornisce l'insieme delle condizioni elementari della vita sociale, mentre il *posterius* costituisce "l'insieme delle condizioni progressive della stessa"[236].

È così che il sorgere del diritto, per effetto della *vis veri* operante nel - e attraverso il - diritto naturale (*posterius*) – si manifesta proprio nella moderazione di *nosse, velle* e *posse*, facoltà umane, attraverso le virtù di prudenza, temperanza, fortezza, generando così i tre volti del diritto: *libertà, dominio* e *tutela*[237].

---

[235] *De Uno*, pp. 90-94.

[236] Cfr. A. Levi, *Il diritto naturale nella filosofia di Giambattista Vico*, in *Studi in onore di Biagio Brugi*, Palermo, 1910; cfr. altresì N. Badaloni, *Sul vichiano diritto naturale delle genti*, cit., in particolare pp. XV-XVIII.

[237] Del resto – si è giustamente osservato – "Si potrebbe dire che a un primo livello l'uomo già possiede tutti i principi del diritto naturale, ma che poi, a causa della caduta che li ha resi non operativi, tali diritti non possono essere rivendicati. È solo a un secondo livello che, grazie all'intervento diretto di Dio e della sua Provvidenza, la ragione si sforza di contenere la volontà e permette all'uomo di rivendicare in piena consapevolezza e coscienza quegli stessi diritti". M.M. Marzano Parisoli, *Lo ius naturale gentium in Vico*..., cit., p. 75.

Lo spazio vitale, il campo – per così dire – nel quale questi tre volti del diritto vengono esercitati e prendono forma concreta, è quello che Vico chiama *autorità*[238]. Ciò offre l'occasione per una precisazione terminologica già anticipata ma che appare opportuno rimarcare, dato il frequente rischio che termini di 'uso comune' non vengano colti nell'accezione, affatto peculiare, che Vico vi conferisce. Al termine 'autorità' il Nostro – e lo spiega egli stesso nel capitolo XC del *De Uno* – attribuisce un significato parzialmente diverso da quello normalmente in uso presso gli scrittori storici e politici e presso i giuristi, e che pure adotta quando contrappone *vero* e *certo* della legge come *ratio* ed *auctoritas*. L'autorità di cui parla il filosofo, chiamandola *autorità naturale*, è "la possessione [dall'uomo] avuta della propria cognizione, della propria possanza, della propria volontà". E, difatti, prosegue definendo l'autorità come: "*nostra humanae naturae proprietas, per quam nemo eam nobis eripere potest*": nemmeno ridotto in catene – purché in vita – l'uomo perde la "forza virtuale ed incorporea" che costituisce la sua *suitas*[239].

L'esprimersi verso l'esterno dell'autorità naturale – ossia della percezione dell'esistenza di un proprio *suum* – si traduce nella creazione di una sfera propria nel campo delle utilità. Qui si determina la nascita del diritto: il *dominio*, rapportato alle cose, genera la proprietà, la *libertà* si manifesta nell'uso delle cose secondo i propri disegni, la *tutela* nella difesa di ciò che è proprio[240]. Le tre dimensioni fondamentali in cui si articola il diritto rivelano così che esso non è mera proiezione di facoltà umane: la giuridicità comporta, infatti, un contemperamento fra queste

---

[238] Scrive Capograssi: "il *nosse*, il *posse*, il *velle*, contengono tutto l'uomo come mentalità; ma quando questa completa natura è affermata come superiorità su tutta la restante natura mortale, allora da queste tre forme, da questi tre elementi del mondo mentale, portati nell'azione come forza, energia creativa, diritto, da queste tre affermazioni pratiche di superiorità e di padronanza nel mondo dell'azione, nasce la personalità come autorità." G. Capograssi, *Dominio, Libertà e tutela nel De Uno*, cit., p. 19.

[239] *De Uno*, XC-XCII, p 106.

[240] Cfr. G. Capograssi, *Dominio, libertà, tutela nel De Uno*, cit, *passim*.

ultime e la loro proiezione su un tessuto di relazioni che implica riconoscimento, reciprocità, e rispetto del limite (si pensi, in tal senso, alle virtù di prudenza, temperanza e fortezza).

3.4. Fenditura IV: dal costume ai principii.

Nell'analizzare "il diritto delle genti maggiori", ossia gli antenati, Vico affronta una lettura storica del diritto romano, producendosi in considerazioni che denotano come in lui la filologia coniughi in sé tanto la dimensione dello studio della parola, quanto quella nozione più ampia che è la storia[241]: "Il diritto delle genti maggiori consisteva nel costume da essi avuto nell'usare privatamente la forza, onde gli uomini, che fuori di ogni legge vivevano, pigliavano manescamente le cose che loro abbisognavano [*usu capiebant*] adoperando la forza per conservarle"[242]. Originariamente i *mancipia* erano materialmente le cose *manu-captae*, prese di forza con le mani, *nexi* erano i debitori effettivamente legati, le *vindicationes* avvenivano con "vero manesco azzuffamento", *vindiciae* erano le cose conservate con la forza, e le *condictiones* – origine dei patti – erano vere e proprie condizioni che, se non rispettate, si traducevano in azioni personali. Nel diritto della "giovinezza della civiltà" la forza è elemento predominante: ciò che la distingue dalla mera violenza è la "causa legittima" del suo esercizio, e questa viene espressa anche attraverso la ritualità e la pubblicità delle forme; grazie a ciò quella che sarebbe una semplice *vis privata* si manifesta già come diritto. "La forza è elemento

---

[241] Osserva Vico stesso nella *pars posterior* del *De Constantia*: "*La filologia è lo studio del discorso e la considerazione che si rivolge alle parole e che ne tramanda la storia spiegandone le origini e gli sviluppi. In tal modo essa ordina i linguaggi a seconda delle epoche, per comprenderne le proprietà, le variazioni e gli usi. Ma siccome alle parole corrispondono le idee delle cose, alla filologia spetta anzitutto il compito di comprendere la storia delle cose*". *De Const*, *pars posterior*, I, pg 386.

[242] *De Uno*, C, pgg. 111-112.

costitutivo di ogni diritto naturale"[243]. Ma di quale forza si tratta? Della forza fisica, della violenza, della persuasione? Che ne è dunque della *vis veri*? "Siccome per protegger la nostra vita materiale, ci ha la divina onnipotenza di forza corporale provveduti, parimente per tutelare la nostra vita razionale, la divina sapienza ci ha somministrata la *forza della verità*, in mercé della quale viene a prodursi la virtù, nome che significa ed esprime la forza in essa raccolta"[244]. Il vero, però, si fa strada a fatica nel diritto: esso si impone come motivo e come temperamento della violenza che caratterizza le prime manifestazioni giuridiche. E quanto più avanza nel diritto la *vis veri*, quanto più emerge sulla violenza la *ratio*, tanto più si ridurrà quel 'margine di distanza' che costituisce la strutturale (e comunque incolmabile) divergenza della legge positiva, in quanto *certa*, dalla legge naturale, in quanto *vera*.

Nella legge positiva vi è certezza, ma essa – afferma Vico richiamando Ulpiano – non è del tutto vera, "per esservi una qualche ragione che non la lascia esser del tutto conforme a verità"[245]. Invero, ricorda Vico, anche nel primitivo diritto delle genti maggiori vi era una qualche forma di verità, pur essendo di gran lunga preponderante l'elemento autoritativo. La spinta della *vis veri* presente nella ragione umana, è di impulso allo sviluppo della vita sociale e alla comunicazione e composizione delle utilità, tuttavia Vico è consapevole che questo si gradua sulla base dell'evoluzione stessa della mentalità umana.

Si ha, quindi, che l'*auctoritas monastica* si trasfonde in quella prima società che è la famiglia, divenendo *autorità economica*. Dall'organizzazione e dal coordinamento delle diverse *familiae* nasce un "abbozzo della prima civil società": fu così che "i padri, già naturalmente disposti alla sociabile compagnia, vennero tosto a

---

[243] *De Uno*, LXXV, pg 94.

[244] *De Uno*, *ibid.*

[245] *De Uno*, pg. 100.

proclamare tra di essi l'uguaglianza di diritti"[246]. Istituti cardine di queste aggregazioni sono il matrimonio, le eredità, la divisione dei campi, gli istituti giuridici volti a tutelare proprietà, rapporti obbligatori, crediti. La nascita di una *societas* implica, al pari della reciproca tutela, una comunanza di regole e la loro comunicabilità: in quest'ambito le antiche *actiones* personali, tutte basate sulla forza fisica, assumono forme ritualizzate ed attraverso di esse la *vis* viene codificata e quindi parzialmente temperata perché non più lasciata arbitraria; queste 'formule legali primitive' appaiono inoltre costituite da una forte valenza religiosa; e proprio nell'elemento religioso andrebbe individuato un primitivo slancio verso la giustizia, la quale, sin dai primordi, viene percepita come qualcosa di superiore rispetto alle semplici determinazioni dei singoli.

Ecco allora che nei tempi dell'*adolescenza* del genere umano l'antica violenza viene ridotta a mero simbolo. Sicché nel diritto dei Quiriti gli istituti della *mancipatio*, dell'*usucapio*, della *rei vindicatio*, del *nexus*, della *condictio*, rimangono simboli, "imitazioni dell'antica violenza"[247]. Sono queste "solennità usate dalle genti maggiori più antiche, abbandonate dalle genti minori posteriori, in niun conto tenute dai filosofi"[248].

L'attenzione che Vico tributa alle narrazioni mitologiche, alla dimensione sacrale, alle varie dimensioni del costume, aprendo lo studio ad un'indagine che pare anticipare lo sguardo della moderna antropologia sociale, si rivolge a queste manifestazioni nella loro caratteristica di 'fatto antropologico' rivelativo di strutture comportamentali dotate di rilevanza etica, politica e giuridica[249].

---

246 *De Uno,* CV, pg. 126

247 *De Uno*, CXXIV, pg. 144.

248 *De Uno*, CXXXVI, pg 162.

249 Qui si scopre il valore che tali elementi rivestono nell'indagine di Vico, a partire dal *Diritto Universale*, per diventare uno degli elementi cardine della *Scienza Nuova*: il mito, le narrazioni antiche, le ritualità, lungi dal costituire narrazioni episodiche, formano una "euristica che porta alla luce un

Senza ripercorrere l'analisi storica compiuta da Vico, peraltro ricca di intuizioni interessanti e suggestive ipotesi, cerchiamo di comprendere la *ratio* del discorso vichiano: il diritto "venne sempre maggiormente ad avvicinarsi al diritto naturale"[250]. "*Non ibi ius, sed facta mutantur*", aveva detto il Nostro: il diritto naturale, eterno ed immutabile nella sua idea, è rimasto come parametro di riferimento e fonte di perfezionamento per il diritto vivente[251].

Errano dunque, prosegue Vico, coloro i quali pensano che il diritto naturale si esprima esclusivamente in forme razionalmente spiegabili e ideate "a norma dell'eterna ragione". Ciò è uno 'stadio evolutivo' delle manifestazioni del diritto naturale. Tuttavia, il diritto naturale non è solo questo, non è semplice *ius naturale philosophorum*, costruzione intellettuale, quindi cosciente e riflessa, del diritto. Esso da sempre accompagna la storia umana, sin dai tempi in cui del diritto naturale non v'era che una vaga percezione. Prima ancora di essere *ius naturale philosophorum* il diritto naturale compare e si sviluppa nella storia come *ius naturale gentium*: "tutti i diritti, iniziati dal diritto naturale degli uomini rudi, dirozzati dal diritto naturale delle genti maggiori, raffinati

---

universale" e quindi costituisce un percorso di progressiva presa di coscienza di ciò che soggiace alla narrazione, alla pratica, al semplice *mos* (E. Mazzoleni, Universali fantastici giuridici, cit., p. 7).

250 *De Uno, ibid.*

251 Vico fornisce un interessante *exemplum* di quest'idea. Si pensi al trasferimento della proprietà: se in un primo tempo la *mancipatio* era vero e proprio *manus-capere*, essa divenne successivamente un negozio solenne, finché, "nel diritto naturale dei filosofi, a trasportare la altrui padronanza di una cosa e a farne compiuta la traslazione basta nel padrone di essa il semplice proponimento di animo". Nell'età dello *ius naturale philosophorum* ciò che precedentemente richiedeva forme complesse e ritualizzate, una forte "realità", appare, nelle massime astratte del giurista, fondato sul semplice consenso. *De Uno,* pg 162.

dal diritto naturale delle genti minori, sono stati finalmente depurati quasi del tutto dei residui materiali dal diritto naturale dei filosofi"[252].

3.5 - Fenditura V: Diritto natural delle genti, costume e sensus communis.

Scrive Vico nella VIII *Degnità* della *Scienza Nuova* "...il genere umano, da che si ha memoria del mondo, ha vivuto e vive comportevolmente in società", e ribadisce l'equazione – oggetto di disputa secolare – "se vi sia diritto in natura, o se la natura umana sia socievole, che suonano la stessa cosa"[253]. L'uomo ha percezione del diritto naturale, di un contenuto minimo di *mores* che richiedono di tradursi in un regole ed *actiones* a loro tutela: in qualche modo cerca di tutelare e perseguire questa normatività "dal dì che nozze, tribunali ed are diero alle umane belve esser pietose"[254].

Matrimoni, sepolture e riti religiosi segnano il sorgere del diritto divino agli albori dell'umanità, quando, dall'incontro di diverse *autorità famigliari*, sono nati i primi aggregati sociali, uniti ed identificati da regole comuni riguardo agli "istituti" suindicati: la funzione di certezza del legame e della prole insita nel matrimonio, ribadita chiaramente dal Vico, sottolinea la rilevanza pubblica di quel *consortium*, e pure la presenza di un orizzonte comune di riti religiosi esprime

---

252 *De Const.*, capitolo V, 22: "*jura omnia a jure naturali rudium hominum inchoata, jure naturali majorum gentium erudita, jure naturali gentium minorum attenuata, iure naturali philosophorum sunt omni ferme corpulentia depurata*".

253 *Sn44*, Degnità VIII.

254 U. Foscolo, *i Sepolcri.* Sulle influenze del pensiero vichiano in Ugo Foscolo (ne' Le Grazie e ne' i Sepolcri) cfr. anche A. Livi, *La Filosofia e la sua Storia*, Dante Alighieri, Città di Castello 1996, p. 399. Cfr., più recentemente, A. Sabetta, *Ciò che rende l'uomo persona. Dall'erramento ferino alla ricostituzione dell'humanitas nella Scienza Nuova di G.B. Vico*, in T. Valentini – A. Velardi (a cura di), *Natura umana, persona, libertà. Prospettive di antropologia filosofica ed orientamenti etico-politici*, LEV, Città del Vaticano 2015, pp. 59-82, qui pp. 64-66.

l'identità di una comunità e l'uguale sottoporsi ad un'autorità da tutti parimenti avvertita quale sovraordinata.

Di qui si svela il legame, così forte nell'architettura concettuale vichiana, fra costume e diritto. Leggiamo, infatti, nella centocinquesima *degnità* della *Scienza Nuova*: "il diritto natural delle genti è uscito con i costumi delle nazioni, tra loro conformi in un senso comune umano, senza alcuna riflessione e senza prender essemplo l'una dall'altra".

È "boria delle nazioni", ricorda Vico, pensare che il diritto sia stato creato o codificato da un solo popolo, per poi essere in qualche modo trasmesso agli altri. Ciò non vuol dire che tra i popoli non vi sia stata comunicazione dei diritti e delle usanze: significa piuttosto che il diritto non è 'creazione' di una persona o di un popolo, ma è 'scoperta'; ed in quanto tale è accessibile – come di fatto è avvenuto – a ciascuno, indipendentemente dalla comunicazione che si è potuta verificare[255]. Torna in auge – nel suo ruolo determinante per la genesi del diritto come idea e come pratica – il *sensus communis*, che il filosofo definisce "un giudizio senza riflessione, comunemente sentito da tutto un ordine, da tutto un popolo, da una nazione, o da tutto il genere umano"[256]. Il senso comune cui fa riferimento il Vico – e che è emerso in vari momenti della riflessione dell'Autore – non è né *episteme* né mera *doxa*: si tratta piuttosto di un giudizio, originario e spontaneo, riguardante verità essenziali per la vita umana e condiviso da tutti gli uomini sulla base della comune natura[257].

La *humanitas*, una volta risvegliatasi attraverso il *pudor* che la porta a riappropriarsi della propria finitudine e di una sana tendenza a perfezionarsi, rivela, attraverso un insieme di pratiche sociali, l'emergere del *sensus communis*: è quest'ultimo a condurre l'uomo (in

---

[255] Sulla comunicazione e la comunicabilità del diritto, con riferimento anche a G.B. Vico cfr. G. Del Vecchio, *Sulla comunicabilità del diritto*, in *Rivista internazionale di Filosofia del diritto*, 1938, pgg. 606-613; e E. Chiocchetti, *La filosofia di Giambattista Vico*, Milano, 1935, pg. 180-185.

[256] *Sn44*, degnità XII.

[257] Cfr. A. Livi, *La filosofia e la sua storia*, cit., p.393.

modo non pienamente razionale ma pago anche dell'elemento sensitivo e fantastico della mente umana) alla percezione di Dio come creatore, legislatore, Provvidenza, e di se stesso come creatura chiamata ad agire liberamente ma anche responsabilmente.

Questo "sentire universale" non vuole "sostituirsi alla verità" ma ne costituisce piuttosto un invito alla ricerca[258].

Si ha così una sorta di circolo: nella propria natura è deposto un "codice d'accesso" alla percezione dell'esistenza di Dio; e l'esistenza di Dio e la sua azione provvidente nella storia sono a loro volta certezze che fondano metafisicamente – prima ancora che giuridicamente – la morale, la convivenza civile, il diritto. Tali 'certezze' costituiscono delle 'molle' che spingono l'umanità a uscire dai confini della ferinità e ad accettare così l'esigenza di garantire la vita sociale attraverso forme di reciprocità che abilitano la relazione intersoggettiva e la sottraggono al dominio della mera forza.

Il *semen veri* deposto nell'animo umano è proprio – in questo senso – via d'accesso alla verità poiché anche la limitata porzione di vero che l'uomo può conoscere e comunicare si fonda sulla premessa metafisica – ma in un certo senso anche fisica, in quanto naturalmente intuibile – della presenza soverchiante ed incommensurabile, di una trascendenza divina nella quale si trova il Principio di ogni discorso; della presenza, diremmo, del *Logos*.

In questo senso Vico afferma il diritto naturale essere nato dalle genti in modo spontaneo e senza reciproca comunicazione: la percezione dello *ius naturale* segue infatti un percorso ben preciso, il cui "codice d'accesso" è inscritto nella mente umana. Certo, al mutare di quest'ultima varia anche la concezione, la percezione che l'uomo ha del diritto naturale, e con essa cambiano i tentativi concreti di adeguarvisi (così, ad esempio, le note categorizzazioni storiche che egli propone,

---

[258] Cfr. G. Modica, *La filosofia del sensus communis in Giambattista Vico*, Sciascia Caltanissetta, 1984, in particolare pgg 35-52. Sulla portata gnoseologica del *sensus communis* vichiano cfr. anche A. Livi, *Il senso comune tra razionalismo e scetticismo*, Milano, 1992, cap III, pp. 63-78.

distinguendo fra *età degli dei*, *degli eroi*, *degli uomini*, rispettivamente permeate dal prevalere, come *forma mentis* dominante, da *senso*, *fantasia* e *ragione*). Pertanto, l'immutabilità del diritto naturale nella sua essenza si rivela attraverso il profondo dinamismo nella mente umana proprio perché diversi sono i modi ed i gradi che essa ha di percepire e rappresentare la legge naturale[259]. Dapprima in modo primitivo, fantastico-sensitivo, poi sempre più razionale ed astratto.

Pensando alle origini del pensiero giuridico occidentale, non può sfuggire come l'emergere di una coscienza speculativa intorno a temi di diritto abbia preceduto, per così dire, la riflessione apertamente filosofica: un esempio di vitale importanza, a tal riguardo, è la tragedia greca, che, portando 'in scena' il conflitto nella sua drammaticità anche emotiva, lo trasforma in narrazione e confronto, mezzi con cui il tragico appare occasione di *krisis*, ossia di razionalizzazione e di riflessione dialettizzante[260].

---

[259] Cfr. L. Bellofiore, *La dottrina del diritto naturale in G.B. Vico*, cit., p. 20

[260] Sulla valenza della tragedia greca come riflessione sul conflitto e sulla composizione, cfr., ad esempio, J. Morineau, *L'esprit de la mediation*, Eres, Toulouse 2010; F. Ost, *Mosè, Eschilo, Sofocle. All'origine dell'immaginario giuridico*, Il Mulino, Bologna 2007; F. Cavalla, *L'origine e il diritto*, FrancoAngeli, Milano 2017. "La tragedia è, non a caso, collocata nel contesto delle feste in onore a Dioniso, il 'dio straniero', figura dell'alterità che interpella e che costringe alla messa in discussione di credenze e schemi, e, con essa, alla fuoriuscita dalla rassicurazione delle invarianze, dall'illusione della stabilità offerta da ciò che si pone come autoreferenziale. Nella sua portata metaforica, Dioniso è l'invito a non fare della complessità un alibi per ripiegarsi su un (rassicurante) dogmatismo o su un (pigro) scetticismo, bensì a cogliere il complesso come ciò che sfida a proiettarsi costantemente verso la possibilità della messa in discussione e del superamento di ciò che, contestualmente, si presenta come un 'ordine' (assiologico, politico, giuridico…)"(F. Reggio, *Il contributo di una prospettiva artistica alla trasformazione dei conflitti: suggestioni e riflessioni in margine alle proposte di tre Maestri del Peacebuilding*, in "Mediares" 1/2021, pp. 73-102, qui 109).

Nella sua fluidità, il diritto naturale non è sempre percepito nello stesso modo, né tantomeno attuato in modalità invarianti[261]. Ciò non significa però che esso sia da relativizzare, da leggere e ricondurre in esperienze e contesti storici conclusi. Così, quando Vico afferma che il diritto naturale è *uscito coi costumi delle genti*, sorto appunto indipendentemente e spontaneamente in ogni civiltà, dal *sensus communis* umano, non parla di una pluralità di diritti naturali differenti a seconda del contesto; né tanto meno, nello spiegare il mutare della percezione umana del diritto naturale nelle diverse fasi di senso-fantasia-ragione, egli si riferisce a principi differenti. Ciò appiattirebbe il diritto naturale identificandolo con lo *jus gentium.* Esso, invece, cambia *modus essendi*, viene percepito in forme diverse, ma la sua essenza rimane immutata: come già chiarito dallo stesso Autore, "*non igitur ius, sed facta mutantur*". L'analisi storica che il filosofo compie – con lo scopo di corroborare le idee della filosofia con il *certo* della filologia, vuole render conto appunto delle molteplici forme assunte dal diritto nella storia al mutare della mentalità umana, senza peraltro relativizzare il concetto di diritto consegnandolo ad essere mero prodotto, totalmente mutevole, di un popolo, di un'epoca, di una mentalità.

3.6 Fenditura VI - Honeste vivere ed i principii del diritto naturale

In cosa consiste, più concretamente, il nucleo del diritto naturale per Vico? In quali principi o precetti si traduce?
La natura umana socievole, la comunicazione delle nozioni e delle utilità che attraverso il vivere sociale si realizza, si manifesta ponendo

---

[261] Si comprende così la rivalutazione del mito e della antica sapienza riposta da parte di Vico: "la narrazione mitica (...) sottende implicitamente una valenza euristica universale, in quanto luogo originario di formazione delle prime società umane. La sapienza poetica insita nelle favole antiche ha dunque una forza creatrice, perché riflette non solo le conoscenze teoriche, ma anche la saggezza pratica delle società umane nelle prime fasi delle sue origini" (E. Mazzoleni, *Universali fantastici giuridici*, cit., p. 7).

un duplice vincolo tra gli uomini. Il primo, che egli definisce, richiamandosi a Cicerone, "*cognatio naturae*" o "cognazione della natura umana" accomuna tutti gli esseri umani in quanto "provengono da un istesso e comune principio"[262]. Il secondo vincolo, che potremmo definire "di cognizione" deriva dal fatto che gli uomini sono per natura costituiti a comunicarsi, oltre che le utilità, i 'prodotti' della ragione: esso è complementare al primo dal momento che la comunicazione, insieme con la composizione delle utilità, "deve avvenire secondo i principi dell'equità", e questa presuppone una base di riconoscimento e di reciprocità[263].

Questi vincoli, che Vico chiama "società del vero" e "società dell'equo", si traducono rispettivamente in due principi: "vivasi secondo verità" e "operisi secondo buona fede". Entrambi attengono alla verità, e secondo il Nostro, sono stati già elegantemente espressi nelle formule romane *ex animi tui sententia* e *dolus malus abesto*. Afferma il giurista napoletano: "la verità è fonte di ogni diritto naturale"[264]. Verità della parola e verità del comportamento: questi fondamentali diritti e doveri di natura, amplissimi ed estremamente problematici nel contenuto, si traducono nel principio dell'*honeste vivere*, nel quale si manifesta la piena complementarità della *società dell'equo* rispetto alla *società del vero*. Da esso discendono poi altri due principi: *neminem laedere* e *suum cuique tribuere*[265].

Non si tratta – occorre precisare – di una verità che l'essere umano può vantare come oggetto di possesso e che quindi si manifesti in modi suscettibili di essere fissati in un insieme definito di conoscenze o di precetti: ciò che appare, piuttosto, di questo richiamo alla verità, è la 'falsificazione' dell'umano che si manifesta attraverso l'aperta violazione dei principi sopra citati. Si tratta di principi

[262] *De Uno*, cap. IL e L, p. 62-64

[263] *De Uno*, *Ibid.*

[264] *De Uno*, LV, p. 70.

[265] *De Uno*, cap. LII-LIV, p. 68.

estremamente ampli e 'dialettici' nella loro essenza, poiché da essi non possono dedursi un insieme stabile di regole codificabili, essendo piuttosto possibile valutare quali comportamenti umani contrastino con tali principi generali, secondo una logica di 'non contraddizione', e non di 'deduzione'[266].

I principii di diritto naturale sono doverosi, giuridici e nel contempo non sono semplici slanci verso una idea indeterminata di giustizia: la giurisprudenza, infatti, non è "un'arte fondata sovra soli precetti" ma deriva da qualcosa che precede, supera e trascende la regola giuridica particolare. Dice Vico: "la metafisica è madre della giurisprudenza"[267]. Una simile affermazione può essere forse ricondotta alla forte religiosità dell'Autore, che si rende presente in molte delle sue argomentazioni filosofiche: a noi pare, piuttosto, di ravvisare in ciò un'apertura al '*metà tà physikà*', rispetto alla quale è riduttivo ricondursi alla sfera del religioso, che pur non è esclusa dal campo di indagine di Vico. Piuttosto, sembra di ravvisare in questo una visione giuridica non secolarizzata, né secolarizzante, che mantiene uno

---

[266] A ciascuno di questi principi, nella loro problematicità – e con riferimento a differenti sfere dell'esperienza giuridica – ha dedicato peculiare attenzione, nel suo magistero, Francesca Zanuso, a cui devo l'intuizione di invitarmi agli studi vichiani. Cfr., ad esempio, F. Zanuso, *A ciascuno il suo. Da Immanuel Kant a Norval Morris: oltre la visione moderna della retribuzione*, Cedam, Padova 2000; F. Zanuso, Neminem Laedere. *Verità e persuasione nel dibattito biogiuridico*, Cedam, Padova 2005; F. Zanuso, Honeste vivere; *la responsabilité et la coexistence des hommes*, in "Diotima" 14/2014, pp. 23-33. Sul concetto della 'falsa deduzione' rinvio, invece, a F. Cavalla, *L'origine e il diritto*, cit., p. 111: "Dall'universale non si deduce mai, propriamente, il particolare. Se la possibilità della derivazione non vale (...) a negare la presenza anticipante della verità universale, essa non vale neppure, però, a collegare in modo certo e cogente la verità universale a qualche specifica premessa dalla quale derivare, eventualmente, ulteriori conclusioni".

[267] *De Uno*, pg. 64.

sguardo di attenzione alla trans-situazionalità e alla trascendenza, non senza evidenziare la problematicità insita in un simile riferimento[268].

Del resto, se la storia è terreno di indagine per Vico, i principii che egli scorge quale trama che supera e unisce concettualmente forme differenti non sono conchiusi nella storia: essi sono trans-situazionali, eppure non relegati a vivere in una sfera avulsa dal mondo. Vi è un moto di elevazione dalla storia all'ideale però anche un ritorno dell'ideale nella storia[269], ed è qui che il diritto si fa 'vivente', intrinsecamente problematico, e quindi bisognoso di essere accompagnato da una riflessione sia filosofica che metodologica.

4. Risvolti metodologici nella riflessione giuridica vichiana.

L'impostazione teorico-generale, e, più ampiamente, filosofica, che Vico ha dato alla sua concezione giuridica, si riverbera anche sulle considerazioni che egli dedica ai profili che oggi riporteremmo verosimilmente all'ambito della metodologia.

Alcune di tali riflessioni precedono cronologicamente l'opera giuridica in senso stretto, risalendo al *De Ratione*, al *De Antiquissima* e alle lezioni di oratoria; altre vengono integrate e ribadite nella successiva produzione bibliografica di Vico: ciò non di meno, le riflessioni che l'Autore dedica a questi profili appaiono coerenti con l'impostazione generale della sua costruzione filosofico-giuridica, offrendo spunti per cogliere ulteriori elementi di originalità nelle elaborazioni vichiane.

L'assetto della gnoseologia e dell'antropologia di Vico – nella loro differenza rispetto alla visione moderna – si riflette, del resto, su

---

[268] Sul tema della secolarizzazione nel suo risvolto filosofico-giuridico rinvio a L. Palazzani (a cura di), *Filosofia del diritto e secolarizzazione*, Studium, Roma 2011.

[269] Cfr., a tal riguardo, anche G. Ambrosetti, *Diritto Naturale Cristiano*, Giuffrè, Milano 1985, pp. 213-220.

molteplici fronti. Ad esempio, la cautela critica con cui l'Autore, come si è visto, si pone verso il razionalismo moderno, in particolare nel privilegio dell'impostazione metodologica delle scienze esatte, porta con sé un generale sguardo critico nei confronti della 'trasposizione' dell'impostazione scientifica nell'ambito del diritto, un'operazione che per Vico può generare addirittura "pericolose illusioni"[270].

Il metodo moderno (e con ciò si riferisce il Nostro al privilegio accordato al ragionamento analitico-deduttivo) porta a "trascurare il campo della pratica con l'argomento che in tale campo non sarebbe possibile raggiungere verità assolute ma solamente probabilità"[271].

Il filosofo napoletano ritiene invece che sia fondamentale 'convivere' con le probabilità, soprattutto per un ambito, come quello giuridico, che al mondo del probabile è connaturato[272].

Riconoscere, tuttavia, quanto magmatica e dinamica sia la realtà in cui il diritto si trova ad operare, reclamare le dimensioni della *sapientia* e della *prudentia* quali attitudini precipue al sapere giuridico, non significa lasciare il diritto sprovvisto di una metodologia, né relegarlo al caso o all'arbitrio, o ad un buonsenso puramente intuitivo. Come è stato autorevolmente rilevato, infatti, "il problema del metodo rappresenta una ossessione costante in tutta l'opera vichiana"[273].

Si tratta, ora, di ripercorrere brevemente alcuni profili delle più rilevanti riflessioni di Vico sul piano della metodologia giuridica, nuovamente operando attraverso alcune 'fenditure' di indagine.

---

[270] A.C. 'T Hart, *la metodologia giuridica vichiana*, cit, p. 15

[271] V. Hoessle, *Introduzione a Vico,* Guerini, Milano, 1997, p 44.

[272] Scrive infatti Vico*: materia della retorica è "tutto ciò di cui si discute se debba essere fatto". Inst.*, p.15.

[273] A. E. Pèrez Luno, *Giambattista Vico y el actual debate sobra la argomentacion juridica*, in "Cuadernos sobre Vico", 5-6, 1995-1996, p. 123.

4.1 Fenditura VII - Verisimile e infima veri: il diritto fra prudentia, sapientia ed eloquentia.

La prospettiva di Vico muove dalla consapevolezza – più volte ribadita nella sua opera – dell'esigenza, da un lato, di non cadere nella pretesa razionalistica di 'dominare' verità e certezze (spesso confondendo le prime con le seconde) e, dall'altro, di non privare il sapere e l'agire umano di qualsivoglia forma di rigore e di correttezza; occorre, dunque, anzitutto, assumere contezza di quanto essi siano costitutivamente votati a conclusioni provvisorie e problematiche.

Oltre al *senso comune* – del cui peso nella genesi del diritto si è già posta evidenza – anche la *prudentia* e *l'attenzione al verisimile* sono elementi cui Vico tributa grande importanza, non da ultimo nell'ambito del ragionamento e dell'operatività giuridica.

Sin dal *De Ratione*, il senso dei rilievi mossi da Vico alle derive razionalistiche del suo tempo, ha mostrato anche una preoccupazione riguardante le ricadute di un siffatto atteggiamento sull'ambito giuridico: qui il filosofo è stato chiaro nel rilevare che trasporre le metodologie e le prospettive scientifiche al mondo del diritto conduce al rischio di "restare impigliati nelle contingenze della vita", data la strutturale inadeguatezza di tali prospettive metodologiche a misurarsi, esse sole, con la tipologia di questioni che cadono sotto l'attenzione del giurista[274]. Ecco allora perché Vico sostiene l'importanza di mantenere, nel metodo giuridico, un'attenzione alla *prudentia,* la quale garantisce più successo a "quelli che ricercano quante più cause di un sol fatto per congetturarne quale sia la vera"[275]. Siamo, in altre parole, nel mondo dei 'più discorsi possibili', inadatto alle logiche analitico-deduttive del '*mos geometricus*'. Certo, che egli non stimasse eccessivamente i discorsi geometrici traspare da un passo delle *Institutiones Oratoriae*, nel quale egli afferma che "l'applicazione del metodo geometrico nel discorso

---

[274] *De rat.*, p. 133.

[275] *De rat.*,p. 133.

equivale (…) a dar da mangiare agli ascoltatori, come ad alunni, solo pane già masticato", ossia privo di gusto e, soprattutto, già sminuzzato e predisposto – cioè manipolato – da qualcun altro[276] .

Coerentemente con ciò, Vico invoca l'importanza della *eloquentia*, che non è *scientia* nel senso matematico né in quello delle scienze empiriche, nondimeno è dotata di un rigore specifico, soprattutto se colta, aristotelicamente, nel suo ruolo *antistrofico* alla dialettica. Anzi, nel mondo umano che è campo del molteplice e del contingente, essa si muove in modo più agile e valido rispetto alle metodologie scientifiche[277].

La rivendicazione, da parte di Vico, del ruolo dell'eloquenza ha appunto il senso di restituire al diritto un metodo adeguato, una prospettiva che impedisca, da un lato, di rivestire il mondo giuridico di illusorie pretese scientizzanti, e, dall'altro, di consegnarlo ad una deriva scettica, come accadrebbe se si legasse la prassi giuridica al solo elemento del potere, sganciandola da un controllo razionale.

Vico sostiene che nell'ambito del sapere umanistico si devono applicare strumenti differenti da quelli utilizzati nelle scienze esatte, e dunque ritiene si debba dirigere la ricerca del rigore metodologico nella consapevolezza che ci si muove nel mondo 'verisimile', degli '*infima vera*': proprio questo, come Vico lucidamente ricorda, costituisce il campo d'azione nel quale tanto la critica, quanto la dialettica 'pura'

---

[276] *Inst.*, p.39.

[277] T. Viehweg, *Topica e giurisprudenza, tr. it. di* G. Crifò, Milano, 1962, *infra.* Cfr in particolare pp II § 7, *"topica e assiomatica", pp 53-64.* Scrive l'Autore tedesco, riferendosi alla metodologia giuridica, a p. 59*:* "dovunque ci si guardi, ci si imbatte nella topica, e la categoria del sistema deduttivo appare piuttosto inadeguata, quasi solo un impedimento della vista*".* Si è già menzionato, in apertura di questo volume, della rivalutazione dell'argomentazione nel contesto degli studi contemporanei dedicati alla metodologia giuridica. Si rinvia nuovamente, a tal riguardo, ad alcuni significativi studi: F. Cavalla (a cura di), *Retorica, Processo, Verità*, FrancoAngeli, Milano 2007; M. Manzin, *Argomentazione giuridica e Dieci riletture sul ragionamento processuale*, Giappichelli, Torino 2014; E.T. Feteris, *Rationality in Legal Discussion. A Pragma-Dialectical Perspective*, in "Informal Logic", 1993, pp. 179-188.

faticano ad operare, e si deve anzi trovare una sponda nella topica e nella retorica.

Occorre ricordare che il concetto di 'verisimile', per l'Autore, non è contraffazione del vero bensì ne costituisce – quando assistito dalle dovute garanzie – una via d'accesso attraverso il fluire dell'esperienza. L'eloquenza può rivelarsi funzionalmente omologa e complementare rispetto al ragionamento dialettico. Da professore di retorica, Vico ha presente che vi è una differenza fra un'oratoria volta comunque a ricercare un vero contingente, ed un'*ars* nella quale la persuasività è legata unicamente all'abilità, da parte dell'oratore, di muovere gli affetti e la volontà dell'ascoltatore all'approvazione della propria tesi: tale eloquenza mira unicamente all'efficacia del discorso, prescindendo dalla verità, e può facilmente scadere in eristica[278].

Il verisimile cui fa riferimento, come si è visto, non è, dunque, ancorato al semplice e superficiale consenso[279]. Quando egli allude al 'verisimile' definendolo 'argomento del vero' fa proprio riferimento all'idea di orientare l'attività retorica ad una ricerca di verità, e quindi al consenso come esito di un convincimento razionale, e non come mero fatto psicologico: 'argomento', nel linguaggio metodologico-giuridico del suo tempo, è infatti 'elemento di prova', e, dunque, un fattore che concorre a raggiungere una conclusione assistita da un certo grado di rigore[280]. Persuadere significa anche, certo, "conformare il discorso

---

[278] Come rivela Hössle "Vico è lontanissimo da quella concezione, sviluppatasi per la prima volta nella Sofistica, secondo la quale la filosofia dovrebbe ridursi alla retorica e la verità sarebbe equivalente all'aver successo nel convincere"(V. Hössle, *Introduzione a Vico. La scienza del mondo intersoggettivo*, Guerini, Milano 1999, p.44).

[279] Un discorso si compone infatti, ricorda Vico, di tre elementi: gradevolezza, verità (come aderenza al vero) e sentimento. Dal primo provengono "agguati", dal secondo "inganni". *Inst.*, p15.

[280] Come è stato osservato, il "verisimile è una forma di connessione fra fenomeni, che, sorta nell'esperienza stratificata nel tempo, anticipa in qualche modo l'esperienza, rendendola intelligibile, alla maniera in cui l'universale illumina e rende chiaro il particolare. Il verisimile, ovvero la generalizzazione

all'animo dell'ascoltatore", ma questa *con-formatio* non prescinde da una verifica razionale, afferente alla metodologia dialettica. Pertanto, come la dialettica può essere definita, con le parole di Vico "arte di apprendere il vero", la retorica, sempre nelle sue parole, "insegna a pensare, a fare, a dire cose vere e degne"[281].

In questo senso, il filosofo ritiene l'*eloquenza* imprescindibilmente legata alla *sapientia*, nella sua dimensione di 'ricerca del vero': così Vico sembra confermare di essere consapevole dell'esistenza e della perseguibilità di "una suasività che è in funzione dell'apparire vero; giacché la fonte primaria della persuasione è la verità stessa: la quale, comparendo e garantendo il discorso che ella dice, offre con ciò a chiunque le ragioni per convincersi ed approvarlo"[282].

Il verisimile vichiano è fedele all'idea aristotelica che lo configurava come *analogo al vero*; ed infatti esso può dirsi 'simile' al vero in quanto possiede, sia pur limitatamente, "un proprio intrinseco grado di persuasività che lo rende diverso, più degno di assenso, di altri enunciati pronunciati a caso"[283].

---

secondo il senso comune che si condensa nella regola di esperienza, può essere compreso alla luce del rapporto fra l'universale e il particolare, ove universale è la regola di esperienza che si è formata in relazione alla totalità dei casi e particolare la singola situazione concreta" (S. Fuselli, *Ragionamento Giudiziale e sillogismo*, in F. Cavalla, *Retorica, processo, verità*, Cedam, Padova 2007, p. 151). "In questo senso, la ricerca dell'*eikòs* rappresenta comunque uno sforzo di argomentabilità, di raffronto con l'esperienza, di verifica di sensatezza che eleva l'attività poietica oltre il piano del 'qualsiasi contenuto' e la costringe ad un'attività di ricerca, selezione e argomentazione delle 'migliori ragioni' a fondamento di una scelta"(F. Reggio, *Alcune considerazioni su vero storico, vero poetico, scelta e argomentazione in margine al "De bello Dacico" di Mirko Rizzotto*, in M. U. Traiano, *Le guerre daciche*, a cura di M. Rizzotto, pp. 3-13, p. 8).

281 *Inst., pg. 7;* Eloquenza, per Vico, come chiarisce anche Gadamer, non significa solamente "arte di dire bene qualcosa", bensì anche – e soprattutto – "arte di dire il giusto, il vero" (H.G.Gadamer, *Verità e metodo*, cit., p. 4).

282 F. Cavalla, *Sul fondamento delle norme etiche*, cit., p.199.

283 *Ibid.*

Proprio a questo proposito può ben applicarsi quel platonico richiamo di Vico circa il "doversi vedere se una cosa si accosti più al vero che altra": solo grazie a tale attività di confronto dialettico la proposizione a cui si giunge, per quanto non definitivamente ed assolutamente incontrovertibile, "ha di identico con il vero la modalità con cui si accerta la sua approvabilità"[284]. Certo, va chiarito, essa differisce dall'incontrovertibilità cui mira la dialettica, per via dell'ambito limitato in cui valgono le garanzie che la sostengono. Se ciò che è assolutamente innegabile deve venire comunque approvato, allora "ciò che risulta provvisoriamente innegato va anche provvisoriamente accolto", almeno finché esso rimanga incontroverso[285].

In conclusione, come è stato autorevolmente rilevato, "il compito della retorica consiste, per Vico, nel fare apparire vero... il vero. L'Autore si colloca nel segno della classicità" (platonica) "anche nell'esigere una chiara subordinazione della retorica alla filosofia, e perciò l'oratoria non assume mai per lui il valore di uno scopo in sé, ma ha dignità solo in quanto ancella della verità"[286].

Per questo il Partenopeo chiede all'oratore di essere sapiente e, pertanto, in ossequio alla *sapientia*, "andare dietro alla verità perché è vera", secondo la prospettiva di ricerca che è propria di chi è autenticamente (e socraticamente) sapiente[287]. Per fare ciò, tuttavia, l'oratore deve anche sapersi rendere consapevole della complessità e della problematicità dell'esperienza e molto spesso si proietta sul

---

284 F. Cavalla; *Topica Giuridica, cit.*, p. 724.

285 Specifica ulteriormente Cavalla: "allora il verisimile non è in alcun modo apparenza ingannatrice del vero ma è il vero che assomiglia a se stesso pur nella molteplicità dei modi in cui si presenta nelle varie determinazioni che rappresentano i molti ordini in cui si distribuisce l'essere" (F. Cavalla, *Topica giuridica*, cit., ibid).

286 V. Hössle, *Introduzione a Vico*, cit., p.44.

287 *Inst., p. 15.* Scrive Vico: *"il giudizio deve essere solido, che si compiaccia solo della verità"*. *Ivi.*, p. 29.

conflitto intersoggettivo. Ciò vale anche per l'esperienza giuridica, che è per eccellenza terreno di 'cose umane'[288].

Tale capacità di muoversi nella complessità è da Vico ricondotta, fra l'altro, all'ambito della *topica*, come autonoma disciplina che viene a concorrere alla pienezza dell'*eloquentia*: non va dimenticato, infatti che, già nel *De Ratione*, egli rivendicava il riconoscimento del ruolo della *topica* accanto alla *critica* con ciò riferendosi a quella dimensione di *inventio*, di ricerca, di selezione degli argomenti, che è funzionale al "pensare problematicamente"[289].

Come ha rilevato Theodor Viehweg, nella sua opera di riscoperta del ruolo della topica in connessione con la giurisprudenza, Vico si è spinto oltre alla semplice critica dell'attitudine totalizzante nei confronti del *mos geometricus*[290]: egli avrebbe, anzi, avuto coscienza del fatto che il riferimento alle metodologie delle scienze, come archetipo di sapere anche per il mondo delle discipline umanistiche, rappresentava "un'enorme manovra di autoinganno metodologico da

---

288 Come è stato osservato, Vico propugna una "riabilitazione della ragionevolezza avverso un riduzionismo nella teoria e nella metodologia del diritto" (P. Heritier, *Vico's Scienza Nuova: Sematology and Thirdness in the Law*, in "International Journal of Semiotics and Law", 33/2020, p. 1129).

289 Cfr. T. Vieweg, *Topik und Jurisprudenz*, tr.it., Topica e Giurisprudenza, Milano, Giuffrè 1962, pp 4-26. Sull'assegnazione, da parte di Vico, al diritto ed alla politica di un metodo retorico-topico (lontano dalle pretese di porsi come scientifico) cfr., anche, J. Habermas, *Dottrina politica classica e filosofia sociale moderna*, in *Prassi politica e teoria critica della società*, Il Mulino, Bologna, 1973, pp. 77-91. Sia Viehweg che Voegelin sembrano cogliere in Vico le basi per una *Rehabilitierung der praktischen Philosophie.* Su tale lettura di Vico e la filosofia tedesca si fa rinvio *a* G. Cacciatore, G. Cantillo, *Materiali su "Vico in Germania", in* 'Bollettino del Centro di Studi Vichiani", *XI*, 1981, pp. 13-32, p. 13.

290 Cfr. T.Viehweg, *Topica e Giurisprudenza* cit., pp. 19-21 e 52-64. Cfr., altresì, J. D. Shaeffer, *Sensus Communis : Vico, Rhetoric, and the limits of Relativism*, London, Routeledge, London1990; A. C. 'T Hart, *La metodologia giuridica vichiana*, cit., *passim*; C. Vasoli, *Vico, Bodin e la topica*, in "*Bollettino del Centro di Studi Vichiani*", IX, 1979, pp. 123-128.

parte della giurisprudenza moderna, in cui anche affettazioni logiche e terminologia logica vengono utilizzate retoricamente"[291].

4.2 Fenditura VIII - La metodologia giuridica vichiana ed il suo risvolto processuale (rileggendo Alessandro Giuliani)

La concezione giuridica vichiana ha evidenziato, come si è visto già nella parte 'teorico-generale', il ruolo della dimensione intersoggettiva nell'ambito giuridico: sul piano metodologico, questo profilo si collega ad un approccio prudenziale, rispetto al quale, come si è visto, topica, retorica e dialettica hanno un ruolo primario.

Peraltro, se Vico non esaurisce le 'forme' giuridiche nella *lex*, egli non a caso – nelle *Insitutiones Oratoriae* – pone un accento forte sulla dimensione giudiziale del diritto, evidenziando la centralità del contraddittorio come 'luogo privilegiato' per l'incontro di retorica e dialettica[292]. Già in quest'opera, figlia delle sue lezioni di oratoria presso l'Università di Napoli, il Nostro pone in risalto il valore logico e giuridico dell'agone dialettico nel corso di un contraddittorio giudiziale, ricordando come il risultato di tale confronto conduca all'espunzione di argomentazioni false, contraddittorie, irrilevanti[293].

Vi è stato anche chi, come Alessandro Giuliani – nel reclamare il giusto riconoscimento del pensiero di Vico *iurisconsultus* – ha affermato che, all'interno della sua filosofia "la procedura penale costituisce il settore in cui forse più incisiva è risultata la sua presenza"[294]. Il contributo vichiano in tale ambito sarebbe

---

[291] L. Geldseltzer, I*l metodo di studi di Vico e la giurisprudenza tedesca, in* 'Bollettino del Centro di Studi Vichiani", XXII-XXIII, 1992-1993, p. 373.

[292] Cfr G.Crifò, *Prefazione,* in G. B. Vico, *Istitutiones Ortatoriae,* cit., p. LXIX. Per il testo vichiano, cfr., invece, *Inst,* pp. 113-133, dedicate al discorso giudiziale.

[293] Cfr. *Inst p.135*

[294]A.Giuliani, *La filosofia del processo in Vico ed il suo influsso in Germania, in* 'Bollettino del Centro Studi Vichiani", *XXII-XXIII, 1992-1993,* pp. 345-367.

individuabile, secondo Giuliani, nelle seguenti linee: (a) nella teoria della sintonia tra tipologia di processo e forma di governo; (b) nell'idea che nel processo la prova, intesa nel senso classico di *argumentum*, non può prescindere dal rispetto di determinate regole logiche; essa deve infatti mirare al convincimento, e non alla mera persuasione del giudice.

Quest'ultima tesi si riconnette con le tematiche del *verisimile* e del ruolo dell'eloquenza, poc'anzi trattate, e costituisce un'ultima riprova delle ampie implicazioni metodologico-giuridiche sottese alla filosofia vichiana[295].

La gnoseologia dell'Autore – incentrata, su una teoria dei limiti della ragione e sulla necessità di una costante e problematica ricerca del vero – trova piena corrispondenza nell'approccio del filosofo napoletano all'eloquenza: in questa *ars* vive e si dibatte la costante, dinamica ed inesauribile tensione verso il vero, di cui il verisimile è concreto *argumentum*: in questa prospettiva, al pari di quella, sono chiaramente individuabili i *semi* di una *mens dialectica* radicata nell'eredità del pensiero classico.

La concezione di *processus* dominante ai tempi del Vico è figlia "dell'idea moderna di una ragione calcolante che – in opposizione a

---

(La citazione è a p. 345) Secondo l'Autore tale linea interpretativa ha avuto un particolare seguito in area tedesca. Sulla sensibilità dei giuristi germanici nei confronti del pensiero giuridico di Vico, in particolare legato ai problemi processuali, si è pronunciato anche Geldsetzer, richiamando in particolare il ruolo svolto, nella riscoperta di tali tematiche vichiane, da Theodor Viehweg: Cfr. L. Geldsetzer, *Il metodo degli studi di Vico e la giurisprudenza tedesca, cit., infra, in particolare* pp. 373-375.

295 Annota, ancora, Alessandro Giuliani: "la retorica giudiziaria sottintende infatti un'epistemologia, che presuppone l'utilizzazione delle funzioni sociali della ragione nella comunicazione intersoggettiva. In quanto logica della rilevanza, essa è imparentata non solo con la dialettica ma anche con la sofistica, intesa come patologia dell'argomentazione". A. Giuliani La *filosofia del processo in Vico ed il suo influsso in Germania,* cit., p. 245.

quella dialettica – potremmo definire burocratica"[296]: anche in questo la prospettiva del filosofo partenopeo si staglia marcatamente rispetto a un tema portante del suo tempo. Appare qui una presa di distanza dall'attitudine moderna nei confronti del diritto e della sua manifestazione giurisdizionale, visibile nella propensione a considerare il diritto inquadrato entro un ordine legislativamente precostituito, da cui far discendere – con coerenza – conclusioni certe e da 'far valere' attraverso l'*auctoritas* del giudice. Ne emerge una prospettiva che si dirige verso un modello inquisitorio del giudizio, del tutto lontana dalla visione vichiana, che lega il processo al concetto – radicato nello *ius commune* europeo – di *ordo iudiciarius*: quest'ultimo, come è stato chiarito, è basato "sulla divisione della conoscenza e sulla distinzione dei ruoli nel contraddittorio"[297].

Si può leggere, dunque, dalla visuale di Vico, una preferenza per un modello giudiziale che conferisca al dibattimento tra le parti un ruolo preminente nel processo di formazione della prova, riconoscendone l'efficacia dialettica: un modello che prevede il giudice come soggetto terzo e imparziale, il quale guida il processo in modo che esso sia "il risultato di procedimenti probatori (che sono di giustificazione e di confutazione) in una situazione controversiale"[298].

Vico aveva una conoscenza profonda della storia del processo romano, come emerge, in particolare, nel *De Uno*[299]. Dalla sua opera giuridica traspare, coerentemente con quanto osservato, una preferenza per il modello accusatorio: non a caso Vico evidenzia più volte l'evoluzione giuridica sottesa al passaggio dal processo per *legis actiones*

---

296 A. Giuliani, *La filosofia del processo in Vico,* cit p.347. Parimenti, cfr. A. C. 't Hart, *La metodologia giuridica vichiana*, cit., *passim.*

297 *Ibid., p 346.* Giuliani ritiene che la preferenza accordata da Vico al processo di stampo accusatorio gli derivi dalla conoscenza del modello del '*due process di common law*', "erede della tradizione retorica del processo comune europeo", che sarebbe derivato dalla lettura del common lawyer Francesco Bacone.

298 A. Giuliani, *Logica Giuridica, cit., § 7, "La topica giudiziale di Vico", p. 22.*

299 *Cfr., in particolare, De Uno, CXXXXV e CC.*

alla *cognitio extra ordinem*, ossia a un modello processuale che valorizza – invece che il rigido rispetto delle formule – l'indagine della verità dei fatti[300]. Il superamento del formalismo in nome di un approccio più elastico, e nel contempo più problematico, nei confronti dell'indagine della verità all'interno del processo, è celebrato dal giurista partenopeo anche nella *Scienza Nuova*, dove il Nostro spiega come *nei giudizi umani*, ossia quelli dell'*età della ragione tutta spiegata, signoreggia la verità di essi fatti.*

Proprio la ricerca della verità implica che la prova retorico-dialettica resa in sede giudiziaria non sia, *nei giudizi umani*, "strutturalmente diversa dalla prova logica"[301]. La sentenza del giudice deve, pertanto, essere orientata ad espungere i discorsi contraddittori, come Vico ebbe modo di argomentare nelle *Insitutiones Oratoriae*[302].

Il rispetto delle forme, del *giusto legale*, non deve essere, per il diritto, prigione o addirittura tradimento della sua stessa essenza di *ars boni et aequi*, afferma il filosofo, sempre nelle *Institutiones,* perché "queste severe interpretazioni del diritto hanno spesso indotto gli uomini in errore", rendendo così proverbiale il detto *summum ius, summa iniuria*[303].

"È proprio degli scrivani stare attaccati alla lettera delle leggi, è proprio del giurista, invece, coglierne il significato profondo", chiosa

---

300 Secondo Giuliani tale presa di posizione da parte di Vico sarebbe giustificata anche da una "polemica contro l'inquisizione", intrapresa in taluni ambiti della cultura napoletana legati al filosofo napoletano(si pensi alla lettera al Papa contro l'inquisizione, scritta dal Valletta, di cui è noto il legame con Vico). La testimonianza di tale presa di posizione da parte dell'autore del De Uno, Giuliani la ritrova proprio nel cap. CLXXXXIX, nel quale Vico, dopo aver elogiato la procedura civile napoletana come manifestazione di un processo corretto ed equo, riferendosi alla procedura penale egli "si trincera dietro ad un maliconico *non tanti habetur*"(A. Giuliani, *La filosofia del processo in Vico*, cit., p. 348). Per una disamina della riflessione giuridica di Vico nella delicata fase storico-istituzionale della Napoli di allora, cfr. R. Ruggiero, *Vico tra due 'stagioni costituzionali'*, in "Nuovo Meridionalismo" 1/2015, pp. 24-48.

301A. Giuliani, *La filosofia del processo in Vico…*, cit., p. 353.

302 Ciò emerge chiaramente, a nostro avviso, dall'esposizione che Vico dedica, nelle Institutiones Oratoriae, al genere giudiziale. Cfr. Inst, pp. 113-120

303 *Inst.,p. 129.*

Vico nel *De Uno*[304]. Tuttavia, poiché tale attività è problematica nella sua più intima essenza, mai si potrà pensare che il giusto derivi unicamente dall'essere stato posto da un'autorità, perché essa, nel vichiano luogo a noi noto, "non può mai combattere contro la *ratio*". La consapevolezza della problematicità dell'attività giudiziale trova conferma, inoltre, nella breve ma non irrilevante osservazione con la quale Vico evidenzia che, avverso i rischi di errore nelle sentenze, i giudizi, nell'età degli uomini, sono caratterizzati, dall'introduzione di un rimedio, ossia l'appello[305]. In questa fondamentale chiosa si rileva, dunque, che il giudizio stesso non è sottratto alla contestabilità, e qui trova conferma una visione sostanzialmente 'processuale' che Vico ha del diritto: in essa, la giuridicità non è circoscritta nella normatività, bensì implica una contestabilità, specchio a sua volta della natura intrinsecamente controversiale, 'dialettizzante', del diritto[306].

4.3. Fenditura IX – Aequitas come mediazione fra lex e caso concreto.

Un altro aspetto portante del pensiero di Vico – che si pone a raccordo fra profili sostanziali e metodologici della sua filosofia giuridica, è il forte e frequente riferimento al concetto di *equità*.

Esso si connette, anzitutto, a quanto già osservato circa l'importanza di pensare a un metodo giuridico idoneo a misurarsi con le contingenze dei fatti umani: in un passo del *De Ratione*, critico verso

---

304 *Inst., p. 128.*

305 Di cui Vico sottolinea essere stata una prima, rudimentale forma la *provocatio ad populum.*

306 "In effetti, la connessione fra processo e dialettica non è occasionale ma è necessaria, trattandosi di un paradigma fondato su un principio originario che, imposto dalla legge, custodisce nell'esperienza il differenziarsi di opposte pretese, impone la discussione delle controversie nella forma processuale e attribuisce la competenza a risolvere la disputa al terzo, il cui giudizio deve essere innegabilmente impersonale"(P. Moro, *Alle origini del Nòmos nella Grecia classica*, FrancoAngeli, Milano 2014, p. 61).

le pretese razionalistico-scientizzanti riguardo al diritto, il filosofo partenopeo asserisce che "i fatti umani non possono misurarsi con il criterio di questa rettilinea regola mentale": "occorre considerarli, invece, con quella misura flessibile di Lesbo, che, lungi dal voler conformare i corpi a sé, si snodava in tutti i sensi per adattare se stessa alle diverse forme dei corpi"[307]. Il riferimento dell'Autore è alla concezione aristotelica di equità[308].

L'*aequitas*, nel tempo di Vico, stava conoscendo, invero, una fase discendente[309]: all'alba delle prime legislazioni nazionali, l'equità veniva per lo più invocata come 'prassi giudiziaria' in grado di procedere a integrazioni del diritto vigente, in vista di un intervento legislativo che colmasse eventuali lacune[310]. Uno dei tre 'prìncipi del

---

[307] *De Rat.* pp. 131-133.

[308] Per comprendere il significato di questo riferimento è necessario rifarsi ad un celebre passo dell'*Etica Nicomachea* di Aristotele, nel quale egli spiega che i costruttori dell'isola di Lesbo, trovandosi in difficoltà a squadrare le pietre data la loro particolare durezza, avevano rinunciato ad usare, per misurarle e disporle, un regolo di ferro, in favore di un regolo di piombo, il quale si adattava alla forma delle pietre e consentiva a sua volta di adattare più facilmente le pietre l'una sull'altra. Cfr. Aristotele, *Etica a Nicomaco*, V, 10, 1137 a-b; Anche Tommaso d'Aquino ne fornisce una versione, proprio nelle *explicationes* da lui scritte all'opera aristotelica: "*in Lesbia enim insula sunt lapides duri qui non possunt de facili ferfo prescindi ut dirigantur ad omnimodam rectitudinem; et ideo aedificatores utuntur regula plumbea*". Tommaso, *In decem libros Ethicorum Aristotelis ad Nichomachum expositio*, a cura di R. Spiazzi, Torino, 1964, p. 298.

[309] "L'equità, dalla metà del sec. XVIII, non appartiene più al diritto positivo, giacché questo viene inteso esclusivamente come un prodotto esteriore del legislatore umano; essa tuttavia non ha più spazio nemmeno nell'ambito del diritto naturale, il quale, (soprattutto a partire da Hobbes e Pufendorf), appare come un sistema giuridico pienamente conoscibile dalla ragione" (J. Schoereder, *Aequitas und Rechtsquellenlehre in der fruehen Neuzeit,* in "Quaderni Fiorentini" 26/1997, p. 423).

[310] Cfr. G. Giarrizzo, *Aequitas e Prudentia, storia di un topos vichiano*, in "Bollettino del centro di studi vichiani", n VII, 1977, pp. 5-29. Il riferimento alle prime legislazioni moderne, con particolare attenzione per l'ambito francese e la figura di Budè (Bodin), si trova alle pp. 10-13.

diritto naturale' citati nella *Scienza Nuova*, John Selden, ha non a caso liquidato ironicamente l'equità dicendo: "*equity in law is the same that the spirit is in religion: whaterver one pleases to make it*". L'equità, insomma, è un pretesto per legittimare una decisione arbitraria. Non stupisce nemmeno che Selden critichi dell'equità il fatto di essere una misura poco certa e precisa: "*what an uncertain measure would this be! One Chancellor has a long foot, another a short foot, a third an indifferent foot. 'Tis the same in the Chancellor's counscience*" [311].

Per i contemporanei di Vico, in conclusione, non c'è posto per l'equità. Essa anzi è dannosa perché, nella sua incertezza, sfugge alla possibilità di essere regolata, codificata, quantificata in modo stabile e prevedibile; un ragionamento equo risulta, di conseguenza, in qualche modo, arbitrario, perché sfugge alla 'geometria' del sistema. Quest'ultimo aspetto troverà conferma ed ulteriore evoluzione nei tempi maturi dell'Illuminismo giuridico (si pensi alle riflessioni di Beccaria in tema di sillogismo pratico e di interpretazione da parte del giudice), e successivamente con l'età della codificazione[312].

Le ragioni che portano i filosofi del diritto sei-settecenteschi a rigettare il concetto di equità sono speculari a quelle che conducono, invece, Vico a valorizzarlo, collocandolo in una posizione di fondamentale importanza all'interno del sistema di diritto naturale da lui elaborato.

---

[311] Non si è potuto verificare di persona questa voce: *Table talk, equity, Londra,* 1927, pg. 42. Essa è riportata da G. Giarrizzo, *Aequitas e prudentia, storia di un topos vichiano,* cit., p. 28.

[312] Per un'analisi critica relativa a questo aspetto nel pensiero di Cesare Beccaria rinvio a F. Zanuso, *L'ordine oltre le norme. L'incauta illusione del normativismo giuridico*, in F. Zanuso – S. Fuselli (a cura di), *Il Lascito di Atena*, FrancoAngeli, Milano 2011, pp. 39-69, qui pp. 45-47. Un altro esempio stoicamente rilevante di come il riferimento all'equità perda importanza nel raccordo fra Illuminismo e positivismo giuridico è rinvenibile nel contesto della codificazione: non va dimenticato come il riferimento all'equità quale clausola aperta in caso di lacunosità o dubbio interpretativo sia stato tolto dal testo finale del *Code Napoléon*, come evidenziato in G. Fassò, *Storia della Filosofia del Diritto*, III vol, Laterza, Roma-Bari 2002, p. 16.

Va infatti chiarito subito che se l'Autore concepisce, alla stregua di Aristotele, l'equità come *correzione del giusto legale,* tale misura correttiva non costituisce, per il filosofo napoletano, un intervento accidentale, bensì una costante all'interno del diritto, almeno nella sua fase più evoluta. In ciò Vico sarebbe, come è stato sottolineato, particolarmente debitore a Cicerone, dal quale avrebbe tratto un concetto di equità come costante lotta dell'umanità per l'affermazione di un diritto sempre più adeguato alla realtà sociale cui esso fa riferimento[313].

Il concetto di *aequitas* elaborato dal filosofo partenopeo trova nella dottrina vichiana del diritto naturale una collocazione sistematicamente nuova e del tutto funzionale al sistema di pensiero da lui elaborato, il quale, come noto, evidenzia la continua tensione fra profili di astrattezza e di concretezza, nella dimensione 'vivente' del diritto. D'altra parte, già nel *De Ratione* egli aveva sostenuto come l'adeguamento alle complesse forme della realtà non sia realizzabile efficacemente attraverso un intervento legislativo: "invero l'equità si riferisce ai fatti, che son infiniti (…): ragion per cui noi moderni abbiamo un numero esorbitante di leggi, e la più parte concernenti cose prive di importanza, con questi risultati: che leggi così numerose riesce impossibile osservarle tutte" e così "codesta noncuranza per le leggi di tenue importanza sottrae rispetto anche a quelle di importanza capitale"[314].

Non serve, insomma, produrre "regolamenti legali per tutti i casi particolari": è nell'ambito della controversia – sia essa ambientata nell'agone giudiziale, sia essa declinata in forme maggiormente aperte alla negozialità – che il diritto si avvicina al caso concreto, nella sua vitalità e contestualità[315].

---

313 Cfr. A. Corsano, "*Cicerone, il diritto e Vico*", i*n Bollettino del Centro di Studi Vichiani, XVII, 1977,* pp. 122-123.

314 *De rat.*, pp. 183, 185.

315 A.C. 'T Hart, *La metodologia giuridica vichiana*, cit., p. 21

Più ci si avvicina alla contingenza dei fatti, alla dinamica e mutevole realtà, più è necessario rinvenire una misura idonea a muoversi in modo sufficientemente elastico. La legge positiva si presenta, data la sua generalità ed astrattezza, inadatta a questo scopo: rapportandosi al caso concreto seguendo solo tale 'rigida squadra' si corre infatti il rischio di forzare la realtà, riconducendo ad uguaglianza situazioni che in realtà uguali non sono. "*Aequitas est rerum convenientia* – scriveva Cicerone – *quae paribus causis paria iura desiderat*"[316]. L'equità si colloca, dunque, nella tensione tra *jus* e *justitia*, come criterio di mediazione ed armonizzazione fra *certum* e *verum*.

Nella sua riabilitazione del ruolo dell'eloquenza come modalità di riflessione e di argomentazione necessaria alla stessa applicazione del diritto al caso concreto, la prospettiva vichiana lega strettamente, dunque, *prudentia, sapientia* ed *aequitas*[317]. La complessità della vita giuridica, per l'Autore, non può tradursi in ciò che oggi definiremmo protocolli, procedure, *standards*, bensì richiede un costante e problematico sforzo di domanda ed argomentazione, a partire dal caso concreto, e dalle relazioni coinvolte[318].

---

316 Cicerone, *Topica*, IV, 23.

317 Del resto, come osserva Mootz, secondo Vico "il metodo critico mina la capacità di coltivare il senso comune che sottende sia l'eloquenza che il giudizio pratico, e così facendo restringe la conoscenza ad un arido ed astratto intellettualismo" (J. P. Mootz, *Vico and Imagination: An Ingenious Approach to Educating Lawyers with Semiotic Sensibility, "International Journal of Semiotic and Law"*, 22/2009, pp. 11-22). Per questo, soprattutto nell'ambito delle scienze umane, egli riabilitava il ruolo della dialettica e della retorica, e nel contesto del sapere e della prassi giuridica, egli rivalutava antiche virtù, tipiche dei giureconsulti romani, come appunto, *sapientia*, *prudentia* ed *aequitas*. Cfr. D. P. Verene, *Vichian Moral Philosophy: Prudence as Jurisprudence*, in «Chicago-Kent Law Review» 83/2008, p. 1107-1130; G. Giarrizzo, *Aequitas e Prudentia: storia di un topos vichiano, in Bollettino del Centro di Studi Vichiani*, VII, 1977, p. 5-30.

318 Del resto, l'insofferenza di Vico nei confronti di una prospettiva giuridica incentrata sul mero studio di decisioni e massime, e noncurante dei principi ad essi sottostante, emerge già in tenera età, come il Nostro ricorda già nell'Autobiografia, quando rammenta i propri studi presso il giurista Verde, trattenuto «*in lezioni tutte ripiene di casi della pratica più minuto dell'uno e dell'altro foro,*

La dimensione ideale, incarnata appunto dal diritto naturale, richiede di potersi calare nella storia, ma tale 'discesa' non si realizza con modalità precostituite, e non prescinde dalla responsabilità delle persone chiamate ad attuare scelte rilevanti nel contesto specifico in cui la norma viene a concretizzarsi. La stessa *Konkretisierung*, dunque, è collocata entro una visione relazionale e di ragionevolezza argomentativa non confinabile entro una visione puramente tecnica del diritto, seppur comunque bisognosa di cultura, abilità, professionalità[319].

---

de' quali il giovinetto non vedeva i principii»(G.B. Vico, *Vita di Giambattista Vico*, cit., p. 8).

319 Il tema mostra la felice 'ricorsività' della riflessione vichiana nel contesto degli studi giuridici contemporanei. Sarebbe necessaria ben più che una breve digressione, tuttavia in questa sede ci limiteremo a sottolineare che sempre più voci rimarcano l'importanza di un corretto bilanciamento, nell'identità del giurista contemporaneo, fra una professionalità declinata entro un'idea di competenza tecnico-giuridica e altri risvolti della qualità professionale che si rendono altrettanto indispensabili. Questi ultimi si estendono ad una serie di ambiti e discipline, fra cui, a titolo esemplificativo: (a) profili culturali e di lettura delle tematiche interculturali (Cfr. F. Reggio, *La pax attraverso il pactum. Note a margine della figura di Pietro Patrizio, negoziatore di età giustinianea*, in M. Antonazzi – P. Betti (a cura di), *Negoziatori Italiani. Analisi tecnica di negoziati efficaci*, Eurilink, Roma 2021, pp. 233-268); (b) competenze logico-argomentative (P. Moro, *Educazione forense. Sul metodo della didattica giuridica*, collana Tigor, Edizioni Università di Trieste, Trieste 2011) anche viste in relazione al complesso intersecarsi di razionalità ed emozione (M. Manzin, F. Puppo, S. Tomasi (a cura di), *Studies in Legal Argumentation 4: Ragione ed Emozione nella decisione giudiziale,* Università di Trento, collana Quaderni, Trento 2021); (c) competenze di analisi e gestione del conflitto, anche nei profili psicologici (M. Antonazzi, *Il negoziato psicologico*, Eurilink, Roma 2017; e Id, il *Negoziato cognitivo*, in F. Reggio – C. Sarra (a cura di), Diritto, *metodologia giuridica e composizione del conflitto*, Primiceri, Padova 2020, pp. 181-218); (d) capacità di rapportarsi con altri ambiti e discipline del sapere attraverso adeguate forme di controllo di razionalità (S. Fuselli, *Apparenze. Accertamento giudiziale e prova scientifica*, FrancoAngeli, Milano 2008); (e) competenze nella gestione dei sistemi e delle razionalità informatiche e telematiche (P. Moro – C. Sarra (a cura di), *Tecnodiritto. Temi e problemi di informatica e robotica giuridica*, FrancoAngeli, Milano 2017). Molte di queste tematiche sono lontane dall'orizzonte di

Accanto ad un movimento 'discensionale' verso il caso concreto non si deve dimenticare quello 'ascensionale', ossia quello della 'sintesi' fra certo e vero, filologia e filosofia, con cui Vico invita il giurista di ogni tempo a riferire le manifestazioni storiche del diritto a principi che elevino quest'ultimo al di sopra del piano della mera *auctoritas,* della mera certezza ed effettività.

Proprio qui – nella tensione fra le dimensioni ideali e storiche del diritto – Vico riserva un ruolo centrale all'*aequitas*, che, a nostro avviso, rappresenta il vero punto di sintesi fra la polarità dell'ideale e dello storico, del trans-situazionale e del concreto[320]. Anzi, a ben vedere, è l'*aequitas* a fornire un punto di equilibrio fra opposti rischi: da un lato, ad esempio, fra quello di confinare il diritto nel *massimamente astratto* (pericolo che Vico vede già nel diritto naturale "dei filosofi") e quello di assorbirlo nel *massimamente puntuale* (qual è un diritto identificato con il solo provvedimento, che in fin dei conti trae validità dalla sola effettività). Allo stesso modo, l'*aequitas* pone la domanda sul possibile equilibrio fra le opposte tendenze della *serialità* (la norma 'disincarnata' dal caso concreto) e della *aleatorietà* (la norma priva di comparabilità con casi analoghi)[321].

---

pensiero, o anche solo di pensabilità di Giambattista Vico quale uomo storicamente collocato, eppure, il suo invito a mantenere desta la coscienza del giurista non solo quale uomo di legge, bensì anche quale esperto di corretto ragionare, corretto argomentare, e quale uomo posto a crocevia fra diversi saperi e metodologie, risulta ancor oggi di stringente attualità.

[320] Cfr, sul ruolo dell'*aequitas* nel pensiero giuridico vichiano, G. Giarrizzo, *Aequitas e Prudentia: storia di un topos vichiano*, cit., *passim*; L. Bellofiore, *La dottrina del diritto naturale in G.B. Vico*, cit., *passim*; A. 'T Hart: *La metodologia giuridica vichiana*, cit., *passim*; O. Sacchi, *«Verum quia aequum». L'equità come paradigma del vero giuridico nella retorica antica, nei giuristi romani e nella 'filosofia del diritto' di G.B. Vico*, in G. Limone (a cura di), *L'era di Antigone, L'etica dell'equità e l'equità dell'etica*, FrancoAngeli, Milano 2011, pp. 9-54.

[321] Contro il pericolo del massimamente astratto appare significativo quanto osserva Vico nel *De Ratione*, rilevando che «*I dotti avventati, che dai veri universali scendono direttamente ai veri particolari, restano impigliati nelle contingenze della vita*» (G.B. Vico, *De nostri temporis studiorum ratione* (1709), ora in G.B. Vico, *Opere*,

La necessità del *regolo lesbio* per adattare le norme puntuali alla dura pietra del caso concreto, senza pretendere di infrangerlo, spezzandolo con rigida squadra, allontana il giurista vichiano dal sogno illuministico di un giudice *bouche de la lois*, ed anzi sembra – pur nel solco della grande lezione della giurisprudenza romana – anticipare con grande attualità alcuni sviluppi della contemporanea teoria giuridica, così attenti alla dimensione 'vivente' del diritto e alla sua flessibile attuazione giurisprudenziale[322].

In questo senso l'*aequitas* vichiana sembra confermare la vicinanza della visione dell'autore con una prospettiva del diritto attenta alla processualità, giacché essa necessita della controversia e del suo svolgimento contestualizzato e dialogico per potersi 'calare' nell'esperienza del caso concreto[323].

Mondadori, Milano 2005, p. 133). Nella medesima opera, si trova anche un riferimento all'opposto pericolo dell'aleatorietà, giacché Vico riconosce che l'umano arbitrio è «*per sua natura incertissimo*», e ribadisce, provocatoriamente, come nell'ambito dell'agire umano non si possano misurare i fatti secondo la retta ragione, «*mentre gli uomini, per essere in gran parte stolti, non si regolano secondo decisioni razionali, ma anche secondo il capriccio ed il caso*» (G.B. Vico, *De nostri temporis studiorum ratione*, cit., p. 133).

[322] I fatti umani – ricorda Vico – «*occorre considerarli (…) con quella misura flessibile di Lesbo che, lungi dal voler conformare i corpi a sé, si snodava in tutti i sensi per adattare se stessa alle diverse forme dei corpi*»(G.B. Vico, *De nostri temporis studiorum ratione*, cit., p. 131). Sull'attualità del riferimento al diritto vivente rinvio al capitolo successivo.

[323] Alessandro Giuliani nota che Vico si oppone all'idea di processo prevalente presso i suoi contemporanei, figlia «di una ragione calcolante che – in opposizione a quella dialettica – potremmo definire burocratica»(A. Giuliani, *La filosofia del processo in Vico*, cit., p. 247), Anzi, a detta dell'autore, Vico preferisce un modello di processo strutturato intorno al contraddittorio, quale estrinsecazione della logica dialettica, rigettando un'idea di applicazione sillogistica della norma nel giudizio.Cfr., sulla prospettiva processuale del diritto, E. Opocher, *Il diritto nell'esperienza pratica: la processualità del diritto*, in E. Opocher, *Lezioni di Filosofia del Diritto*, Cedam, Padova 1983, pp. 285 e ss., e le elaborazioni successivamente sviluppate, nel contesto dell'Università di Padova, dagli allievi di Opocher, per cui cfr., ad esempio: F. Cavalla, *La prospettiva processuale del diritto. Saggio sul pensiero di Enrico Opocher*, Cedam,

Nel contempo, tuttavia, proprio per l'impossibilità di costituire un automatismo, l'*aequitas* richiede all'interprete del diritto, in ogni momento in cui è chiamato a svolgere la propria attività, di interrogarsi su cosa effettivamente risulti 'equo'. Non solo: egli deve anche rendere argomentabile la sua risposta, in omaggio ad una visione relazionale che, mal sopportando solipsismi, sembra invitare anche il giurista a non rifugiarsi nella *turris eburnea* dell'autorità o della sua competenza specialistica. Ne consegue che, se da un lato Vico rifiuta un diritto inteso come insieme di norme astratte, dall'altro lato egli non cade nell'opposta conclusione di collocare nella decisione puntuale *tout court* – come quella giudiziale – il compito di 'creare' un contenuto giuridico, ivi compreso quello che pretendesse di definirsi equo[324].

Sorge spontaneo interrogarsi, a questo punto, se l'equità non rivesta, nell'economia del discorso vichiano, anche un importanza *topica*, venendo a costituire non già il 'prodotto' di un'operazione di contemperamento fra opposte istanze, quanto piuttosto un invito che esprime una tensione ideale: l'esortazione a sottrarre il diritto ad astrazioni polarizzanti che ne soffocano la vitalità e la complessità e che spesso offrono al giurista un *alibi* di fronte a una personale assunzione di responsabilità, tanto nella prassi quanto nella riflessione critica sul diritto stesso.

Padova, 1991; G. Zaccaria, *Omaggio ad un Maestro. Ricordo di Enrico Opocher*, Cedam, Padova 2006.

[324] Daniela Monteverdi rileva da un lato la connessione fra teoria e prassi giuridiche che si istituisce nello *humus* della *prudentia* del giureconsulto, e, dall'altro lato, evidenzia come la *prudentia* stessa, unita alla buona capacità di ragionamento dialettico, saldi le opposizioni fra *justum* ed *aequum*. Cfr. D. Monteverdi, *Vico, le XII Tavole e lo spirito del tempo*, cit., pp. 20-22.

CAPITOLO IV

Rileggendo la filosofia giuridica di Vico fra *verum* e *factum*

1. Ricorsive attualità vichiane. - 2. *Auctoritas cum ratione pugnare non potest*: idealità e storicità come polarità non armonizzate nella speculazione vichiana? - 3. Una rilettura contestualizzata - 4. Una terza via interpretativa del *verum-factum* - 5. Il diritto nella *praxis* - 6. Il *pudor* 'figura' del limite - 7. Linee di tendenza per un 'diritto' orientato alla (e dalla) reciprocità intersoggettiva - 8. *Senso, fantasia e ragione*: un diritto... umano e aperto alla sfida dell'interculturalità. - 9. Il 'caduceo di Mercurio': spunti di attualità vichiana a confronto con fenomeni evolutivi del diritto contemporaneo.

1. Ricorsive attualità vichiane.

Si sono visti, sinora, alcuni profili salienti della filosofia giuridica vichiana che ne evidenziano la peculiarità sia da un punto di vista teorico generale che in merito all'impostazione metodologica. Fra gli aspetti più salienti si è visto che per Vico la dimensione della 'regolarità giuridica' non si esaurisce nell'aspetto del *positum*, bensì si attua, si rende 'vivente', già nel costume umano (ossia nel *factum*), e quindi appare strutturalmente polimorfa e caratterizzata da una pluralità di fonti produttive e cognitive[325].

---

[325] Su nozze e sepoltura quali fatti sociali e giuridici che caratterizzano il sorgere (o il risveglio) della *humanitas*, e sulla loro dimensione di regole costitutive, cfr. G. Zanetti, *Vico eversivo*, Il Mulino, Bologna 2011, pp. 81-83. Peculiare attenzione ai profili di 'filosofia del costume' è stata attribuita da Giovanni Ambrosetti, per cui cfr. G. Ambrosetti, *Il perenne monito di Vico per la filosofia del diritto positivo*, in "*Archivio Giuridico*", 1-2,/1974, pp. 47-58; cfr., altresì, similmente, la lettura proposta in L. Bellofiore , *Morale e Storia in G. B. Vico*, Giuffrè, Milano 1972. Non si può non notare come già da diversi anni, nel dibattito filosofico-giuridico contemporaneo, sia stata posta in evidenza l'importanza di una lettura che studi il diritto nella sua dimensione di comportamento, di pratica sociale. Cfr., per una prima disamina, F. Viola, *Il*

Senza lasciarsi andare a parallelismi che potrebbero risultare forzati, una visione così ampia e complessa della giuridicità può offrire spunti di interesse anche per il giurista contemporaneo, il quale si trova a riflettere e ad operare su un diritto che si rivela sempre più polimorfo e irriducibile alla mera dimensione della legge posta, con la conseguente urgenza di affrontare "un ripensamento della concezione della legge e, dunque, un riesame critico della teoria della positività giuridica", dal quale non è esente una riflessione critica sulle stesse fonti del diritto[326]. Sia l'eredità del giusnaturalismo moderno coevo a Vico, sia il successivo portato del positivismo giuridico, possono essere accomunati nell'aver, in ultima istanza, attribuito singolare rilievo alla dimensione e al ruolo della legge posta[327], intesa "come norma emanata secondo determinate procedure formali dagli organi dello Stato". Il

---

diritto come pratica sociale, Jaca Book, Milano 1990; M. Barberis, *Il diritto come discorso e come comportamento*, Giappichelli, Torino 1990.

[326] P. Moro, *Quis custodiet ipsos custodes? Ripensare la legge nell'epoca del diritto giudiziario*, in P. Moro e C. Sarra (a cura di), *Positività e Giurisprudenza. Teoria e prassi nella formazione giudiziale del diritto*, a cura di Milano, FrancoAngeli 2012, pp. 16-48, qui p. 19-20. Moro rimarca la differenza fra questa pluralità di fonti e quella tipica del diritto romano o medievale, osservando come il fattore di distinzione principale risieda, nel contesto odierno, nell'assenza di valori stabili di riferimento. Sulla pluralità di fonti giuridiche nel frangente contemporaneo, al punto disordinata e deformalizzata da apparire "frattale", cfr., entro una prospettiva costituzionalistica, M. Pedrazza Gorlero, *L'ordine frattalico delle fonti del diritto*, Cedam: Padova 2012. Un simile esito mostrerebbe come la promessa ordinatrice del normativismo si sia oggi rivelata – alla luce degli sviluppi della prassi stessa – come una "incauta illusione" (F. Zanuso, *L'ordine oltre alle norme. L'incauta illusione del normativismo giuridico*, in *Il lascito di Atena. Funzioni, strumenti ed esiti della controversia giuridica*, a cura di F. Zanuso e S. Fuselli, FrancoAngeli, Milano 2011, pp. 39-70). Non si può peraltro non notare come ampi movimenti di ripensamento e di rivalutazione del concetto stesso di positivismo siano ravvisabili all'interno dello stesso novero di quanti si riconoscono in tale approccio, come emblematicamente mostrato in: A. Schiavello – V. Velluzzi (a cura di), *Il positivismo giuridico contemporaneo. Una antologia*, Giappichelli, Torino 2005.

[327] Cfr., su questa comunanza, F. Cavalla, *Sull'attualità del dibattito fra giusnaturalismo e giuspositivismo*, cit., *passim*.

frangente contemporaneo, sotto molti aspetti, pone dinnanzi alla riflessione critica sul diritto una situazione nella quale una siffatta caratterizzazione della legge perde centralità nel ruolo di orientare l'esperienza intersoggettiva. Essa anzi viene affiancata oggi da "altre direttive giuridiche, come le decisioni giudiziarie ma anche le regole degli organismi internazionali, i contratti commerciali o la prassi amministrativa"[328].

Peraltro, fra tutti gli aspetti sopra citati, in un contesto di rafforzamento dell'esigenza di un'interpretazione evolutiva e adeguatrice della legge, un fenomeno che assume rilievo particolarmente spiccato, soprattutto negli ordinamenti di *civil law*, è il rinnovato ruolo della giurisprudenza, la quale assume sempre più frequentemente la supplenza del legislatore, sino ad essere ricondotta al ruolo di vera e propria fonte del diritto[329]. Oltre alla messa in discussione di capisaldi del sistema di *checks and balances* tipico degli stati di diritto contemporanei – si pensi alla separazione delle funzioni legislativa e giudiziaria, alla soggezione del giudice alla legge, al controllo democratico esercitato sul legislatore attraverso il voto – un diritto di matrice sempre più giurisprudenziale si espone al rischio di collocare al centro della formazione della norma la dimensione 'aggiudicativa' del processo[330]. Ad esso si accompagna anche il pericolo

---

[328] P. Moro, *Quis custodiet ipsos custodes? Ripensare la legge nell'epoca del diritto giudiziario,* cit., p. 20.

[329] Cfr., sul punto, anche V. Villa, *Una teoria pragmaticamente orientata dell'interpretazione giuridica*, cit., G. Zaccaria, *La giurisprudenza come fonte del diritto.* Esi, Napoli 2007. Un emblematico 'luogo sperimentale' nel quale appare la svolta "legislativa" della giurisprudenza, e la sua "contaminazione" con categorie filosofiche e giuridiche elaborate in tradizioni extra-nazionali, risulta essere l'ambito bio-giuridico. Rinvio sul punto, per una breve quanto efficace esemplificazione, a L. Mingardo, *Osmosi tra ordinamenti giuridici. Un caso per il biodiritto: il giudizio sostitutivo*, in *Positività e Giurisprudenza*, cit., p. 218-253 e a F. Reggio, *Frontiere. Tre itinerari biogiuridici*, Primiceri Editore, Padova 2018.

[330] Osserva, pertanto, Moro: "dunque, il valore apodittico del precedente giurisprudenziale porta anche all'arbitrarismo. L'obbligo per il giudice di riferirsi coerentemente al «diritto vivente» non fa che assegnare al precedente il

di veicolare in questo modo una visione decisionistica del diritto stesso, della quale non sfuggono profili di aleatorietà[331].

In questo senso, tuttavia, appare legittimo chiedersi se il 'distacco' dalla prospettiva moderna segni davvero uno iato concettuale marcato, o non ne compia, piuttosto, alcune tendenze, in particolare quella di legare il diritto a una *decisione produttiva di una norma*, il cui fondamento si riconduce all'*efficacia dell'imposizione prescrittiva.*

---

carattere di premessa ipotetica, sottratta ad una discussione critica e mutabile con un atto autoritativo della volontà, priva di un controllo che non sia quello della razionalità autosufficiente e autoreferenziale del giudice medesimo" (P. Moro, *Quis custodiet ipsos custodes? Ripensare la legge nell'epoca del diritto giudiziario*, cit., p. 29). La struttura decisionistica rimane costante nel passaggio dal moderno al postmoderno: ne cambiano piuttosto il fulcro e il centro di imputazione, che dal legislatore passano al giudice. Rimane dunque costante quanto osserva Francesca Zanuso come caratteristica tipica della norma intesa come comando ordinatore: «non è la qualità del comando che legittima la sovranità; al contrario, l'esser sovrano rende lecito, giuridico, ogni contenuto di volontà debitamente espresso da chi detiene il potere: *stat pro ratione voluntas*» (F. Zanuso, *La fragile zattera di Ulisse*, cit., FrancoAngeli 2012, p. 49-84). Cfr., altresì, con riferimento al contesto dell'Italia attuale, G. Acocella, *Sulle origini dello 'sconfinamento giudiziario' nel sistema politico italiano*, in "Rivista di Studi Politici", XXXVI, 3/2014, pp. 121-139.

331 La tendenza secolarizzante di assorbire il diritto nel provvedimento puntuale e situazionale si è fortemente acuita anche nel contesto dell'ultimo biennio. In piena *'krisis'* causata dalla pandemia del virus SARS-Cov2 – una situazione di emergenza globale in gran parte inedita nello sviluppo, nella portata, e tutt'ora negli esiti – si è assistito a un susseguirsi continuo di decisioni emergenziali e temporanee, nelle quali il ruolo del potere esecutivo (e dei comitati tecnici ad esso correlati) ha assunto la preminenza sul potere legislativo, talora anche scegliendo forme di normazione di rango diverso da quello della legge, talaltra preferendo la decretazione d'urgenza. La norma-emergenziale ha generato così un fenomeno di 'attesa del prossimo provvedimento', nel quale i cittadini aspettavano di conoscere quali misure, spesso restrittive delle loro tradizionali libertà, sarebbero state di volta in volta assunte per fronteggiare l'emergenza pandemica. Mi permetto di rinviare, sul punto, ad alcune ulteriori riflessioni proposte in F. Reggio, *La 'krisis' del coronavirus. Una sfida inattesa per l'essere umano e le società contemporanee. Considerazioni filosofico-giuridiche*, in "Calumet. intercultural law and humanities review" 1/2020, pp. 119-142.

L'evoluzione in senso 'giurisprudenziale', o 'provvedimentale', del diritto contemporaneo non porrebbe in discussione il legame 'costitutivo' fra *auctoritas* e norma, limitandosi a registrare un progressivo cambiamento riguardante il soggetto titolare (*de jure* o *de facto*) del potere regolativo *de quo* (dal legislatore al giudice). Oltre a un *auctoritas non veritas facit legem* – di Hobbesiana memoria – emerge anche un *auctoritas non veritas facit sententiam*[332].

La riflessione critica di Vico, con riferimento a quanto sopra descritto, si rivelerebbe tuttora attuale sotto un triplice profilo: (I) aver posto l'attenzione sui fenomeni evolutivi del diritto a partire dalla 'fucina della prassi', costringendo in questo modo a una lettura più ampia e complessa dello stesso concetto di positività; (II) aver evidenziato la dimensione 'originaria' della controversia giuridica quale luogo e strumento nel quale il conflitto intersoggettivo cerca una composizione e a sua volta 'forma' diritto; (III) aver posto la questione, strettamente connessa a entrambi i profili sopra descritti, sul rapporto fra *auctoritas* e *ratio*, fra *certum* e *verum*, e quindi sulla questione della possibilità e dei limiti insiti nel radicare la validità della norma nella sua effettività.

Peraltro, parallelamente al profilo pocanzi descritto, si può osservare che il diritto contemporaneo assiste anche a un fenomeno apparentemente opposto, ossia a una 'fuga dalla giurisdizione', la quale si manifesta attraverso forme molteplici: essa avviene, infatti, sia rimanendo all'interno di forme eteronome e aggiudicative – ma non più demandate allo Stato – come accade, ad esempio, con l'arbitrato, sia in un ambito nel quale la *norma del caso* si costruisce attraverso l'autonomia e il *consensus inter partes*, come accade con riguardo ad istituti come la mediazione e la negoziazione. Ci si riferisce, a questo riguardo,

---

[332] Sull'attualità della massima hobbesiana è d'obbligo il riferimento all'ormai classico U. Scarpelli, *Auctoritas non veritas facit legem*, in "Rivista di Filosofia", LXXV, 1984, pp. 29-43. Sulla possibilità di un esito relativistico del decisionismo contemporaneo, cfr. E. Pattaro. *Opinio Iuris. Il diritto è una opinione. Chi ne ha i mezzi ce la impone*. In E. Pattaro, *Lezioni di filosofia del diritto*, Giappichelli, Torino 2011.

al sempre più rilevante fenomeno dell'ADR (*alternative dispute resolution*), il quale pone non pochi interrogativi – tanto teorico-generali quanto metodologici – al giurista contemporaneo. Fra questi, si trova anche il quesito riguardante una possibile 'privatizzazione' della giustizia, la quale, ponendo il baricentro sull'autonomia negoziale delle parti, sembra erodere il primato della figura dello stato nel suo ruolo regolativo[333].

Anche a questo riguardo il riferimento alla filosofia giuridica vichiana mostra profili di attualità, sotto molteplici angolature. Si rammenta, anzitutto, che per Vico la legge positiva non costituisce né figura unica né principale della normatività giuridica: fra le figure 'originarie' del fenomeno giuridico, egli, come evidenziato, ha collocato anche la dimensione dell'accordo[334]. Quello su cui, però, la riflessione di Vico sembra avere maggiormente colto nel segno nel criticare il *mainstream* dei suoi contemporanei, è quella tendenza a ridurre il fenomeno giuridico alla dimensione statuale. Rispetto ad essa, l'attuale

---

[333] Cfr., per una prima rassegna, M. Rubino-Sammartano, *Adr, arbitrato, conciliazione*, Il Mulino, Bologna 2007; P. Gianniti (a cura di), *Processo civile e soluzioni alternative delle liti. Verso un sistema di giustizia integrato,* Aracne, Rimini 2016; G. Cosi – G. Romualdi, *La mediazione dei conflitti. Teoria e pratica dei metodi ADR*, Giappichelli, Torino 2010; A. Ingen-Housz, *ADR in Business. Practices and Issues across Countries and Cultures*, Kluwer, Dordrecht 2011; V. Varano, *La cultura dell'ADR: una comparazione fra modelli*, in "Rivista Critica del Diritto Privato", 2015, pp. 495-536.

[334] Sulla proiezione "processuale" del *pactum*, e sulla possibilità di leggere la positivizzazione del diritto anche entro le varie forme di composizione conciliativa della lite, mi permetto di rinviare ad alcune riflessioni proposte in F. Reggio, *'Norma del caso' e soluzioni concordate della controversia in ambito civile. Alcune riflessioni su una 'zona limite' della positività giuridica*, in P. Moro - C. Sarra, *Positività e Giurisprudenza. Teoria e prassi nella formazione giudiziale del diritto*, FrancoAngeli, Milano 2012, pp. 217-251. Cfr., *amplius,* F. Reggio, *Concordare la norma*, Cleup, Padova 2017. Sul rapporto fra *pax* e *pactum*, a partire da una riflessione sulla tarda romanità, cfr. F. Reggio, Pacta pacis causa. *Alcune considerazioni filosofico-giuridiche su diritto e negozialità in margine alla figura di Pietro Patrizio*, in Pietro Patrizio, *Storia*, a cura di M. Rizzotto, Primiceri, Padova 2021, pp. 3-19.

'fuga dalla giurisdizione' nonché la 'privatizzazione' della soluzione dei conflitti, attraverso gli ADR, costituiscono due facce della stessa medaglia: ambedue evidenziano, infatti, un 'diffuso malessere' del diritto contemporaneo verso paradigmi di pensiero e modelli di prassi giuridica consolidatisi nel corso della modernità e che oggi non appaiono più né scontati né indiscutibili[335].

Come è stato osservato, l'affermazione di una cultura volta a promuovere gli strumenti ADR va collegata "allo stadio della modernità avanzata, o seconda modernità": essa, secondo Jean Guy Belley, richiede "nuovi principi fondamentali", differenti da quelli elaborati entro un "diritto puramente statale e sovrano della prima modernità". Risulta evidente, a questo riguardo, l'attualità delle serrate critiche che Vico rivolgeva all'apparato argomentativo con cui il giusnaturalismo contemporaneo andava a legittimare e configurare l'edificio del diritto statuale moderno. Non solo: anche la *pars construens* del discorso vichiano, che ricercava di fondare su altre premesse il

---

[335] Non a caso l'origine del fenomeno ADR viene legata proprio ad una riflessione sulle possibili cause di una radicata "insoddisfazione" verso la giustizia, su cui ebbe modo di riflettere, ancora nel 1906, Roscoe Pound. Cfr. R. Pound, *The Causes of Popular Dissatisfaction with the Administration of Justice*, in "Journal of American Judicature Society", 1937, 20 e ss., e per una recente rilettura, B. Friedman, *Popular Dissatisfaction with the Administration of Justice: a Restrospective (and a Look ahead)*, in "Indiana Law Review", 5 /2007, pp. 1193–1214. Per una panoramica dello sviluppo degli ADR negli Stati Uniti, si rinvia a G. De Palo - G. Guidi, *Risoluzione delle controversie. ADR nelle corti federali degli Stati Uniti*, Giuffrè, Milano 1999. Non va dimenticato come tale «diffuso malessere» si sia diffuso anche nel dibattito sulla giustizia penale. Qui, in particolare con l'emergere della *Restorative Justice*, è emersa la proposta di un paradigma alternativo di giustizia pensato come tentativo di «rimettere al centro» la persona umana, di cui si contesta il ruolo periferico rispetto ad un'amministrazione della giustizia dimentica dei bisogni delle persone (in primis, vittima e offensore) e delle comunità. Cfr., sul punto, *in primis*: H. Zehr, *Changing Lenses. A new Focus on Crime and Justice*, Herald Press, Scottsdale 1990; M. Wright, *Justice for Victims and Offenders*, Open University Press, Philadelphia 1991, e, più recentemente, J. Blad – D. Cornwell – M. Wright (a cura di), *Civilizing Criminal Justice. A restorative Approach to Penal Reform*, Waterside Press, Hook-Hampshire 2013.

fenomeno giuridico, provoca fortemente il giurista contemporaneo, proponendo argomenti e schemi di pensiero differenti da quelli da cui sembra dipendere il già citato malessere contemporaneo [336].

Sorge spontaneo chiedersi, per esempio, se nelle tendenze pocanzi descritte non si possa trovare una sorta di 'annullamento' del contratto sociale, con il quale una voce predominante del giusnaturalismo moderno aveva giustificato proprio l'instaurarsi di un sistema giuridico eteronomo, motivato dalla presunta incapacità dei consociati di regolarsi in funzione della propria autonomia[337]. Come Vico stesso aveva evidenziato, la proposta dei contrattualisti moderni, Hobbes *in primis*, non mancava di profili paradossali, fra i quali il giustificare la creazione di un sistema eteronomo in forza di un atto di autonomia (ossia il contratto sociale), compiuto da soggetti che peraltro erano stati descritti come reciprocamente predatorii o comunque incapaci di solida autoregolazione. Tuttavia, anche alla luce di quest'ultima critica, appare legittimo chiedersi se le riforme che promuovono l'ADR non rispondano a una dinamica di segno opposto, ossia un atto eteronomo (di legiferazione), con il quale si devolve all'autonomia privata la regolazione di rapporti che il sistema giuridico statuale non è più in grado (o ha la volontà) di gestire.

---

[336] J. G. Belley, *Une justice de la seconde modernité: propositions de principes généraux pour le prochain code de prócedure civile*, in "McGill Law Journal", vol. 46, 2/ 2001, pp. 317-372, qui p. 317. E, per ulteriori riflessioni in merito, M. A. Foddai, *Alle origini degli Alternative Dispute Resolution: il caso degli Stati Uniti d'America*, in "Giureta - Rivista di Diritto dell'Economia, dei Trasporti e dell'Ambiente", 10/2012, pp. 407–22. Sempre in ambito filosofico-giuridico, rimarca i profili 'post-moderni' della mediazione G. Cosi, *Invece di giudicare. Scritti sulla mediazione,* Giuffrè, Milano 2007. Cfr., con riferimento anche a Belley, ma più ampiamente all'evoluzione del diritto contemporaneo, P. Noreau, *L'innovation sociale et le droit. Est-ce bien compatible?*, in P. Noreau, *Le developpement au rythme de l'innovation*, Presses de l'Universitè du Quebec, Quebec 2004, pp. 73-106.

[337] Si riprendono considerazioni in simile modo proposte in conclusione del cap I di F. Reggio, *Concordare la norma. Le soluzioni consensuali della controversia in ambito civile*, cit., *passim.*

Seguendo la critica vichiana al giusnaturalismo moderno, si è portati a considerare astratte e a-storiche le premesse argomentative dello *status naturae* e del contratto sociale (ed il loro 'svolgimento' nel 'fondare' lo stato moderno); tuttavia, proprio in virtù del 'realismo vichiano', appare parimenti spontaneo nutrire una certa diffidenza verso il pericolo che si guardi con eccessiva, irenistica ingenuità alla fuoriuscita dallo *status quo* del diritto moderno, in direzione di un ritrovato (ed altrettanto irrealistico) *status naturae*, in cui la regolamentazione del conflitto demandata ai privati si riveli - in sé e per sé - garante di una pacificazione sociale.

Da un punto di vista filosofico-giuridico, inoltre, non appare illegittimo domandarsi se, alla base di questo fenomeno di ricerca del consenso contestuale, come luogo privilegiato per risolvere il conflitto, non si trovi un pragmatismo intorno al quale la contemporaneità 'postmoderna' si è venuta ad assestare nel suo già menzionato 'esodo' dalla prospettiva moderna[338]. In altri termini: la promozione di un consenso parcellizzato e 'istantaneo' ha preso il posto di una ricerca di 'ragioni condivise', della cui possibilità di reperimento ormai si diffida[339]?

---

[338] Il mio riferimento va al profetico volume: B. Montanari (a cura di), *La possibilità impazzita. Esodo dalla modernità*, Giappichelli, Torino 2013.

[339] Nel contesto contemporaneo, anche nel settore dell'esperienza giuridica, si assiste ad una crescente richiesta di un consenso pragmatico e situazionale, nella convinzione, ampiamente diffusa, per la quale "non la verità crea il consenso ma il consenso crea non tanto la verità quanto ordinamenti comuni. La maggioranza determina ciò che è vero e ciò che è giusto. Ciò significa che il diritto è esposto al gioco delle maggioranze e dipende dalla coscienza dei valori della società del momento, che a sua volta è determinata da molteplici fattori" (J. Ratzinger, «Lectio Doctoralis», in *Per il diritto. Omaggio a Joseph Ratzinger e Sergio Cotta*, Giappichelli, Torino, p. 11). Per una rilettura del pensiero giuridico dell'autore, M. Cartabia – A Simoncini (a cura di), *La legge di re Salomone. Ragione e diritto nei discorsi di Benedetto XVI*, Bur, Milano 2013. Sulle caratteristiche dello scetticismo relativistico postmoderno a confronto con l'esperienza giuridica il mio rinvio va a G. Minda, *Teorie postmoderne del diritto,* Il Mulino, Bologna 2001 e, per una lettura di tale aspetto della giuridicità contemporanea alla luce del concetto di secolarizzazione, a L. Palazzani (a cura

Se così fosse, tuttavia, ne sorgerebbe un ulteriore interrogativo: ciò rappresenta davvero la fuoriuscita dallo schema di un diritto fondato, in ultima istanza, sull'*auctoritas*, o piuttosto costituisce una semplice 'parcellizzazione' e 'redistribuzione' del baricentro dell'*auctoritas* stessa? Sotto le mutate spoglie del *consensus inter partes* rimarrebbe allora immutato l'assunto di fondo per il quale alla base del diritto *stat pro ratione voluntas*.

A questo punto non resta che domandarsi se questo costituisca un esito compatibile con la prospettiva filosofico-giuridica vichiana., che tanto ci ha messi in guardia contro il rischio di confondere *auctoritas* e *ratio*, *utilitas* e *justitia*.

Potremmo rispondere a Vico con le sue stesse parole: *verum ipsum factum*. Si potrebbe, infatti, ipotizzare che l'unica *veritas* che il giurista può e deve riscontrare – se di verità si può ancora parlare – è quella che si è manifestata come *factum*, ovvero che si estrinseca come norma concreta, valida perché efficace, ed efficace perché (sia pur mediatamente) produttiva di conseguenze sul piano empirico, indipendentemente che questo operi mediante forme eteronome o autonome.

In una cornice interpretativa siffatta, il 'realismo' vichiano si tramuterebbe in un vero e proprio *realismo giuridico ante litteram*, entro il quale il positivizzarsi del diritto corrisponde a un mero fare produttivo di cui lo studioso di diritto deve prendere atto, in ciò sostanziandosi l'unica *veritas* che, sotto forma di *certum*, gli è dato di accertare.

In termini vichiani ci chiediamo dunque: *verum ipsum factum* significa anche, nel contempo, *factum ipsum verum*? E con il termine *factum* dobbiamo necessariamente (e unicamente) intendere l'esito di un agire produttivo? Non solo: vi è ancora spazio, entro questa linea interpretativa, per una riflessione critica sui contenuti della norma, oppure ciò che rileva di quest'ultima è l'essere stata effettivamente prodotta? Ne risulterebbe un'interpretazione che avvicina Vico ad un

---

di), *Filosofia del Diritto e Secolarizzazione. Percorsi, profili, itinerari*, Edizioni Studium, Roma 2011.

empirismo pragmatistico entro il quale l'*auctoritas* che *facit legem* è quella che fattualmente si rivela capace di effettività sul piano operativo. Così facendo, tuttavia, non si comprenderebbe il senso della critica vichiana alle derive 'scettiche' del giustnaturalismo a lui contemporaneo e, in generale, a quei Carneadi che egli avrebbe espulso da ogni repubblica.

A questo punto risulta ineludibile tornare a interrogarsi sul principio del *verum-factum*, anzitutto per chiedersi se esso non entri in contraddizione con altri punti della speculazione (soprattutto giuridica) dell'autore, o se invece non siano possibili altre opzioni interpretative, utili a riflettere sul rapporto fra *auctoritas* e *ratio*: un tema, come si è visto, tutt'altro che inattuale.

2. *Auctoritas cum ratione pugnare non potest: idealità e storicità come polarità non armonizzate nella speculazione vichiana?*

Alla luce di quanto sinora evidenziato in merito alla prospettiva filosofico-giuridica vichiana, sembrano emergere indicazioni che non consentono agevolmente di optare per una lettura che esaurisca il fenomeno giuridico entro il prodotto di un'autorità: fra tutte, si pensi al monito con cui, nel *De Uno*, Vico ricorda che la *auctoritas* non può *cum ratione pugnare*, altrimenti non produrrebbe *leges*, ma *monstra legum*[340].

Del resto, come si è visto, sia nelle Opere Giuridiche che nelle successive redazioni della *Scienza Nuova*, il filosofo attacca in modo esplicito le visioni 'scettiche', 'epicuree', che riducono il diritto a un fatto di forza, e quindi al prodotto di un'*auctoritas* efficace, come può

---

[340] Scrive Vico nel *De Uno*: «*auctoritatem cum ratione omnino pugnare non posse; nam ita non leges essent, sed mostra legum*»(G. B. Vico, *De uno universi iuris principio et fine uno*, p. 102). Questa *ratio* ha subito un legame con la '*veritas*', giacché, come chiarisce Vico nel capo precedente (lo citiamo stavolta in italiano) «*La ragione della legge è quella che la fa essere vera. Il vero è proprio e perpetuo carattere del diritto necessario*». (G. B. Vico, *De uno universi iuris principio et fine uno*, p. 101).

emblematicamente verificarsi esaminando le molteplici critiche che il filosofo ha rivolto a Thomas Hobbes[341].

Parimenti, vi sono ragioni per dubitare che Vico abbia ricondotto il diritto a un mero fatto sociale contenutisticamente indifferente, e che quindi la sua apertura all'elemento storico si traduca in una forma di contestualismo che riduca l'ordinamento giuridico a mero costume da rilevare in termini, diremmo oggi, sociologico-descrittivi[342].

Non mancano passi, in varie parti delle opere vichiane, in cui l'autore mostra di non ritenere accettabile ogni sviluppo storico e con esso, pare lecito dedurre, ogni manifestazione e positivizzazione giuridica[343]. Se da un lato, infatti, Vico concede al diritto un mutare all'evolversi della mente e dei costumi umani, ciò non significa che ogni manifestazione di costumi umani costituisca, perciò stesso, un fatto eticamente o giuridicamente giustificato. Ciò emerge, ad esempio, con riferimento alle narrazioni vichiane circa l'umanità "assopita" dopo la "caduta" di Adamo. Ancor più emblematica al riguardo è la *conchiusione* stessa della *Scienza Nuova*, in cui l'autore evidenzia l'importanza di vigilare contro il pericolo di ulteriori "cadute", per il quale l'umanità

---

341 Cfr., per una prima lettura esemplificativa, G. Galeazzi, *Ermeneutica e storia in Vico*, cit., pp. 89-110; A. M. Damiani, *Die Wiederlegung des metaphysischen und politischen Skeptizismus: Vico gegenueber Descartres und Grotius*, in «Archiv fuer Rechts – und Sozialphilosophie», 2/2000, p. 207-214.

342 Non mancano, come si vedrà, interpretazioni 'positiviste' di Vico. Si veda, per una prima disamina con specifico riferimento all'ambito giuridico, L. Pompa, *La funcion del legislador en Giambattista Vico*, in « Quadernos sobre Vico » 5-6/1996, pp. 139-153. Cfr. altresì, per una più ampia panoramica sulla prospettiva interpretativa di questo autore, L. Pompa, *Giambattista Vico: studio sulla 'Scienza Nuova'*, Armando: Roma 1977.

343 Per una lettura ragionata della prospettiva giuridica vichiana dalla quale emerge come Vico non legittimi ogni costume umano in quanto tale, bensì anzi sia in più punti della propria opera preoccupato per le possibili cadute e ricadute dell'uomo in antiche e «rinnovate barbarie», il mio riferimento va alla preziosa opera ermeneutica di Umberto Galeazzi, per cui cfr. G. Galeazzi, *Ermeneutica e storia in Vico*, cit., pp. 57-64 e 92-117.

non è mai immune: una "rinnovata barbarie" può nascere tanto dall'ottundimento della ragione quanto dal suo insuperbirsi sino a divenire "riflessiva malizia", ma in entrambi i casi si verifica la rottura di un equilibrio dal quale possono scaturire conseguenze catastrofiche[344]. Non vi è indifferenza, in Vico, ai contenuti con cui si manifestano le sorti umane attraverso la storia: esistono deragliamenti, cadute, ma anche continue possibilità di recupero e redenzione[345].

Come conciliare, dunque, queste parti salienti della riflessione vichiana con il principio, sopra brevemente richiamato, del *verum-factum*? Se il vero è prodotto del fare umano, e la fattualità è il *verum* a cui può accedere l'uomo, sembra mancare un autentico motivo per distinguere

---

[344] Vico ravvisa infatti la possibilità di un cammino di profonda decadenza, lungo il quale gli uomini «*finiscono col fare selve delle città (...) e 'n cotal guisa, dentro lunghi secoli di barbarie vadano ad arrugginire le malnate sottigliezze degl'ingegni maliziosi, che avevano resi fiere più immani con la barbarie della riflessione che non era stata prima la barbarie del senso*» (G. B. Vico, *Sn44*, p. 1106). Come nota Umberto Galeazzi, proprio a causa di tale «boria, si annida il pericolo, additato come tale dal Vico, di una nuova Babele, peggiore della prima», la cui logica risiede in ogni caso in un'erronea e superba centralità che l'uomo attribuisce a se stesso, rendendolo ab-solutus, e, come tale, irrelato e privo della coscienza dei propri limiti (U. Galeazzi, *Ermeneutica e storia in Vico. Morale, diritto e società nella Scienza Nuova*, Japadre, Roma-L'Aquila 1993, p. 599). A commento della relazione fra «rinnovate barbarie» e «riflessiva malizia», osserva Francesco Botturi: «Solo una «riflessiva malizia», che strappa l'agire dal terreno dei criteri del senso comune, fa precipitare nell'individualismo assoluto, in cui la negatività etica non può essere recuperata entro la più fondamentale comunicazione di giustizia e diviene così distruttiva della *humanitas*»(F. Botturi, *L'etica ermeneutica di G.B. Vico*, pubblicato *online* il 18/02/2005 su: http://www.ccdc.it/DettaglioDocumento.asp?IdDocumento=76&IdCategoria=13&IdAutore=&IdArgomento=&testo=&Id=3, p. 10).

[345] Si tratta di occasioni di redenzione anche talora eterodirette, come sembra mostrare la vichiana teoria dell'*eterogenesi dei fini* e il ruolo da Vico attribuito alla Provvidenza. Sulla (almeno parziale) trascendenza della storia, anche con riferimento alla dottrina vichiana della eterogenesi dei fini, cfr. E. Voegelin, *La «Scienza Nuova» nella storia del pensiero politico*, Guida, Napoli 1996, p. 43-49; L. Bellofiore, *Morale e storia in Vico*, cit., *passim*; U.Galeazzi, *Ermeneutica e storia in Vico*, cit., *passim*.

fra *leges* e *monstra legum*, o parimenti fra forme storiche, ivi comprese quelle giuridiche, che esprimono appieno ciò che è il *proprium* dell'uomo, e altre che invece ne rappresentano un ottundimento o una 'perversione', e quindi espongono l'umanità al rischio di cadere, appunto, in 'rinnovate barbarie'.

L'interrogativo sopra esposto pone il lettore di Vico dinnanzi a un dubbio: prendere atto di un'antinomia - o comunque di una pesante difficoltà concettuale - all'interno del pensiero dell'autore, nel quale pare difficile trovare una sintesi coerente fra aspetti empiristico-storicistici e riferimenti ad essi esogeni, oppure vagliare la possibilità di interpretare diversamente il *verum-factum* alla luce di una lettura più sistematica del pensiero vichiano, dalla quale si riesca a comprendere i tratti di distinzione fra il 'giusnaturalismo storico' vichiano e un'assimilazione del pensiero di Vico ad un paradigma di stampo essenzialmente giusrealista, e che con difficoltà incorpora al proprio interno elementi giusnaturalistici.

Si intravedono, a questo punto, alcuni possibili scenari: un primo nel quale si prende atto di una irrisolta tensione fra elementi ideali e attenzione alla fattualità storica, evidenziando la difficoltà del pensiero vichiano di armonizzare tali referenti concettuali; un secondo nel quale si mostra come questi ultimi rappresentino tensioni opposte che, senza però un fattore comune, ritrovano equilibri differenti a seconda dei diversi contesti in cui tali spinte opposte si vengono a comporre storicamente; un terzo nel quale si intravede forse anche un principio generatore che consenta di 'tenere insieme' idealità e storicità entro una sintesi concettuale ulteriore, conformemente all'aspirazione vichiana di 'porre in sintesi' filosofia e filologia in un sistema, appunto, di *diritto natural delle genti*[346].

---

[346] Aspirazione che, come narra Vico stesso nella sua Autobiografia, nasce dalla lettura del *De Jure Belli ac Pacis* di Grozio, «auttore» a cui il Nostro «riconosce il merito di avere non soltanto compreso la necessità di unire filosofia e filologia ma di averle poste in un *sistema di dritto universale*: cioè di essere pervenuto, mediante la connessione della ragione e della storia, della

Di qui potrebbero emergere utili indicazioni sul problema del rapporto fra la positivizzazione storica del diritto nella prassi e la possibilità stessa di considerare criticamente i contenuti della norma positiva.

3. Una rilettura contestualizzata

Il principio del *verum factum* trova la sua formulazione, come si è già evidenziato in precedenza, in una delle prime opere vichiane, il *De Antiquissima*, ed è utilizzato senza un riferimento diretto al tema giuridico. La riflessione di Vico ha, in tale contesto, un carattere prevalentemente gnoseologico, e assume come principale obiettivo il consolidamento di una posizione critica sia nei confronti dello scetticismo che del razionalismo, in particolare di stampo cartesiano[347].

A ben vedere, questa avversione a scetticismo e razionalismo trova – sia pur con differenti profili argomentativi – conferma anche nelle successive opere vichiane, nelle quali la proposta gnoseologica del *De Antiquissima* offre una parallela e concordante lettura antropologica dell'uomo come *finitum quod tendit ad infinitum*, venendo a costituire un tratto caratterizzante della filosofia di Vico[348].

---

conoscenza universale e di quella empirica, ad una considerazione filosofica del diritto»(G. Fassò, *Vico e Grozio*, Guida, Napoli 1970, p. 67).

[347] Cfr., sul punto, A. M. Damiani, *Die Wiederlegung des metaphysischen und politischen Skeptizismus*, cit., p. 207-214. Per un ulteriore approfondimento della «battaglia» di Vico contro scetticismo e razionalismo insiti nel pensiero moderno, cfr. M. Sanna, *Vico e lo «scandalo della metafisica alla moda» lockiana*, in «Bollettino del Centro di Studi Vichiani», XXX, 2000, p. 31-50, in particolare p. 42-45.

[348] «*Omne quod homini scire datur, ut et ipse homo, finitum et imperfectum*»(G. B. Vico, *De nostri temporis studiorum ratione*, in G.B. Vico, *Metafisica e Metodo*, Bompiani, Milano 2008, p.58) Rileva Massimo Cacciari: "La Metafisica di Vico è «*humana imbecillitate digna*»: degna, e cioè *all'altezza*, della finitezza e debolezza della mente umana. Finitezza non è impotenza. La Metafisica che sappia esserne degna svolgerà l'impresa di farci comprendere che cosa effettualmente

Rinsaldando questa gnoseologia attenta al limite della conoscenza umana con una visione teologica fortemente connessa con il pensiero cristiano, Vico ricorda che solo Dio ha conoscenza piena sulle cose, perché ne conosce la genesi, la *guisa* cioè in cui sono state fatte, perché in lui ne risiede il Principio. Ne consegue che alla conoscenza umana non è concesso un atteggiamento di preteso dominio del *logos* che è in ogni cosa, ma, più propriamente, di ascolto e di ricerca[349].

Se l'idea di una finitudine strutturale dell'uomo permane, come si è detto, anche in altre parti della speculazione vichiana, ivi comprese le Opere Giuridiche, il principio del *verum-factum* torna apertamente nella *Scienza Nuova.*

Sia nel *Diritto Universale* che nel suo *opus magnum* Vico è, infatti, particolarmente attento a rimarcare i limiti in cui l'uomo è strutturalmente immerso: non tanto perché essi costituiscano un impedimento radicale allo sviluppo dell'umanità e al suo incivilimento, bensì come incoraggiamento verso questi ultimi e come monito a non cadere nella 'riflessiva malizia' della 'boria dei dotti'[350]. Quest'ultima, dimentica del limite, può condurre l'umanità a 'novelle barbarie': figura concettuale emblematica di questo profilo del limite è, come si vedrà, il concetto vichiano di *pudor*.

La ripresa del *verum-factum* nella *Scienza Nuova* consente a Vico, tenendo fermo che la conoscenza piena del mondo (in senso fisico) appartiene solo a "Dio ottimo massimo", di affermare che due

---

possiamo sapere, di che cosa essere certi, in quali limiti, e anche che cosa, invece, non possiamo semplicemente che pensare" (M. Cacciari, *Ricorsi Vichiani*, in G.B. Vico, *Metafisica e Metodo*, Bompiani, Milano 2008, pp. 556-574, p. 558).

349 Cfr. F. Cavalla, *La verità dimenticata*, cit., p. 157.

350 Sulla 'boria dei dotti' come pericolo da cui Vico mette in guardia nazioni ma anche singoli cfr. G. Cacciatore, *Contro le borie "ritornanti": per un sano uso della critica*, in "Trans/Form/Ação", Marília, v. 37, n. 3/2014, pp. 45-56.

conoscenze sembrano proprie dell'uomo (almeno sul piano della *scientia*): quella tipica del sapere geometrico (che però si basa su astrazioni convenzionali, e dunque istituisce la sua certezza sulla coerenza, rimanendo un sapere astratto), e quella della storia, che, appunto è "fatta dagli uomini" e trova quindi nel modo di essere dell'uomo una essenziale chiave di lettura. Di qui, "ritruovare nella mente umana i principi della storia civil delle nazioni" costituisce uno dei moventi fondamentali dell'ultima, definitiva speculazione vichiana[351].

Troviamo qui ribadito un richiamo al limite della conoscenza, con un ulteriore elemento di specificazione: l'Autore sembra rimarcare come la conoscenza umana risulti limitata e provvisoria soprattutto nell'ambito delle "cose fisiche", mentre sia possibile una più salda forma di sapere qualora si rivolga l'attenzione alle "cose umane", ossia a quelle fatte dagli uomini. Il riferimento si rivolge primariamente alla storia e alle istituzioni umane che in essa sono state collocate grazie all'agire umano. A questo punto si ripresenta nuovamente un quesito: cosa si intende con questo "fare"? È esso solamente un "produrre" da parte dell'uomo, al quale spetterebbe una conoscenza del mondo umano perché di quest'ultimo egli sarebbe, in definitiva, il 'creatore'? Pur nella finitudine della condizione umana il *verum* accessibile all'uomo si concepisce sempre, in definitiva, come un suo prodotto?

---

[351] Il *verum-factum* si arricchisce qui di un riferimento ad una categoria «debole» di accesso alla conoscenza, ma che sembra per l'autore rivestire un'importanza per lo meno di carattere «topico»: il *sensus communis*, ovvero l'insieme di nozioni, norme etiche e strutture antropologiche che sembrano accomunare l'umanità, a prescindere dalle determinazioni puntuali che ogni cultura e contesto offrono di queste ultime. Si tratta di un complesso aspetto della filosofia vichiana che non è possibile in questa sede approfondire, ma in merito al quale si rinvia, per il momento, ad alcuni specifici studi condotti sul tema: Cfr., sul punto, J. Gebhardt, *Sensus communis: Vico e la tradizione europea antica*, in «*Bollettino del Centro di Studi Vichiani*», XXII-XXIII, 1992-1993, pp. 43-64; J. D.Schacffer, *Sensus Communis: Vico, Rhetoric, and the limits of Relativism*, Duke University Press, Durkham-London 1990; A. Livi, *Il senso comune tra razionalismo e scetticismo*, Massimo Editore, Milano 1992.

*4. Una terza via interpretativa del verum-factum***.

Gli interrogativi pocanzi individuati evidenziano un problema interpretativo che ha impegnato non poco i lettori vichiani, con tesi talora a tal punto divergenti da dirsi opposte[352]. Non è scopo del presente scritto esaminarle dettagliatamente, né ambire a proporre una soluzione definitiva alle contrastanti interpretazioni del pensiero di Vico emerse nel vasto dibattito sorto intorno al *verum-factum*: ci si limiterà pertanto a considerare alcuni aspetti critici legati a due possibili interpretazioni di tale principio, per poi proporne una terza, dalla quale si ritiene di poter trarre utili indicazioni anche per la riflessione sul tema della positività giuridica.

** Il paragrafo riprende e rielabora riflessioni già proposte in F. Reggio, Auctoritas cum veritate pugnare non potest? *Riflessioni su positività giuridica e diritto vivente a confronto con il pensiero di Gianbattista Vico*, in C. Sarra – D. Velo Dalbrenta (a cura di), *Res iudicata. Figure della positività giuridica nell'esperienza contemporanea*, Padova University Press, Padova 2013, pp. 209-245.

[352] Come è stato infatti osservato, "Molte cose riguardo al principio del *verum factum* sono state osservate nel lungo percorso della critica vichiana del *De Antiquissima*, fin da presentarne letture tanto distanti le une dalle altre da apparire reciprocamente conflittuali. E' chiaro che una tale molteplicità di orientamenti è stata possibile solo sulla scorta di riflessioni che intendessero il percorso del pensiero vichiano nel suo intero sviluppo, con particolare attenzione soprattutto alle conclusioni presentate nella sua opera più matura e completa, la terza edizione della *Scienza Nuova*" (A. Murari, *Introduzione*, in G.B. *Vico, Metafisica e Metodo*, Bompiani, Milano 2008, pp. 7-47, p. 36). Interessanti, su questo punto, anche le considerazioni di un autorevole interprete vichiano, Giuseppe Cacciatore: "Le interpretazioni che di Vico hanno dato la cultura filosofica e quella storica della seconda metà del secolo XX, si sono progressivamente allontanate da uno schema interpretativo ormai superato. Mi riferisco ai tentativi di leggere Vico alla luce della categoria del 'precorrimento'. Il filosofo napoletano veniva letto e interpretato come colui che aveva pensato e scritto anticipando ora l'illuminismo, ora il romanticismo, ora l'idealismo, ora lo storicismo" (G. Cacciatore, *Vico tra storicismo e historismus,* relazione tenuta ad Heidelberg in occasione del convegno internazionale *'Vico in Europa zwischen 1800 und 1950'*, svoltosi il 19 ed il 20 maggio del 2008, p. 1).

Quanto alle prime due possibilità interpretative del *verum-factum*, le possiamo brevemente così riassumere:
(I) una tesi positivista, che legge il *verum-factum* come principio in forza del quale la possibilità umana di conoscere il vero si restringe a ciò che l'uomo effettivamente ha fatto, nel senso produttivo, *poietico* del termine. Non vi sarebbe dunque alcuno scarto fra *verum* e *factum*, al punto da poter leggere la conversione di *verum* e *factum* anche in termini inversi: *factum ipsum verum*. Il solo fatto di accadere rende tale accadimento 'vero' e questa sembra essere l'unica verità accessibile all'uomo, da rilevare empiricamente. Questa prospettiva *poietica* può giungere a considerare la filosofia della storia vichiana come un'antenata della moderna sociologia empirica. Ne risulta una visione antropologica fortemente radicata in un'idea di *homo faber*, così marcata da ritenere l'uomo produttore della stessa verità storica che lo riguarda, e che gli risulta essere *la verità* autenticamente accessibile con le forze della sua stessa ragione[353].

---

353 Una simile linea interpretativa sembra essere stata recentemente ribadita anche nella recente lettura del *De Antiquissima* proposta da Ciro Greco: «La sinonimia fra il conoscere e il fare, fra il vero e la creazione stabilisce il carattere produttivo della conoscenza. Il punto intorno a cui tutto ruota è la creazione del vero, l'aspetto poietico della conoscenza: sia che si parli di Dio e della sua potenza creatrice onnipervasiva, sia che si tratti, più in piccolo, dell'uomo, che appare anch'esso come 'categoria operante', come 'forma poietica'. Soltanto il carattere produttivo del vero offerto dal principio di verità vichiano può concederci di pensare all'orizzonte poietico dell'uomo. E' il principio del *verum factum* che garantisce all'uomo la possibilità di essere, a sua volta, creatore del proprio vero, ed è tale possibilità a salvare il *De Antiquissima* da una troppo scontata professione di assoluto scetticismo» (C. Greco, *Dualismo e poiesis in Giambattista* Vico, in G.B. *Vico, Metafisica e Metodo*, cit., p. 460-553, qui p. 525). Per quanto attiene alla relazione fra Vico e il positivismo, osserva Pietro di Giovanni, «è vero che Vico è stato assunto a modello di altre correnti di pensiero, come nel caso dello stesso idealismo, ma è altrettanto vero che la prima rilettura critica e sistematica in Italia è avvenuta ad opera di quanti possono essere considerati i promotori di un modo di pensare che si colloca nell'alveo della filosofia positiva»(P. Di Giovanni, *Filosofia e Psicologia nel positivismo italiano*, Laterza, Roma-Bari 2006, p. 6). Il fatto che il Vico avesse abbozzato una dottrina che poteva essere avvicinata alla sociologia permetteva

(II) una tesi idealista, (rappresentata essenzialmente dalla lettura di Benedetto Croce), per la quale l'identità di fare e pensare nell'uomo fa dello spirito umano stesso il creatore della storia (tesi che, come si vedrà, obbliga a interrogarsi sulla compatibilità sussistente fra questo aspetto del pensiero di Vico e il suo forte e rigoroso riferimento cristiano, che qui ne risulterebbe altamente inficiato nei presupposti filosofico-teologici)[354].

---

di raffigurarlo tra i precursori di questa scienza positivistica e di ritenere il suo pensiero assimilabile al positivismo stesso. Questa tendenza collega pensatori direttamente o indirettamente associati al positivismo, da Carle e Miraglia, fino a Cesare Lombroso, che del positivismo moderno rappresenta un'emblematica *akmé* e, nel contempo, l'inizio di una parabola discendente. Cfr, per una rassegna del pensiero lombrosiano e delle matrici filosofiche che ne hanno influenzato la riflessione – inclusa un'interpretazione positivistica di Vico – D. Velo Dalbrenta, *La scienza inquieta. Saggio sull'antropologia criminale di Cesare Lombroso*, Cedam, Padova 2005. Vi sono riflessi di una siffatta lettura del pensiero di Vico anche nella critica di autori che hanno visto nel *verum-factum* vichiano un'esaltazione dell'antropologia moderna dell'*homo faber*, e con essa anche una svolta antimetafisica. Cfr., ad esempio (con un accostamento di Vico a Marx), S. Fontana, *Parola e comunità politica. Saggio su vocazione e attesa*, Cantagalli, Siena 2010, p. 18. Una simile lettura è proposta anche da Joseph Ratzinger, il quale legge come paradigmatica circa la fine dell'antica metafisica e l'inizio del pensiero moderno proprio il *verum-factum* vichiano, che sostituisce lo scolastico *verum est ens*. Ne risulterebbe realmente conoscibile in senso pieno soltanto ciò che l'uomo produce e inventa. Ne consegue allora che non è più la riflessione sull'essere a costituire il compito della ragione, ma la produzione-organizzazione del fatto: comincia così ad affermarsi quella che potrebbe essere definita la «signoria del fatto», cioè quella tendenza a considerare reale solo ciò che può essere dominato, ignorando o considerando come forma spuria di conoscenza ogni realtà irriducibile al dominio del pensiero. Cfr. J. Ratzinger, *Introduzione al Cristianesimo. Lezioni sul Simbolo Apostolico*, Morcelliana, Brescia 2003, p. 59. Per una breve rassegna sull'influsso dello storicismo tedesco nella lettura di Vico in Germania cfr. G. Cacciatore – G. Cantillo, *Materiali su «Vico in Germania»*, in «*Bollettino del Centro di Studi Vichiani*», XI, 1981, pp. 19-32.

[354] Un passo significativo dell'interpretazione crociana appare il seguente: «la verità meditata nel mondo umano (…) non è trovata ma prodotta», e ciò alla luce della «persuasione della possibilità di costruire con la mente la scienza della mente». Pertanto, «con metodo analogo a quello sintetico della

Entrambe le tesi, in termini diversi, sono accomunate da una prospettiva che tende a identificare il vero con un prodotto umano, e il *vero storico*, in particolare, come l'unico *factum* che può essere conoscibile o ri-conoscibile dalla ragione umana. In questo senso il pensiero di Vico rappresenterebbe una forte tendenza secolarizzante, per effetto della quale il riferimento a categorie metafisiche – ancorché presente in

---

geometria», la Scienza Nuova ambisce a mostrare che «il sapere umano è, qualitativamente, il medesimo del divino» (B. Croce, *La filosofia di Giambattista Vico*, Laterza, Bari 1933, p. 35). Una lettura neoidealista di Vico è proposta anche nel pensiero di Giovanni Gentile, per cui cfr. G. Gentile, *Studi Vichiani*, Sansoni: Firenze 1927. Nella riflessione di Croce, in particolare, storicismo e idealismo sembrano trovare un punto di confluenza. Come osserva Cacciatore, «Una rilevante presenza della filosofia di Vico si può registrare nelle varie fasi della cultura italiana del secolo XIX. Essa non riguarda soltanto lo storicismo, poiché Vico, pur interpretato diversamente, fu un punto di riferimento anche di altri orientamenti filosofici: quello sociologico di Cattaneo e Ferrari, quello positivistico di Villari, quello idealistico di Spaventa e poi di Gentile. Ma, per restare dentro i limiti del nostro tema, passo ora ad analizzare un momento fondamentale della storia delle interpretazioni storicistiche di Vico (senza dimenticare, però, alcuni significativi contributi inquadrabili nella costellazione storicistica, come De Sanctis e Labriola e come, per molti versi, anche Gramsci). Mi riferisco all'interpretazione di Benedetto Croce. Il filosofo napoletano d'adozione, individuava nelle riflessioni vichiane mature – quelle della *Scienza nuova* – il momento aurorale dello storicismo idealistico» (G. Cacciatore, *Vico tra storicismo e historismus*,, cit., p. 7). Cfr., per un approfondimento, G. Cacciatore, *Interpretazioni storicistiche della Scienza Nuova*, in *Filosofia e storiografia. Studi in onore di Girolamo Cotroneo*, a cura di F. Rizzo, Rubbettino, Soveria Mannelli 2005, p. 53-70. Sulla artificiosità dell'esperimento crociano di leggere Vico al di fuori della sua identità cristiana si è pronunciato con grande durezza Franco Amerio: «E poi Croce pretende di avere scoperto il vero Vico, il grande Vico, il filosofo Vico! quando lo riduce a tal grado di insipienza da non sapere quel che scrive, da non capire quel che dice, da credere insomma di ragionare di Dio mentre ragiona dell'uomo, e di essere cattolico mentre era crociano!»(F. Amerio, *Introduzione allo studio di Vico*, SEI: Torino 1947, p. 274). Un recupero filologico e filosofico di Vico, letto senza cadere vittima di una 'lente' idealista è stato proposto, con l'aperta intenzione di individuare un «Vico senza Hegel», da Pietro Piovani. Cfr. P. Piovani, *La filosofia nuova di Vico*, a cura di F. Tessitore, Morano, Napoli 1990.

vari punti dell'opera vichiana – risulta sostanzialmente svuotato di pregnanza sia per la conoscenza che per l'agire pratico[355].

In questa sede, si vuole proporre una differente concezione del *verum-factum*, frutto tanto di una diversa lettura di tale principio all'interno del *De Antiquissima*, quanto di un confronto sistematico con altri aspetti del pensiero vichiano: laddove essa risultasse convincente, andrebbero scartate le opzioni interpretative che restringano la gnoseologia vichiana a un concetto di verità esclusivamente inteso come prodotto della ragione umana.

Si può anzitutto chiedersi se il principio del *verum-factum* sia assunto da Vico quale unico criterio aletico: se così non fosse, esso non potrebbe essere considerato quale esclusivo elemento interpretativo del concetto di verità nella riflessione vichiana[356]. A suffragio di questa ultima ipotesi si possono portare vari argomenti: (I) Si può notare, in via preliminare, che a tale criterio Vico non giunge applicando il criterio stesso. Diversamente da quanto accade, ad esempio, per il *Principio di Non Contraddizione*, che offre prova di se stesso, il *verum-factum* viene argomentato da Vico con ragionamenti esogeni allo stesso criterio, il che fa supporre che la sua stessa pretesa aletica non sia auto-fondante ma derivi da altri criteri a essa esterni. (II) La tesi con la quale Vico, nel *De Antiquissima*, argomenta che il *verum-factum* trova attuazione, in ambito umano, nella matematica e nella geometria, non designa queste ultime come unico sapere né come sapere privilegiato. Anzi, Vico ne evidenzia, diremmo oggi, la struttura convenzionale e aprioristica,

---

355 Sui moventi e le direttrici delle tendenze secolarizzanti cfr. F. Cavalla, *Appunti intorno al concetto di secolarizzazione*, in *Filosofia del Diritto e Secolarizzazione*, cit., p. 11-38.

356 Anche secondo Umberto Galeazzi «è lecito dubitare (…) che per Vico il criterio generale di verità implichi la creazione dell'oggetto», e anche per questo, egli rimarca, contrastando le interpretazioni che leggono nel verum-factum vichiano la teoria per la quale la verità è (esclusivamente) prodotto della mente umana: ciò «vuole dire che il criterio di verità effettivamente operante nel suo pensiero non è quello che gli viene attribuito» (U. Galeazzi, *Ermeneutica e storia in Vico*, cit., p. 24).

mostrando come la convertibilità di vero e fatto, in tali ambiti del sapere, si costruisca intorno a un criterio di coerenza rispetto ad assiomi posti[357]. Nuovamente, questa affermazione è possibile perché si dà parimenti la possibilità di un punto di vista esterno che consenta di rilevare questa specifica caratteristica del sapere matematico e geometrico, senza con ciò riprodurne la struttura (l'affermazione con cui tale convenzionalità viene rilevata non risponde ad una dimostrazione matematica o geometrica). (III) La tesi che Vico sostiene nella *Scienza Nuova*, appoggiandosi appunto al *verum-factum*, ossia l'idea per la quale la storia umana, in quanto «fatta dagli uomini» dovrebbe essere oggetto privilegiato di una nuova scienza, è immediatamente legata – come è noto – all'esigenza di ritrovare nella stessa mente umana i principi da indagare per meglio comprendere la storia nelle sue fenditure concettuali[358]. Ciò significa che a Vico non interessa solamente la storia come *factum* – aspetto che, in altri punti della speculazione vichiana, sembra più afferire alla nozione *certum* che a quella di *verum* – ma principalmente gli aspetti ideali che consentono di

---

[357] Osserva infatti Vico: nella limitatezza della sua mente, l'uomo, con operazione di astrazione, *«si finge due cose: il punto che può essere tracciato, e l'uno che può essere moltiplicato. Finzioni entrambe le cose, infatti il punto che si lascia disegnare non è il punto, l'uno che si lascia moltiplicare non è l'uno»* (G.B. Vico, *De antiquissima Italorum sapientia*, cit., p. 203). Qui il grado di certezza è dato appunto dalla struttura convenzionale ed assiomatica del sapere geometrico e matematico e del linguaggio che lo sorregge, ma il prezzo di questa «controllabilità» è dato dall'astrattezza dei contenuti. Il *verum-factum* è all'opera, e produce un sapere certo, ma il suo grado di verità è quello di una verità derivata, appunto perché si struttura intorno a premesse convenzionalmente accettate. Come osserva infatti Massimo Cacciari, «Indubitabile è che le scienze matematiche fondano la loro verità sul procedere da definizioni a teoremi che esse stesse producono. Ma altrettanto indubitabile è che questo metodo non permetterà mai di cogliere l'in sé dell'ente (poiché fatto da Altro che l'uomo), tantomeno potrà essere adottato per comprendere la storia civile» (M. Cacciari, *Ricorsi Vichiani*, cit., p. 558). Cfr., sul punto, anche: A. Murari, *Introduzione*, cit., p. 33;

[358] *«Questo mondo civile egli è certamente stato fatto dagli uomini, onde se ne possono, e se ne debbono, ritruovare i principi dentro le modificazioni della nostra medesima mente umana»* (G.B. Vico, *La Scienza Nuova*, cit., Libro I, *De' Principii*).

leggere dietro agli accadimenti alcune linee portanti, ponendo – coerentemente con il disegno vichiano – *filologia* e *filosofia* in sintesi. (IV) Per di più, come lo stesso autore afferma, i principi da lui indagati si possono "ritrovare" nella mente umana; ciò pone tuttavia di fronte al fatto che questa non è un prodotto dell'uomo, ma è anzi ciò che abilita il conoscere stesso, precedendo anche la stessa capacità di produrre[359]. Ciò sembra mostrare come la verità, in termini vichiani, sia rinvenibile "nel fatto", e a partire dall'esperienza, ma ciò non consente di concepire la verità come mero prodotto dell'uomo: il riferimento al dato esperienziale è, dunque, anzitutto un argomento con cui Vico, in diversi punti delle sue varie opere, ha contrastato forme di astratto intellettualismo[360]. (V) Il filosofo napoletano certamente ambisce a

---

[359] Lo afferma lo stesso Vico: «*quando la mente si conosce non è creatrice di sé, e non essendolo, non conosce né la genesi, né il modo di questa conoscenza*» (G.B. Vico, *De antiquissima Italorum sapientia*, cit., p. 205). La mente, per così dire, «è de-centrata rispetto a se stessa. Questo de-centramento consiste in uno strutturale sfuggire che è costitutivo per la mente stessa: questo sfuggire precede ed è all'opera nel tentativo della mente di conoscersi e di conoscersi conoscente»(G. F. Dalmasso, *La verità in effetti*, cit., p. 134). Ciò, ad ogni modo, non impedisce alla mente stessa di cogliere – entro una dimensione di 'datità' – alcune verità come preesistenti alla sua stessa attività poietica, come leggiamo da un passo della Autobiografia di Vico: «nella nostra mente sono certe eterne verità che non possiamo scorgere o riniegare, e in conseguenza che non sono da noi» (G.B. Vico, *Vita di Giambattista Vico scritta da se medesimo*, 1728, in G.B. Vico, *Opere*, a cura di A. Battistini, Mondadori, Milano 1990, p. 19).

[360] La storia stessa – terreno che Vico, nella *Scienza Nuova*, ritiene luogo privilegiato per il sapere umano – non è un prodotto dell'uomo, perché il suo Principio è trascendente, ed è di natura divina. Se dunque l'uomo è 'causa' della storia, lo è nel senso che 'manifesta' l'ordine dei corsi e ricorsi, senza esserne però il Principio primo. Come osserva infatti Massimo Cacciari, «Se potesse affermarsi come causa in tal senso, la sua storia sarebbe *immediate* quella stessa di Dio. Egli dovrebbe conseguentemente proclamarsi Dio. Che è, conseguenza, punto, di ogni autentica *gnosi*» (M. Cacciari, *Ricorsi Vichiani*, cit., p. 561). In Vico, tuttavia, non sarebbero rilevabili tratti gnostici, bensì anzi un forte movimento di resistenza a tali tendenze, che ne connota, in senso proprio la anti-modernità, non quindi come forma di 'arcaismo', bensì come consapevole opposizione alle spinte gnostiche che egli avrebbe ravvisato

proporre una *scientia* nella quale *verum* e *factum*, vero e certo, filosofia e filologia, trovino un punto d'incontro, ma questo non esclude una *sapientia*, non fondata sul medesimo principio, che consente all'uomo di vedere, di prendere atto – dapprima in modo irriflesso, poi in modo sempre più razionalizzato – di elementi 'strutturali' che non appaiono riducibili né a meri accadimenti né a prodotti dell'uomo[361]: l'innegabilità

---

nell'evolversi del pensiero moderno. Questa tesi è stata in particolare sostenuta ed argomentata da Eric Voegelin, per cui cfr. E. Voegelin, *La Scienza Nuova nella storia del pensiero politico*, cit., *passim*. Sulla non-assimilabilità del pensiero di Vico ad una forma di gnosi concorda anche Cacciari, il quale rileva che ciò «è impossibile da trarre dalla metafisica vichiana, e per una ragione essenziale di principio: che il nostro fare corrisponde (...) al *creare* di Dio, attiene ai fatti di Dio e alla Sua Mente esclusivamente per quanto riguarda la Sua attività *ad extra*, ciò che non esaurisce però affatto la Verità. Tale principio è già posto con chiarezza nel *De Antiquissima*. Dio «fa il mondo» attraverso il suo Logos – ma il suo Logos non è «fatto» al modo del mondo. Il *verum-factum* del mondo non si adegua alla verità del Logos divino. Il filosofo può intendere il primo perché esso si manifesta nella storia, ma la «creazione» del Logos è incomparabile con quella del mondo: è *verum-genitum* (verità dell'Uni-*genitum*), non *verum-creatum*» (M. Cacciari, *Ricorsi Vichiani*, cit., p. 561). Non si può non cogliere in ciò la sintonia della filosofia di Vico con il pensiero cristiano, per il quale – come osserva Benedetto XVI – «In ogni processo cognitivo, in effetti, la verità non è prodotta in noi, ma sempre trovata o, meglio, ricevuta» (Bendetto XVI, *Lettera enciclica Caritas in Veritate*, 29 giugno 2009, paragrafo n. 34). Sulla possibilità della dimenticanza della trascendenza del *Logos*, o sulla possibilità di dimenticare il *Logos* stesso, quale eventualità sempre presente nella storia del pensiero, ma anche quale elemento del percorso che conduce dalla modernità alla post-modernità, il mio riferimento va a F. Cavalla, *La verità dimenticata*, cit., *passim*. Sulla trascendenza del Principio della storia rispetto all'uomo, cfr., inoltre: L. Bellofiore, *Morale e Storia in G. B. Vico*, cit.; U. Galeazzi, *Ermeneutica e Storia in Vico*, cit.; A. Murari, *Introduzione*, cit., p. 37-39.

[361] Filosofia e Filologia sono saperi distinti, e di cui Vico cerca un incontro, ma non una sovrapposizione che ne diluisca le specificità. Come afferma Francesco Botturi, «La verità del sapere storico (ma ogni sapere umano è storico) dipende dalla fedeltà ad una figura epistemologica che tenga in unità il «certo» empirico e il «vero» metafisico. Si pensi alle ripetute polemiche vichiane contro coloro che con le loro scelte teoriche hanno impedito la formulazione di un sapere adeguato dell'accadere storico» (F. Botturi, *L'etica ermeneutica di G.B. Vico*, cit., p. 1).

di una trascendenza (si pensi al concetto di *pudor ignorati veri*, legato proprio alla percezione del divino); la finitudine creaturale dell'uomo stesso; la socialità e la ragionevolezza come elementi che costituiscono il *proprium* dell'umano[362]. (VI) Non mancano, infine, in altri punti della speculazione vichiana, argomentazioni nelle quali l'Autore punta a confutare l'erroneità di determinate posizioni filosofiche attraverso un ragionamento di tipo dialettico: operazione invero difficilmente spiegabile all'interno dell'interpretazione di *verum-factum* che qui si intende criticare[363].

Vi sono, dunque, diversi motivi che spingono a tentare una via interpretativa del *verum-factum* diversa rispetto a quelle sopra esposte, e

---

[362] Questa *sapientia*, dall'evidente connotazione classica (si pensi, ad esempio, al pensiero di Agostino e alla sua distinzione fra *scientia* e *sapientia*) mostra come Vico non restringa il sapere umano alla sola *scientia* modernamente intesa. Come del resto osserva Habermas – contrapponendo il filosofo napoletano ad Hobbes – Vico «rimane fedele alle determinazioni aristoteliche della differenza fra scienza e saggezza» (J. Habermas, *Dottrina politica classica e filosofia sociale moderna*, in Id., *Prassi politica e teoria critica della società*, Il Mulino, Bologna 1973, p. 82). Ricorda Cavalla – richiamandosi ad Agostino: la *scientia* è l'attività della ragione diretta a determinare realtà particolari», mentre la *sapientia*, più che un'attività in senso proprio, esprime la «consapevolezza, da parte dell'uomo, di un principio universale trascendente il mondo della finitezza e perciò non obiettivabile, non analizzabile»(F. Cavalla, *Sul fondamento delle norme etiche*, in *Problemi di etica: fondazione, norme, orientamenti*, a cura di E. Berti, Gregoriana, Padova 1990, p. 142-202, qui 155-156).

[363] Cfr., sul punto, in particolare A. Giuliani, *La filosofia del processo in Vico ed il suo influsso in Germania*, in *Bollettino del Centro di Studi Vichiani*, XXII-XXIII, 1992-1993, pp. 345-367; G. Di Nola, *La dialettica in Giambattista* Vico, Longobardi, Castellammare di Stabia (NA), 2000. Afferma Umberto Galeazzi, con riferimento alla *Scienza Nuova* e alla ricerca ivi attuata da Vico di rinvenire fenditure concettuali sottostanti rispetto all'accadere storico: «i principi che vanno emergendo dalla ricerca sono messi alla prova con una verifica, a confronto con i fatti, che può confutarli o corroborarli, attraverso dimostrazioni, per lo più confutative o per assurdo (...), proprie di chi non dispone di un sapere oggettivante ed esaustivo e indaga sul vero, rendendosi conto delle vie senza sbocco cui conducono le sue negazioni»(U. Galeazzi, *Ermeneutica e storia in Vico*, cit., p. 182).

che può essere così articolata: (1) Il *verum ipsum factum* non rappresenta l'unico criterio aletico che Vico assume. (2) Non vi è proprietà commutativa tra i due termini. Il Vero trascende il fatto[364]. (3) Il *facere* a cui Vico si riferisce non è riducibile al solo fare produttivo bensì afferisce anche (se non soprattutto) all'ambito del *prattein*[365]. (4) Il *convertirsi del vero nel fatto* è un'operazione di ricostruzione a posteriori nella quale la mente umana scorge un principio meta-storico e meta-situazionale che opera al di là del solo piano degli accadimenti, e pertanto vi sono verità ulteriori e più profonde del semplice piano fattuale-storico[366]. (5) Questo *accorgersi* avviene *nel* fare dell'uomo e *a partire da* esso, ma *non è esso stesso un fare*, bensì un *contemplare*, un *riconoscere*. (6) La verità, dunque, non è prodotta in senso poietico, come un costrutto artificiale, ma riconosciuta, e il terreno nel quale essa si disvela all'uomo – pur nella sua strutturale finitudine – è quello dell'esperienza, campo nel quale si colloca la conoscenza umana, ma che non per questo preclude all'uomo di cogliere il profilo del trascendente. (7) In Vico opera anche un criterio aletico di stampo

---

364 Cfr. anche U. Galeazzi, *Ermeneutica e storia in Vico*, cit., p. 30-31 e 92-93.

365 Ravviso un'analoga proposta interpretativa anche in Gianfrancesco Zanetti, il quale, confrontando Hobbes con Vico, sembra evidenziare come per il primo il «*facere*» rappresenti un *making* e non un *doing* (e quindi, per converso, deduco che sia l'opposto per Vico, come del resto mi pare di trarre anche da ulteriori considerazioni proposte dall'Autore). Cfr, sul punto, G. Zanetti, *Vico eversivo*, cit., p. 52.

366 Come è stato osservato, il rapporto fra verità e fatto – che nell'ambito giuridico si manifesta nella tensione fra *verum* e *certum* – non conduce ad una identità o all'unione dei due concetti: «nel primo caso, infatti, significherebbe sostenere che Vico era semplicemente interessato a mostrare e a provare la razionalità della storia», interpretazione che «non può non risultare parziale e limitata»; nel secondo caso invece, «significherebbe assumere una posizione filologicamente poco fondata dei testi vichiani, in base alla quale le leggi altro non sarebbero se non il frutto di una unione a-priori della volontà del legislatore (*certum*) e della ragione eterna (*verum*)»(M. M. Marzano Parisoli, *Lo ius naturale gentium in Vico: la fondazione metafisica del diritto universale,* in «Rivista internazionale di Filosofia del Diritto», 2000, p. 59-87, qui p. 84-85).

dialettico, individuabile tanto nelle confutazioni che propone rispetto alle tesi dei suoi avversari, quanto nella ricerca di un principio comune a prescindere dagli elementi accidentali. Accanto a questo, la gnoseologia vichiana riconosce un ruolo importante anche ad altre dimensioni, come la *fantasia* e il *senso*, e la possibilità che l'emozione sia fonte di disvelamento di contenuti successivamente razionalizzabili, a riprova dell'ancoraggio della gnoseologia vichiana all'elemento dell'esperienza. (8) L'intento di *immergere Platone nella feccia di Romolo* sembra dunque rinviare a un principio di rinvenimento dell'ideale a partire dallo storico, nella consapevolezza che esso può tradursi in modo mutevole in contesti differenti ma non per ciò è indifferente, da un punto di vista contenutistico, alle sue manifestazioni: non a caso il diritto naturale, come la storia stessa, *corre in tempo* ma si sostanzia entro principi eterni (*neminem laedere; honeste vivere; suum cuique tribuere*), rispetto ai quali si dà la possibilità (non eticamente indifferente) di realizzare dimenticanze o violazioni. (9) Solo riconoscendo il continuo richiamo ad una Trascendenza, e quindi a un Vero metafisico riconducibile ad un'idea classico-cristiana di *Logos* si può capire perché la *Scienza Nuova* ambisca a costituire una *Teologia Ragionata*: nell'atto di riconoscere un Principio sottostante al mero accadere, nel trascendere le pure manifestazioni contingenti della storia, l'uomo attua connessioni che impediscono ai singoli fatti di ridursi a meri oggetti transeunti e finiti, dunque destinati a perire nel nulla. La finitezza storica è immersa in un pensiero umano che è in grado di elevarsi al di sopra del contingente in ciò trascendendo la sua stessa finitezza, pur rispettandone i limiti invalicabili (di qui la concezione antropologica di un uomo inteso come *finitum quod tendit ad infinitum*). Da questa capacità di trascendenza e nel contempo dalla percezione di tali limiti emerge la necessità di individuare un Principio trascendente di cui l'uomo è partecipe ma non misura: *mens non est mensura*[367].

---

[367] Afferma, icasticamente, Vico, «La mente umana, per sua indiffinita natura, ove si rovesci nell'ignoranza, essa fa sé regola dell'universo intorno a tutto quello che ignora» (G.B. Vico, *La Scienza Nuova*, 1744, cit., p. 181). La pretesa

5. Il diritto nella praxis.

La linea interpretativa sopra citata appare quella che maggiormente si concilia con il pensiero di Vico nel suo sviluppo complessivo: non a caso essa trova conferme in diversi punti della riflessione dell'Autore, fra cui quelli che l'Autore – nel *Diritto Universale* e nella *Scienza Nuova* – dedica al tema giuridico.

Si è già posto in evidenza, ad esempio, come sul fronte della *pars destruens* Vico abbia aspramente criticato le ipotesi – tipiche del giusnaturalismo contrattualista – di un'origine artificiale del diritto, dello stato, e delle istituzioni sociali. Se certamente egli contesta che simili ipotesi difettano di un'evidenza storica – anche nel senso più strettamente empirico, fattuale, del termine – la *pars construens* del discorso vichiano suffraga la tesi di una opposizione di Vico ad un'idea tecnico-poietica del diritto. La riflessione del filosofo napoletano, infatti, è volta ad argomentare che la società civile – nelle sue varie articolazioni, a partire dalla famiglia per arrivare allo stato – non viene creata artificialmente dall'uomo, bensì 'vissuta', attuata quale modalità di estrinsecazione della naturale socievolezza umana[368]. L'essere e vivere in società è un 'fatto' non solo storicamente ed empiricamente rilevabile, bensì costituisce *l'attuarsi di una struttura antropologica*: l'uomo ha struttura socievole, è dotato di *espressiva favella*, e attua pienamente la sua umanità "*celebrando la sua natura socievole*" attraverso costumi ed

---

di fare della propria *mens* una *mensura* è, insomma, una forma di autoinganno. Si comprende, dunque, come osserva Gebhardt, che Vico «contro una metafisica del *cogito* pone il suo rinnovamento – metodicamente fondato – della metafisica dell'uomo come *partecips rationis*» (J. Gebhardt, *Sensus communis: Vico e la tradizione europea antica*, cit., p. 51).

[368] «Gli avvenimenti politici rilevanti per la storia ideale eterna non avvengono mai, in Vico, per l'azione di una regola tecnica. Le famiglie non vengono fondate tecnicamente, come un deliberato artificio volto a lasciarsi consapevolmente lo stato ferino. Gli ordini eroici non vengono istituiti allo scopo di fondare un regime aristocratico. Le religioni non sono un artificio per rinforzare un *imperium*» (G. Zanetti, *Vico eversivo*, cit., p. 109).

istituzioni che la attualizzano, promuovendo e tutelando nessi intersoggettivi di vario livello. Per questo Vico considera che l'affermazione della naturale socievolezza umana – comprovata dalla storia "*da che si ha memoria del mondo*" – coincida con il riconoscimento dell'esistenza di un diritto naturale, inteso non già come un insieme di precetti puntuali, bensì come una naturale (nel senso anche di 'nativa') propensione a porre in atto strutture giuridiche[369].

Sebbene Vico argomenti sostenendo che la vita sociale fiorisce e si attua in forme molteplici attraverso il costume, ciò non consente nemmeno di pensare che nell'idea vichiana tale attuazione corrisponda a una necessità deterministicamente pensata, e pertanto indipendente dal libero arbitrio umano. Il costume può evolversi, astrarsi e raffinarsi sempre di più entro categorie filosofiche e istituzioni politiche e giuridiche, contestualmente all'evolversi del raziocinio umano (di qui le età degli Dei, degli Eroi, e degli uomini, teorizzate nella *Scienza Nuova*): ciò non significa – lo ribadisce Vico in più punti della sua opera – che l'uomo (ancor più perché "caduto" dopo il peccato originale) non possa ricadere in forme di barbarie che negano la socialità umana, nell'ottundimento o nella perversione solipsistica di una ragione che si pretende autosufficiente, e che così può cadere anche nelle forme più radicali e manifeste della violenza[370].

---

[369] "*Le cose fuori dal loro stato naturale né vi si adagiano né vi durano. Questa Degnità sola, poiché 'l genere umano, da che si ha memoria del mondo ha vivuto e vive comportevolmente in società, ella determina la gran disputa della quale i migliori filosofi e morali teologi ancora contendono con Carneade scettico e con epicureo (né Grozio l'ha pur inchiovata): se vi sia diritto in natura e se la natura umana sia socievole, che suonano la medesima cosa*" (G.B. Vico, La *Scienza Nuova*, cit., Degnità VIII).

[370] Non a caso Vico assume a paradigma del peccato (e persino del reato) il peccato originale, inteso come auto-assolutizzazione. Mi permetto di rinviare, per una analisi di questi elementi, ad un mio scritto, per cui cfr. F. Reggio, *Una riflessione sui concetti vichiani di 'pena' e 'penitenza'*, in *Ripensare la pena. Teorie e problemi nella riflessione moderna*, a cura di F. Zanuso e S. Fuselli, Cedam, Padova 2004, p. 253-295.

La riflessione giuridica vichiana – ed è questo un impianto concettuale che appare mantenersi saldo dal *De Uno* (1720) fino alla ultima edizione della *Scienza Nuova* (1744) – assume come punto nodale un'idea di diritto che, pur nelle diversità dei vari contesti storici e geografici, è caratterizzato dal recepire strutture antropologiche attraverso una progressiva razionalizzazione di comportamenti dapprima ritualizzati e poi, all'evolversi della mente umana, astratti in massime o forme giuridiche[371]. Non a caso, come si può evincere da vari e significativi passi dell'opera vichiana, il diritto naturale è sì dotato di una storicità che si attualizza nel suo "*correre in tempo*", ma è pur sempre caratterizzato da un *principio di diritto* sottostante alle differenti manifestazioni storiche, che rende irriducibile il *nomos* al *nomizomenon*, così come la giustizia alla norma storicamente determinata[372].

In questo non è corretto leggere il pensiero giuridico vichiano come un realismo *ante litteram*, perdendo di vista il ruolo che l'elemento giusnaturalista gioca, anzitutto nel non accettare una *reductio* dello *jus* al fatto storico, né tanto meno allo *jussum*.

Se, dunque, il principio giuridico non ha un'unica modalità attuativa e, soprattutto, non si esaurisce nel momento in cui ha assunto una formalizzazione possibile nella norma concreta, storica, ciò sembra confermare che la dimensione giuridica, anche nella sua attualità, venga da Vico ricondotta ad una *praxis*, più che a una *poiesis* in senso tecnico.

---

371 Cfr. F. Amerio, *Introduzione allo studio di Vico*, cit., p. 430-442; U. Galeazzi, *Ermeneutica e storia in Vico*, cit. p. 162-182.

372 Sono molteplici i punti nei quali Vico evidenzia la non coincidenza del «vero» e del «certo» legali. Tra questi si può citare, esemplificativamente, un significativo passo del *De Uno*: «Il certo è proprio e perpetuo attributo del diritto volontario» (G. B. Vico, *De uno universi iuris principio et fine uno*, p. 101). Ma tale elemento non va confuso con la verità del diritto stesso, come afferma poco più avanti Vico stesso: «Laonde abbiamo il celebrato detto d'Ulpiano, «la legge è dura ma ella è scritta», il quale altra cosa non significa che «la legge è certa» (ovvero ha autorità legale) «ma non è del tutto vera» per esservi una qualche ragione che non la lasci essere del tutto conforme alla verità» (G. B. Vico, *De uno universi iuris principio et fine uno*, p. 103).

Se poietico può essere lo strumento puntuale che storicamente determina un certo principio (il principio del contraddittorio può attuarsi attraverso un duello, un processo formulare o un dibattimento articolato retoricamente avanzato), l'attuare tale principio nella storia costituisce una *praxis*, che non si esaurisce né può esaurirsi in forme puntuali.

Per questo motivo il diritto naturale, nella concezione di Vico, è *eterno* (anche nel senso di "mai esauribile") ma *corre in tempo*[373]. Lo studio del diritto – luogo di sintesi di filosofia e filologia, e disciplina nella quale Vico per la prima volta (nel *De Constantia Jurisprudentis*) sperimenta la possibilità di una *nova scientia* – consente di individuare la progressiva estrinsecazione di principi radicati nell'uomo: e ciò è possibile alla luce di un'antropologia relazionale e di una gnoseologia della finitudine che informano in modo sistematico l'umanesimo vichiano, e che, come si è visto, costituiscono un tratto caratterizzante dell'intero percorso filosofico dell'Autore[374].

Il diritto studiato da Vico è un diritto 'umano' non perché 'costruito come un meccanismo' dall'uomo, ingranaggio su ingranaggio, ma perché nasce dall'uomo e per l'uomo, non senza sperimentare la tensione fra idealità e storicità, nella quale l'avventura umana si

---

[373] In questo senso – ancorché occorra avere prudenza nel leggere il pensiero di un autore quale anticipazione di successivi sviluppi filosofici – Vico sembra precorrere i tempi nel notare che «la storicità non è in contraddizione» con l'idea stessa di diritto naturale – «e si è parlato di conseguenza di un *diritto naturale dinamico* o a *contenuto variabile* – e che la ragione, di cui il giusnaturalismo continua a farsi strenuo difensore, non è estrinseca ma intrinseca al diritto positivo stesso»(F. D'Agostino, *Filosofia del Diritto*, Giappichelli, Torino 2000, p. 66).

[374] Finitudine e relazionalità risultano, dunque, cifre di una visione umanistica del diritto. Sul punto il mio riferimento va alla rilevante lezione di Sergio Cotta, per cui rinvio, a titolo esemplificativo, a S. Cotta, *Il diritto nell'esperienza. Linee di ontofenomenologia del diritto*, Giuffrè, Milano 1991. Secondo Mootz Vico è stato strenuo «difensore della tradizione umanistica» (F. J. Mootz, *Vico and Imagination*, cit., p. 12).

dibatte[375]. Non a caso, in vari passi dell'opera vichiana si può notare come l'umanità nel suo insieme – così come l'uomo singolo – sia in ogni tempo stretta fra la tensione della *vis-veri* e la possibilità di una decadenza; fra l'apertura alla relazione e la ricaduta nel solipsismo autosufficiente (di cui è prima figura, ed emblema, lo stesso peccato originale). Lungo questa frontiera si dipana anche la linea che divide un atteggiamento di apertura o di chiusura all'altro, sia esso inteso come il 'reciproco nella comune umanità' o quell'alterità che interpella la dimensione umana per il fatto di trascenderla.

All'interno di questa chiave interpretativa si può comprendere come il diritto 'viva' in una dimensione magmatica e non esente da conflittualità, ma non per questo si appiattisca al puro e semplice *quod principi placuit* o all'utile del più forte, né tanto meno ogni costume possa ritenersi 'diritto' in quanto estrinsecazione di principi del diritto naturale (altrimenti non si comprenderebbe in cosa si sostanzino, propriamente, la barbarie o la decadenza). Solo entro questa interpretazione le critiche del filosofo napoletano alle visioni scettiche, 'epicuree' di Machiavelli, di Hobbes e di altri giusnaturalisti sei-settecenteschi risultano non solo comprensibili, ma coerenti con l'impianto gnoseologico delineato dall'Autore anche nelle opere pre-giuridiche.

A conferma che Vico non ritenga di appiattire il diritto al puro *factum*, e il *factum* in quanto tale a *verum* – risulta coerente e pregnante l'affermazione relativa all'impossibilità di un *pugnare* dell'*auctoritas* con la *ratio*, e quindi con la *veritas*. Non ogni manifestazione della storia umana è 'vera' nel senso che rivela una verità dell'uomo, rivelativa della sua struttura antropologica. Certamente vi sono 'verità fattuali' – che è possibile e anzi opportuno studiare (con l'apporto, appunto, della

---

[375] Aspetto, quest'ultimo, evidenziato con grande enfasi da Ambrosetti. Cfr., per una rilettura del lascito di questo interprete vichiano, proposta nell'occasione del ventennale dalla sua scoparsa, F. Reggio, *La filosofia giuridica di Vico nella lettura di Giovanni Ambrosetti*, in «Rivista Internazionale di Filosofia del Diritto», 03/2005, pp. 461-480.

filologia) – ma se questo fosse l'unico piano entro il quale il filosofo del diritto colloca la possibilità di parlare di verità, non vi sarebbe ragione di distinguere fra *leges* e *monstra legum*, fra comportamenti che "celebrano" la "natura umana socievole" e altri che la soffocano nella barbarie.

Non sono, in conclusione, le sole verità fattuali, le sole 'certezze', l'interesse unico e principale dell'autore: la sintesi fra questa filologia e la filosofia si realizza nel meditare le strutture concettuali, i principi, che si celano dietro e alla base degli accadimenti umani[376]. Questo costituisce l'obiettivo primario della riflessione vichiana, in particolar modo nella *Scienza Nuova*. Esiste dunque un *verum* che è 'fatto', in quanto 'accaduto', ed un *verum* che si scorge *ex facto*, e che attiene ad una verità transituazionale, il cui fulcro è l'antropologia della finitudine umana e il cui custode, nel tempo, è la Provvidenza divina.

6. Il pudor come figura del limite

Il complesso rapporto fra finitudine e apertura all'infinito evidenzia l'esigenza di porre un *discrimen* fra ciò che, da un lato, opera come presa di coscienza della finitezza, e dunque da 'risveglio', tutela e promozione della propria umanità, e ciò che invece, dall'altro lato, può comportare una perdita di coscienza dello stesso e un pericolo di 'imbarbarimento', nelle varie forme in cui esso si può verificare (l'auto-assolutizzazione di una ragione spenta nella ferinità o di una ragione resa autoreferenziale dalla *riflessiva malizia*).

Centrale, a questo riguardo, è una peculiare figura concettuale cui Vico dedica diversi passi, in particolare nella *Scienza Nuova*, e che merita un approfondimento, anche per il suo costituire un ideale luogo di

---

[376] Francesco Botturi, per il quale il *verum-factum* vichiano non è riducibile ad un operazionismo soggettivistico, evidenzia come dietro ad ogni sapere si celi la scoperta di una "struttura eidetica di cui essa è – secondo vari diversi procedimenti – un dispiegamento analitico ovvero una composizione manifestativa" (F. Botturi, *L'etica ermeneutica di Giambattista Vico*, cit., p. 5).

raccordo fra la concezione gnoseologica e quella antropologica elaborate dal filosofo: il *pudor*.

Il racconto con cui Vico 'porta in scena' tale concetto è collocato nell'atemporalità di un voluto linguaggio mitologico e risulta a prima vista alquanto affine ad altre narrazioni tipiche del giusnaturalismo moderno, giacché descrive una condizione remota e 'barbarica', di non socialità, in cui gli esseri umani appaiono guidati dai loro istinti e dalle loro pulsioni, e portati pertanto a soddisfare i propri appetiti attraverso comportamenti prevaricatori e violenti[377]. Tale condizione viene 'rotta' da un evento: "il cielo finalmente folgorò, tuonò con folgori e tuoni spaventosissimi (...) Spaventati ed attoniti dal grande effetto di che non sapevano la cagione, alzarono gli occhi e avvertirono il cielo"[378].

---

[377] Il linguaggio adottato da Vico evoca l'idea di un mito, la cui caratteristica è quella di tenere insieme il ricordo di qualcosa di remoto e l'immagine dei contenuti che sono ancora in grado di raccontare qualcosa ai tempi presenti. Come nei dialoghi platonici, il mito - pur assumendo un linguaggio torbido e riferimenti imprecisi - è l'espressione di un'antica saggezza, capace di rivelare agli occhi la visione di qualcosa di originario: quindi, non può mai esprimere pienamente e spiegare il suo significato, piuttosto richiede un'interpretazione e una realizzazione costanti. Questa peculiarità dell'umanesimo vichiano rappresenta l'invito alla riscoperta, da parte dell'Autore, di una *sapienza poetica* la quale, lungi dal risultare anti-razionale, può allargare gli orizzonti del pensiero, liberandoli dall'angusta razionalità moderna. Non è mancato chi ha colto un'analogia fra questo aspetto del pensiero vichiano e un simile tentativo proposto, nel Novecento, da Martin Heidegger. Cfr., a questo riguardo (e con un diretto legame con la figura ed il pensiero di Heidegger), E. Grassi, *Vico and humanism*, tr. it. *Vico e l'umanesimo*, Guerini e associati, Milano 1992. La preminenza della parola poetica, secondo Grassi – che cerca in Vico un punto d'incontro tra Heidegger e l'umanesimo - avvicinerebbe il pensiero vichiano a quello heideggeriano nel comune rigetto della parola razionale come unica 'forma' per il pensiero, chiusa all'ambito in cui sorge la realtà umana. Successivamente, l'incontro tra Vico e Heidegger è stato proposto da P. Carravetta, *Reflections on Rhetorics and Hermeneutics in Vico and Heidegger*, in F. Ratto (a cura di), *All'ombra di Vico. Testimonianze e saggi vichiani in ricordo* di Giorgio Tagliacozzo, Sestante, Acquaviva Picena 1997, pp. 211-222.

[378] Sn44, p.571. Cfr., altresì, Sn44, p. 385.

L'umanità descritta da Vico, figlia dell'Adamo 'caduto' e situata in una situazione di ottundimento della ragione ('attenuata' e ridotta alle dimensioni della percezione e del 'calcolo' di utilità immediate), è così portata dinnanzi alla possibilità di un 'risveglio'[379]. In tale contesto, l'abbattersi del fulmine dà avvio ad una dinamica complessa: il "barlume de que' lampi", grazie al quale gli uomini si trovano testimoni della presenza di una potenza che sfugge alla loro capacità di comprensione e di controllo, fa insorgere infatti, in tali spettatori una peculiare emozione, generativa, a sua volta di quel che Vico definisce, appunto, come *pudore*[380].

---

379 La similitudine con lo *status naturae* descritto da molti giusnaturalisti moderni non deve trarre in inganno, perché la speculazione vichiana ambisce espressamente a distaccarsi da quest'ultima: la condizione descritta da Vico – lungi da rappresentare uno stato 'naturale' – è una condizione di '*natura lapsa*', e la presa di coscienza della sua insostenibilità, attraverso non una riflessione egoistica bensì un'emozione dotata di riflesso relazionale, non comporta la ricerca di uno strumento artificiale per la 'fuoriuscita' dalla condizione ferina. Il risveglio dell'uomo, come atto di riconoscimento della propria umanità di soggetto indigente e relazionale, non richiede da parte sua la realizzazione di ordini 'artificiali' o di atti giuridici nella forma di un contratto sociale che vada a fissare stipulativamente la *socialitas*: ciò che l'uomo è chiamato ad attuare è proprio la sua natura di essere che – strutturato per la relazione – viva la sua dimensione sociale attraverso forme etiche e giuridiche atte a manifestare, proteggere ed attuare tale elemento strutturale nel dipanarsi dell'esperienza storica. Non a caso Vico, come si è visto in precedenza, contesta la storicità e la verosimiglianza delle tesi contrattualiste, adducendo come argomento principale a favore di un'originaria socievolezza umana proprio la storia stessa, che da sempre tramanda notizie di un'umanità che vive e si organizza in forma sociale. Il tema, comunque, ha dato luogo a interpretazioni controverse, come evidenziato in G. Scarpato, *Vico e Rousseau nel Settecento Italiano*, cit., *passim*.

380 Sull'emozione del *pudor*, e sulla sua significativa distanza rispetto all'emozione della *paura* in Hobbes, si veda G. Zanetti, *Il rosso e il bianco. Una nota sul ruolo delle emozioni nella 'Scienza Nuova' di Vico* in «Filosofia Politica» XXI, 3/2007, pp. 477-487. Sul pudore come 'sentimento dei confini', visto in relazione con l'*aidòs* di Platone, cfr. G. Limone, *Fra Grozio e Vico: il problema del 'diritto naturale' come tesi rigorosa*, cit., *passim*; sul fulmine come occasione di risveglio del pudor, cfr. anche P. Heritier, *Vico's Scienza Nuova: Sematology and Thirdness in the Law*, in "International Journal of Semiotics and Law", 33/2020,

Risulta di particolare rilevanza soffermarsi sulla dinamica di tale emozione e sul ruolo che essa assume nell'innescare un movimento teso al superamento della precedente condizione ferina[381].

---

pp.1125-1142, qui p. 1139. Sul ruolo propulsivo dell'emozione, e sulla sua connessione con aspetti cognitivi, cfr. M.C. Nussbaum, *Upheavals of Thoughts: the Intelligence of Emotions*, Cambridge University Press, Cambridge 2001; F. Chiereghin, *Emozione, comprensione e azione nell'opera d'arte*, in «Verifiche» 1-3/2011, pp. 63-121.

[381] A sostegno di tutto ciò (tesi fondamentale del *De Uno* ma ripresa anche alla fine della *Scienza Nuova* (che si conclude, appunto, con un richiamo alla *pietas*) non si può non scorgere un *Verum* fondante, ovvero quello di un Dio creatore e provvidente, che ha instillato nell'uomo un *semen veri* e che ha impresso nel mondo un ordine, che l'uomo può intuire per «refrazione dei suoi raggi» e non possedere, ma che implica da parte dell'uomo un atto interpretativo che non legittima da parte dell'uomo stesso un arbitrio incondizionato. Sulle strutture ermeneutiche insite nel pensiero vichiano cfr. F. Botturi, *Hermeneutica del evento. La filosofia de la interpretecion de Giambattista Vico*, in "Quadernos sobre Vico" 9-10/1998, p. 43-56. Senza entrare ad indagare approfonditamente il delicato rapporto che nella filosofia di Vico si istituisce fra libertà umana e Provvidenza (su cui si rinvia a U. Galeazzi, *Ermeneautica e Storia in Vico*, cit., passim, e a L. Bellofiore, *Morale e storia in G.B. Vico*, cit., passim), si può però qui evidenziare come il tentativo di isolare questo autore da una visione sostanzialmente e profondamente immersa nell'umanesimo cristiano risulti difficoltoso, se non addirittura artificioso, perché costringe a 'separarlo' dalle sue stesse dichiarazioni e a frammentarne il pensiero. Si può però notare come anche il riferimento ad una Provvidenza collocata su un piano superiore rispetto alla dimensione meramente fattuale ed umana dell'accadere storico costituisca nell'architettura filosofica vichiana un antidoto contro il rischio di assolutizzare la pura fattualità ad unica dimensione operante nella storia (e 'creatrice' di quest'ultima). Soprattutto, ciò consente al filosofo di operare una distinzione – per quanto problematica nelle sue possibilità puntuali di discernimento – fra quali evoluzioni nella storia rappresentano 'civilizzazione' dell'uomo e quali 'imbarbarimento', con la conclusione che non ogni equilibrio sociale e storico è, in quanto tale, corrispondente ad una 'giustizia' e ad una più alta 'verità': altrimenti non si spiegherebbe perché la Provvidenza debba operare, ogni tanto, dei 'correttivi', anche drastici, intervenendo nella 'vicenda' umana. Giova ricordare quanto affermava Pietro Piovani: «lo stato ferino non è condizione originaria fissata in un dato momento dello sviluppo umano, bensì insidia che sta sotto ogni società storica come incombente frana in cui

Da un punto di vista gnoseologico, è di sicuro interesse notare come – ribadendo l'opposizione ad un cartesianesimo angusto, che depaupera il ruolo di *senso* e *fantasia* nel loro rapporto con la ragione – Vico non contrapponga emozioni e razionalità, bensì le ponga in relazione, contemplando la possibilità che esse si manifestino anche a vantaggio della ragione stessa: nello schema narrativo vichiano si può assistere, infatti, al progressivo passaggio da una percezione semplice, generativa di una emozione, a un sentimento che produce conseguenze sia sul piano comportamentale che della riflessione, innescando un percorso che giunge infine ad una presa di coscienza operante sul piano della razionalità. Questo profilo, sul quale non è possibile ora soffermarsi, evidenzia un tratto di singolare attualità del pensiero vichiano, nel suo raccordo fra le considerazioni gnoseologico-metodologiche da lui espresse nelle prime opere (si pensi la critica alla stretta ragione cartesiana espressa sia nel *De Ratione* che nel *De Antiquissima*) e le considerazioni etico-antropologiche che egli matura nella successiva produzione giuridica, a partire già dal *De Uno*: il rapporto fra razionalità ed emozioni – anche in relazione alle implicazioni giuridiche dello stesso – è infatti un tema di recente ed ampia discussione nel dibattito contemporaneo, non a caso in aperta rivisitazione di categorie e schemi interpretativi consolidatisi dalla modernità sino ad oggi, talora con espresso riferimento a concezioni maturate a partire proprio da Cartesio[382].

---

possa sprofondare se i livelli civili minimi non siano rispettati" (P. Piovani, *La filosofia nuova di Vico*, a cura di F. Tessitore, Morano, Napoli 1990, p. 81).

[382] Sul già nominato "errore di Cartesio" rinvio agli studi neuroscientifici di Antonio Damasio, per cui cfr. A. Damasio, *Descartes' Error. Emotion, Reason and Human Brain*, Penguin Books, New York 2005. In merito al tema *Law & Emotions* (oggetto, fra l'altro, del Congresso Mondiale della Società Internazionale di Filosofia del Diritto nel 2015), rinvio a M. N. S. Sellers, *Law, Reason and Emotion*, Cambridge University Press, Cambridge 2017; S. A. Bandes – J. A. Blumental, *Emotions and the Law*, in "Annual Review of Law and Social Science, 8/2012, pp. 161-181; R. Grossi, *Understanding Law and Emotion*, in "Emotion Review", 7/2015, pp. 55-60. Devo queste segnalazioni, al prof. Stefano Fuselli, che qui ringrazio, rinviando, per considerazioni più estese ad

Tornando, ora, a considerare il profilo contenutistico della dinamica descritta da Vico, appare fondamentale interrogarsi su cosa il sentimento del pudore abbia innescato, a livello di 'presa di coscienza': da un lato il fulmine ha disvelato l'esistenza di un'alta, incommensurabile presenza (il divino); dall'altro lato ha posto l'uomo dinnanzi alla percezione della propria debolezza e mortalità[383]. L'uomo, dunque, 'avverte', prima ancora di 'comprendere razionalmente' – come l'autore più volte richiama nel corso della sua riflessione – che non può legittimamente considerarsi *ab-solutus*: egli è soverchiato da potenze superiori, e questa percepita finitudine opera anzitutto come *dis-velamento* di un tratto caratteristico della condizione umana. Proprio quest'ultimo aspetto funge anche da monito nei confronti di comportamenti che realizzino, appunto, indebite forme di auto-assolutizzazione, come quelle tipicamente caratterizzanti il precedente stato ferino, in cui l'egemonia delle pulsioni portava a una esaltazione dell'*amor sui ipsius* tale da considerare sé e le proprie pulsioni come sciolti da ogni vincolo, con il rischio di esporre sé ed i propri simili ad un continuo pericolo di reciproca reificazione[384].

---

un suo recente scritto: S. Fuselli, *Tra legge e sentenza. Sul ruolo delle emozioni nella decisione giudiziale*, in C. Sarra e M. I. Garrido Gómez (a cura di), *Positività giuridica. Studi ed attualizzazione di un concetto complesso*, FrancoAngeli, Milano 2018, pp. 19-50.

383 Gli esseri umani sono limitati: ma tale percezione mostra anche la possibilità di trascendere - sebbene imperfettamente - questa dimensione. Essere umano significa - afferma Vico in apertura al *De Uno*, con le parole di Agostino - essere un "*finito che tende all'infinito*". Tuttavia, come è stato recentemente ricordato, la struttura autoriflessiva della questione antropologica mostra come la limitatezza sia essa stessa incarnata nella domanda di 'ciò che è umano' richiesta da un essere umano. Tale limite rivela, tuttavia, importanti conseguenze teoriche ed etiche. Vedi, su questo punto, S. Fuselli, *La lanterna di Diogene. Alla ricerca dell'umano negli esperimenti di ibridazione*, in F. Zanuso (a cura di), *Il Filo delle Parche. Opinioni comuni e valori condivisi nel dibattito biogiuridico*, FrancoAngeli, Milano 2009, pp. 91-110.

384 Così facendo – appropriandoci delle parole di Stefano Fuselli – "il limite mostra anche la costitutiva finitezza dei rapportati: una difettività per la quale nessuno può pretendersi unico ed esaustivo, perché ciascuno ha come tratto

Se questo è, per così dire, l'aspetto 'contenitivo' del *pudor*, a quest'ultimo va collegato anche un risvolto 'de-limitativo', destinato a operare un ruolo anche 'propulsivo': la de-limitazione evidenziata dal *pudor* consente, infatti, all'uomo di cogliere qualcosa di sé, smascherando l'auto-illusione della propria assolutezza, ma altresì di dirigere comportamenti conseguenti[385]. Dal *pudor* nasce, infatti, il *conatus* che è all'origine di un 'moto' destinato a sua volta a produrre conseguenze su una molteplicità di piani, generando un duplice slancio, capace di tradursi in *virtus*: cognitiva (*virtus dianoetica*) e morale (*virtus etica*)[386]. Il *conatus*, infatti, la cui matrice etimologica ('*conor*', mettersi in

---

costitutivo di sè il rapporto con l'altro" (S. Fuselli, *Sulle radici antropologiche della giustizia. Spunti per un dialogo fra neuroscienze e filosofia del diritto*, in F. Zanuso (a cura di), *Custodire il fuoco*. FrancoAngeli, Milano 2013, pp. 83-120, p. 85).

[385] Come osserva infatti Capograssi, questo accorgersi produce uno scarto ulteriore nella conoscenza dell'uomo: "io mi vergogno della mia stessa animalità: dunque c'è in me più di quello che appare" (G. Capograssi, *L'attualità di Vico*, in Id., *Opere*, Giuffrè, Milano 1959, p. 400).

[386] "Il limite agisce come un monito contro l'auto-assolutizzazione da parte dell'uomo (la quale accade sia quando qualcuno pretenda di negare la verità o ne pretenda il possesso), ma non esprime un diniego del dialogo e della ricerca: esso è anzi l'elemento che ne mostra la necessità. Non deve sorprendere, pertanto, che l'attitudine verso la conoscenza – così caratterizzata – supporti una concezione antropologica relazionale: se essere consapevole della limitatezza umana significa intraprendere una inesauribile ricerca di ciò che la verità sia, implichi e richieda da ciascuno di noi, allora dobbiamo anche riconoscere che in questa ricerca nessun essere umano è superfluo, può essere posto in silenzio o liberato dal diritto/dovere di domandare ed offrire ragioni"(F. Reggio, *A 'discarded Image'*, cit., p. 16). Emerge qui come la strutturale indigenza dell'uomo vada letta, anche per Vico, entro una concezione teleologica di natura, dal momento che la scoperta di tale caratteristica insita nella propria umanità rappresenta anche un compito, da intendersi non solo come astensione da ciò che neghi tale struttura, come si è detto, nella forma di una auto-assolutizzazione, ma anche come compito di realizzare nell'esperienza la propria umanità, e di farla 'fiorire'. Essere umani rappresenta, quindi, non solo un dato 'essenziale', bensì anche una 'vocazione'. Come rimarca infatti Aldo Vendemiati, "Questa indigenza strutturale non è un semplice «fatto», è l'indicazione di un compito, è la grammatica di un dovere: il compito e il dovere di colmare l'indigenza. L'indigenza consente di

marcia) esprime una processualità – si manifesta come 'conoscitivo' quando spinge l'uomo verso la ricerca e il sapere, e come 'pratico' quando opera sia come 'freno' degli istinti prevaricatori che come 'slancio' nel promuovere forme di rispetto e di reciprocità.

Nel suo essere *pudor ignorati veri*, il sentimento *de quo* permette – similmente all'ignoranza socratica – l'impulso verso l'avanzamento nella conoscenza: il sapere di non sapere, infatti, è anche premessa essenziale per potersi aprire alla ricerca, e di qui il *conatus* come slancio verso la conoscenza, e la *virtus dianoetica* come più stabile attitudine a coltivare tale dimensione[387].

Il sentimento del *pudor* si fa, parimenti, sul piano etico, generativo di un *conatus* operante sia come contenimento, sia come elicitazione di comportamenti atti a promuovere ciò che l'uomo scopre in sé come 'potenzialità' da attuare, ovvero la socievolezza umana, da coltivare, a partire dalla *virtus etica*, nelle varie dimensioni in cui essa si può esprimere[388]. Un esempio che Vico cita, in questo senso, è il passaggio da una situazione di accoppiamenti incerti e violenti

---

riconoscere l'imperfezione dell'uomo; ma questa rivela, per contrasto, in quale direzione vada cercata la perfezione. Essere uomini, quindi, non è semplicemente un fatto: è un compito" (A. Vendemiati, *Le ragioni della natura*, in "Oikonomia" 3/2009, p. 21-33, qui p. 30).

[387] Risultano a questo proposito particolarmente pregnanti le parole di Stefano Fuselli: «Prestare attenzione all'ulteriorità dischiusa dalla propria finitudine – prestare attenzione a se stessi in quanto uomini – è così, prima ancora che un atto di conoscenza, un atto di libertà, perché è il primo vero e proprio atto etico che a ciascuno è dato di compiere e di cui nessuno è responsabile se non colui che lo compie» (S. Fuselli, *Forme della secolarizzazione. Una esplorazione tra antico e moderno*, in *Filosofia del Diritto e Secolarizzazione*, cit., p. 118).

[388] Cfr. anche G. Zanetti, *Vico eversivo*, cit., p. 34 e 62-63. Appaiono, a questo riguardo, particolarmente pertinenti le osservazioni di Illetterati: "è la consapevolezza del limite costitutivo dell'uomo – questo sapere il proprio non sapere – ciò che rende il soggetto responsabile nel senso più radicale del termine. Ciò che è dato all'uomo in questa consapevolezza del proprio limite è infatti la possibilità di accettarsi come tale nella propria costitutiva finitezza, di accogliere il proprio trovarsi ad esistere" (L. Illetterati, *Figure del Limite. Esperienze e forme della finitezza*, Verifiche, Trento 1996, p.95).

all'istituzione del matrimonio, volto a dare certezza alle unioni e alla prole, e a strutturare rapporti di reciproca tutela ed assistenza entro un nucleo dotato di stabilità. Vico non manca di cogliere la dimensione giuridica e politica di quest'ultimo aspetto, dal momento che dal riconoscimento di reciprocità insito nel *pactum* matrimoniale, così come dall'accettazione di una responsabilità nei confronti della prole che essa genera, si costruisce una *prima societas* che, pur nella spontaneità che caratterizza il legame familiare, è strutturata intorno a profili dotati di rilevanza giuridica, operanti su molteplici piani (tutela, assistenza, rispetto, protezione, rapporti paritari e gerarchici...). Proprio questa molteplicità di profili mostra come dalla *virtus* etica nasca, a sua volta, il diritto, nelle tre articolazioni di *dominium, libertas, tutela.*

Il *pudor* diventa così una peculiare 'figura' del limite umano, idonea a disvelare un aspetto specifico della filosofia vichiana, nella quale il limite non viene inteso come barriera bensì come fattore di de-limitazione e de-terminazione, che, come tale, è dis-velativo e propulsivo nel contempo[389]. Questo è un altro significativo punto di distanza dell'Autore rispetto al *mainstream* del giusnaturalismo moderno, nel quale è rinvenibile, per contro, una concezione 'oppositiva' del limite stesso (visibile soprattutto nel modo in cui vengono declinati l'incontro con l'alterità e il conflitto intersoggettivo)[390].

---

[389] La moderna *querelle* filosofica sul confine/limite, rinvia, peraltro, ad una distinzione proposta da Kant nella *Critica della Ragion Pura:* la nozione di *Grenzbegriff* (concetto-limite). Qui appare una distinzione concettuale rilevante fra una concezione di limite legata all'aspetto deteriore del contenere e del bloccare (*einschränken*), e che può quindi legarsi all'idea della *Schranke* (termine che evoca la barriera, l'ostacolo), ed una concezione 'delimitativa', come quella di *Grenze*, che opera come un margine, un bordo, grazie al quale è possibile cogliere un aspetto cognitivo, oltre che relazionale del limite. Cfr, più diffusamente, L. Illetterati, *Figure del Limite. Esperienze e forme della finitezza*, Verifiche, Trento 1996, *passim.*

[390] Sulla tendenza moderna alla rimozione del limite, soprattutto in relazione al rapporto con l'altro e al tema del conflitto intersoggettivo, mi richiamo a F. Gentile, *Politica aut/et statistica*, Milano, Giuffrè 2003, e a F. Zanuso, *Conflitto e controllo sociale nel pensiero giuridico-politico moderno*, Cleup, Padova 1993; F.

La compresenza di aspetti 'contenitivi' e 'propulsivi' nel *conatus*, e le loro estrinsecazioni nella *virtus*, si comprende solo in relazione alla antropologia della finitudine che Vico fa propria, collocando nel *pudor* una *dimensione antropologica del limite*: solo nel momento in cui l'uomo comprende che la propria auto-assolutizzazione costituisce una pretesa indebita tanto sul piano etico quanto su quello conoscitivo, egli sarà confrontato con la responsabilità dell'agire. Finitudine e relazione sono infatti inscindibilmente connesse, ed esse evocano una risposta dell'uomo, ovvero una responsabilità, la quale è, già etimologicamente, un 'rispondere', che presuppone a sua volta un 'lasciarsi interpellare'[391].

Questo implica un invito, per l'uomo, ad agire contenendo le spinte assolutizzanti, nel frattempo promuovendo quei comportamenti

---

Zanuso, *Autonomia, uguaglianza, utilità. Tre paradossi del razionalismo moderno*, in F. Zanuso, *Custodire il fuoco*, FrancoAngeli, Milano, pp.15-81; F. Zanuso, Honeste vivere; *la responsabilité et la coexistence des hommes*, in "Diotima" 14/2014, pp. 23-33. Sulle concezioni moderne di libertà come 'cartina al tornasole' del concetto di limite ivi sotteso, cfr., invece, P. Moro, *Libertà indisponibile. Un percorso critico*, in F. Zanuso, *Custodire il fuoco*, FrancoAngeli, Milano 2013, pp. 121-164.

[391] Il pensiero di Vico non si tramuta in una forma di determinismo, per la quale l'attuarsi della natura proceda a prescindere dalla libertà umana, e dalla sua – per così dire – collaborazione. Per questo si può vedere nella filosofia vichiana un richiamo alla responsabilità umana, intesa come capacità di rispondere e come farsi carico delle conseguenze delle proprie scelte. Come nota Massimo Cacciari, "Vedere-pensare i fatti può collegarli, chiarirne il corso. Ed è grande *labor* e grande *opus*. Ma che si aprono, alla fine, all'interrogazione ulteriore. E l'interrogazione, a sua volta, all'appello alla responsabilità dell'uomo che fa la storia" (M. Cacciari, *Ricorsi Vichiani*, cit., p. 574). Una simile visione, a nostro parere, appare in sintonia con quanto scrive – pur non riferendosi direttamente a Vico – Stefano Fontana: "la nostra natura umana è un discorso che ci è rivolto, un appello che liberamente possiamo accogliere o rifiutare. In questo senso, essa ci libera dall'arbitrio soggettivistico in quanto ci invita a radicarci nel nostro essere, dall'altro si pone in sintonia con la nostra soggettività e spiritualità perché non ci misura con il metro rigido delle cose. Così intesa, la natura della persona non è una camicia di forza ma una liberazione; dicendomi chi sono, essa mi chiama e così facendo suscita la mia identità e la mia libertà" (S. Fontana, *Parola e comunità politica. Saggio su Vocazione e attesa*, Cantagalli, Firenze 2005, p. 94).

che non negano bensì attuano la "*natura umana socievole*". Tali comportamenti si esplicano, appunto, in forme di socialità improntate al riconoscimento e alla tutela di una coesistenza sociale[392]. Qui si coglie un tratto portante della visione antropologica vichiana, che ne informa la concezione politica e giuridica, legando strettamente queste due dimensioni all'esigenza di proteggere (*tutela*) e promuovere (*libertas*) la relazione intersoggettiva, aiutando, con forme regolative, a delimitarne gli ambiti di interazione (*dominium*)[393].

Non solo: come si è detto, il *pudor* si rivela una peculiare figura antropologica, perché nella dinamica da esso innescata trovano un punto di incontro aspetti gnoseologici ed etici: la potenza 'attrattiva' della *vis veri*, risvegliata dalla percezione di un *verum ignoratum*, unita alla spinta del *conatus*, trova nella *virtus* una sintesi tra elementi cognitivi (isolatamente destinati a rimanere una *cognitio iners*) ed elementi 'oressici' (isolatamente esposti al rischio di rimanere chiusi nella cecità dell'istintualità ferina), fondando così l'agire responsabile umano come

---

392 "Il pudore *ha dunque funzione fondativa dell'ethos umano* e come tale è anche la fonte del "senso comune, i cui contenuti ne costituiscono la prima elementare articolazione. Religione della Provvidenza, nozze solenni e sepoltura dei defunti, con i relativi miti e riti, sono i 'tre costumi' che danno corpo alla memoria del Vero e che possiedono un'immediata valenza etica. I tre contenuti dell'unico senso comune danno forma, infatti, a un'*etica della relazione e del rispetto*, come risulta dal fatto che il comune fra i tre contenuti è l'idea di relazione con un'alterità che non è semplicemente a propria disposizione, ma che va riconosciuta nel suo valore intrinseco" (F. Botturi, *L'etica ermeneutica di Giambattista Vico*, cit., p. 11). Sulla coesistenzialità nel suo rapporto fondamentale e fondante con il diritto, non può mancarsi il riferimento al magistero di Sergio Cotta, per cui cfr., S. Cotta, *Il diritto nell'esperienza. Linee di ontofenomenologia del diritto*, Giuffrè: Milano 1991.

393 Pur risalente, è ancora di insostituibile aiuto la lettura proposta, a questo riguardo in: G. Capograssi, *Dominio, libertà, tutela nel De Uno*, in "Rivista Internazionale di Filosofia del Diritto", 3/1925, III, 437-451; L. Bellofiore, *La dottrina del diritto naturale in G.B. Vico*, Giuffrè, Milano 1954.

luogo d'incontro – mai seriale e nel contempo mai aleatorio – fra *pensiero* e *tendenza*[394].

Proprio perché qui si colloca una connessione fra ciò che l'uomo pensa e i 'moti' che ne rendono possibile l'agire, e proprio perché la *virtus* interpella l'uomo, ma resta in capo a quest'ultimo il *se* e il *come* rispondere, è evidente che la dinamica *pudor-conatus-virtus* non ha una struttura 'causativa', bensì 'abilitativa'. A conferma (o in virtù) di questo, la concezione antropologica vichiana è densa di moniti sempre attualizzabili: lo stesso Autore mette in guardia, come si è detto, dai continui pericoli che nella storia l'umanità possa ritornare nella barbarie. Questo aiuta, in particolare, a cogliere due aspetti strettamente connessi: anzitutto che se dell'*Adamo caduto*, la cui progenie idealmente assistette all'evento del fulmine, non c'è prova storica, ciò non di meno la storia rimanda a continue testimonianze di 'cadute' e 'ricadute' dell'uomo nella barbarie e nella negazione dell'umanità[395]; in secondo luogo, se la caduta è sempre possibile, la dimenticanza o il risveglio del *pudor* sono anzitutto responsabilità dell'uomo – singolarmente e socialmente – in ogni tempo e in ogni momento.

Sul piano individuale, appaiono interessante conferma di quanto osservato le riflessioni che Vico dedica, nel *De Uno*, al reato e alla pena, e dalle quali si evince come la violenza sottesa all'atto criminale sia dall'Autore concepita entro la struttura di un atto di auto-assolutizzazione da cui discende la reificazione dell'altro (sul modello della *prima culpa* dell'uomo, ispirata dalla tentazione dell'*eritis sicut dii*, di

---

[394] Derivo questa chiave di lettura dell'agire etico da F. Chiereghin, *Possibilità e limiti dell'agire umano*, Marietti, Genova 2000 (il quale peraltro non pone espressi riferimenti a Vico).

[395] Chiosa Umberto Galeazzi: "(...) se qualcuno obiettasse che questo stato di decadenza belluina si perde in un passato mitico difficilmente documentabile, si potrebbe sempre rispondere che di esso, purtroppo, abbiamo delle manifestazioni inequivocabili nei fasti della 'storia certa', anche più recente, non priva di momenti e di episodi di disumanizzazione" (U. Galeazzi, *Ermeneutica e storia in Vico,* cit., p. 103). Sulla possibilità della (ri)caduta umana cfr., altresì, M. Cacciari, *Ricorsi Vichiani*, cit., pp. 570-571.

cui è corollario la perdita di vista dell'altro come reciproco, e quindi la possibilità della sua riduzione a *res*)[396].

Sul piano più generale, invece, la *conchiusione* della *Scienza Nuova*, letta alla luce delle note ricorsività vichiane, è di particolare aiuto nell'evidenziare come l'attuazione storica della relazionalità intersoggettiva segua modalità complesse e sia sempre aperta a momenti di 'caduta', non a caso legati ad una perdita di vista del *pudor*: di qui, appunto, la conclusione con cui Vico ammonisce "*se non siesi pio non puossi daddovero esser saggio*", legando la saggezza proprio al mantenimento della coscienza del limite. Non si tratta, quindi, di un profilo circoscritto alla visione cristiana, che pur Vico fa propria, bensì di un monito suscettibile anche di una lettura laica, dal momento che la *pietas* sopra menzionata comporta anzitutto la riflessione sul limite e sulle condizioni che ne consentono il rispetto.
La consapevolezza cui Vico invita, soprattutto nella sua opera finale, è rivolta alla complessità del divenire storico, da cui non risulta difficile comprendere l'avversione che egli ebbe nei confronti di concezioni precettistiche della vita etica, in favore piuttosto di una rilettura di modelli classici, in particolare di matrice aristotelica. La comprensione della propria natura di essere finito e nel contempo di soggetto relazionale esprime una *physis* nella quale sono connaturati un *telos* e un *peras*: essa, tuttavia, non porta l'uomo vichiano ad adottare un codice normativo astratto, bensì a operare in vista di un *epitelein*, di un realizzare ciò che è già insito nella natura umana. Non a caso Vico parla di un *semen veri* risvegliato nell'uomo per effetto della dinamica già citata di *pudor-conatus-virtus*: un seme che, appunto, esprime una potenzialità che deve poter essere 'coltivata' e messa in condizione di 'fiorire'.

Questa visione sembra connettersi strettamente all'idea socratica per la quale la giustizia, come virtù, si esprime anzitutto come *ta hautou prattein*, ossia attuare ciò che è propriamente umano perché, appunto,

---

[396] Su questo mi permetto di fare rinvio al mio primo lavoro: F. Reggio, Una riflessione sui concetti vichiani di 'pena' e 'penitenza', in F. Zanuso – S. Fuselli (a cura di), *Ripensare la pena*, Cedam, Padova 2004, pp. 253-295.

concerne l'essere umano nella sua umanità. Infatti, come è stato osservato, "sono in massimo grado *prassi* quelle azioni nelle quali l'uomo non ha altro fine che esercitare – onorandola – l'umanità che è in lui"[397].

Il risveglio dell'umanità nell'uomo è ciò che ne abilita comportamenti volti ad "*onorare la natura umana socievole*": tuttavia, proprio perché l'agire umano non si inscrive in forme rigide, né tantomeno in precetti morali, occorrono fattori 'stabilizzanti', che abilitino e proteggano in modo non episodico la *humana societas*. Il potere attrattivo della *vis veri* – come controspinta alla tentazione dell'auto-assolutizzazione – rappresenta una *forza*, ma non una *forzatura* dell'arbitrio umano, "*per sua natura incertissimo*": la potenzialità e la progettualità del *semen veri* richiedono quindi che tale seme incontri le condizioni necessarie per potersi sviluppare, e che possa ricevere una 'cura' sufficiente a consentirne la conservazione e lo sviluppo.

Ecco spiegata l'afferenza del diritto all'ambito della *virtus* etica, perché proprio alla dimensione giuridica – anch'essa riconducibile, come si è visto, al *prattein* – è demandato, per Vico, un simile compito: essere fattore di abilitazione, stabilizzazione e tutela (o ripristino in caso di violazione) della *societas hominum.*

Come si è più volte rilevato, tuttavia, l'attuazione di questo ruolo fondamentale attribuito al diritto lascia aperto uno spazio di ampia flessibilità circa le modalità in cui, contestualmente, esso si possa esercitare e manifestare: il diritto naturale, cui la *virtus etica* deve tendere, si esprime attraverso *principi* quali *honeste vivere, neminem laedere, suum cuique tribuere*, le cui determinazioni storiche e contestuali non sono mai racchiudibili stabilmente in forme e contenuti normativi.

Del resto, non può sfuggire, in sede di riflessione critica, la pericolosità – in termini di perdita di contatto con i motivi ispiratori dei principi – insita in ogni forma di 'istituzionalizzazione': la regolarità, sia essa manifestata attraverso la ripetizione di comportamenti ('di norma si fa così'), sia essa incorporata in un insieme di norme generali e

---

[397] S. Fuselli, *Sulle radici antropologiche della giustizia. Spunti per un dialogo fra neuroscienze e filosofia del diritto*, cit., p. 123.

astratte, rappresenta pur sempre un tentativo di portare nell'esperienza ciò che ha natura di principio, e dal quale è erroneo pensare di poter derivare un insieme compiuto di determinazioni. L'essere '*etterno*' ma '*correre in tempo*' del diritto naturale vichiano incarna, quindi, una tensione ineludibile perché costitutiva: pur se all'apparenza paradossale, essa in realtà, a nostro avviso, svolge la funzione fondamentale di mantenere viva l'attenzione sulla natura intrinsecamente problematica del diritto. Ciò non vale, nell'ottica della nostra lettura del pensiero filosofico-giuridico vichiano, come un ripiegamento scettico, destinato a creare una pirroniana *epoché* sui contenuti storici che le manifestazioni giuridiche assumono nel tempo: l'avversione di Vico nei confronti di questo tipo di atteggiamenti rivela, piuttosto, quanto l'Autore inviti il giurista di ogni tempo a un atteggiamento di ricerca, il quale include anche la vigilanza circa i pericoli di deragliamenti del diritto dal campo che ne giustifica e delimita la presenza nel mondo umano.

7. Linee di tendenza per un 'diritto' orientato alla (e dalla) reciprocità intersoggettiva

Le forme storiche in cui si manifesta il diritto non sono quindi tutte, in quanto tali, necessariamente 'giuste', ma possono mantenersi nell'alveo di una ricerca di giustizia nella misura in cui conservino una connessione, per quanto problematica, con un principio, con una *ratio*, in virtù della quale non è possibile ridurre il diritto all'arbitrio o alla mera certificazione di equilibri di forza, fattualmente verificatisi. L'attitudine filosofica nei confronti del diritto si manifesta, quindi, nella ricerca e nell'analisi critica di questa *ratio*, ed è questo, propriamente, il terreno che dovrebbe maggiormente impegnare il giurista.

La *virtus* individuata da Vico come fonte dell'etica e del diritto presenta necessariamente caratteri di indeterminatezza, ma ciò non rappresenta un difetto, bensì un 'luogo' nel quale la singolarità di ciascuno è chiamata a rapportarsi con la comune umanità: non solo, dunque, il diritto non consente di affidarsi in via definitiva a schemi interpretativi, regole, predeterminazioni rispetto all'esperienza, bensì presuppone, quale spazio stesso della giuridicità, e sua condizione di possibilità, una relazione di rispetto e di reciprocità intersoggettiva.

L'avversione di Vico verso la astoricità e la convenzionalità del contratto sociale si comprende ancora più a fondo a questo proposito, perché mostra come lo stesso accordarsi e 'pattuire', ad esempio, dei '*lupi obbesiani*' sia stato reso possibile da uno spazio di dialogo e riconoscimento reciproco che però Hobbes stesso nega sia nella condizione pre-contrattuale, che in quella successiva, statuale, disconoscendo così ciò che *in primis* ha abilitato la possibilità di pattuire (che è, appunto, un sapersi auto-limitare, mettere in relazione, dialogare, concordare e stare ai patti).

Alla base del diritto, dunque, sono la reciprocità e il dialogo, fondamentali per la tenuta stessa della *societas* (a partire dalle *societates* familiari, comunitarie, per poi arrivare alle società più complesse, di cui lo stato è solo una possibile manifestazione)[398]. Non solo: proprio grazie a questo 'spazio relazionale' è possibile che l'essere umano, in ogni tempo, si interroghi su come egli possa meglio onorare il proprio *suum* e quello dei propri simili. Questo comporta che egli debba raffrontare continuamente il proprio agire con i principi che l'agire stesso è chiamato ad incarnare e a immergere nella, peraltro irrinunciabile, "feccia di Romolo" del diritto positivo.

Torna, tuttavia, un quesito già altrove espresso in merito alla tensione fra *verum* e *certum*, ossia se una visione siffatta non poggi, in fin

---

[398] In questa cornice si spiega, ad esempio, il dissociarsi da parte dell'uomo di comportamenti precedentemente tenuti (ad esempio, la libidine sfrenata e le unioni sessuali casuali e violente) e il tentativo di ordinarli in forme rispettose della reciprocità intersoggettiva (l'istituzione di legami stabili e di tutela reciproca e verso la prole). "Da questa natura di cose umane restò quest'eterna proprietà. Che la vera amicizia naturale egli è 'l matrimonio, nella quale naturalmente si comunicano tutti e tre i fini de' beni, cioè l'onesto, l'utile e il 'l dilettevole; onde il marito e la moglie corrono per natura la stessa sorte in tutte le prosperità e avversità della vita (...) per lo che da Modestino fu il matrimonio diffinito *omnis vitae consortium*" (G. B. Vico, La *Scienza Nuova*, cit., p. 554).

dei conti, su un gioco fra irrisolte esigenze di idealità e di concretezza, rispetto al quale la vaghezza ed evocatività del linguaggio vichiano risultano funzionali ad un irrisolto.

Un irrisolto, in effetti, potrebbe essere rilevato, almeno parzialmente, proprio nella strutturale non definitività che, nella visione vichiana, assume il diritto storico, il quale, appunto, non può 'risolvere' i principi a cui deve potersi ispirare. Tuttavia questa apparente 'sconfitta' della forma storica, questa difettività, può essere al contrario letta come la forza della prospettiva giuridica vichiana: non solo per la flessibilità che essa strutturalmente assegna al diritto, ma anche per la problematicità che gli riconosce, dal momento che reca al suo interprete – in ogni momento dell'esperienza giuridica – una domanda su cosa sia giusto, nel contesto del caso concreto; su cosa richiedano al giurista *prudentia, sapientia* ed *aequitas*, ricordando che non esiste una cifra precostituita che ne serializzi la realizzazione. Le considerazioni già espresse, in precedenza, sull'*aequitas* come punto di raccordo fra *verum* e *certum* nella positivizzazione della norma del caso, rinviano ad un diritto sapienziale e attento alle esigenze del caso di specie, ma tutt'altro che aleatorio e consegnato all'arbitrio. Questo profilo appare, invero, di non poco interesse in un momento, come quello attuale, in cui si assiste ad un avvicinamento, e per certi versi a forme di ibridazione, fra tradizioni di *civil law* e *common law*, che riportano in auge un approccio 'casistico' alla *questio juris*[399].

Ciò può forse spaventare il giurista pratico, sottraendolo al rassicurante dominio della tecnica, e al cercare rifugio nella norma, o nel protocollo, o nell'apparente 'avalutatività' di una presa d'atto di ciò che si è manifestato come *factum*, ad esempio nel precedente

---

399 Cfr., recentemente, E. A. Imparato, *Common law v civil law. Tra formanti, canoni ermeneutici e giurisprudenza quali contaminazioni?*, in "Federalismi", 4/2016, pp. 2-33.

giurisprudenziale[400]. Tuttavia, com'è stato ampiamente ribadito, non da ultimo entro la tradizione dell'ermeneutica, nemmeno il *factum* è separabile da un'attività di interpretazione, e tantomeno lo è la norma, comunque essa si sia manifestata[401].

L'invito di Vico a riscoprire la dimensione della scelta etica e della responsabilità si estende anche al tema dell'interpretazione della norma: è proprio qui, nel contesto specifico, che la positivizzazione si rivela non un mero fatto né la corrispondenza ad un automatismo o ad una qualche procedura, bensì un 'processo' in sé complesso e problematico, e nel quale le scelte operate debbono poter fornire le 'migliori ragioni' a proprio suffragio[402].

Certamente: Vico non dice cosa impedisca a una *lex* di divenire un *monstrum*, ma dice che prescindere dalla *ratio*, o violarla, comporta il rischio di pervertire il diritto stesso in un suo simulacro distorto. E, come, si è visto, la *ratio* vichiana sottende una ricerca di verità, non solipsistica bensì dialogica.

Si può obiettare che però non si sia ancora definito che cosa si intenda, esattamente, per verità, e che anzi le riflessioni sinora proposte abbiano mostrato una certa 'polimorfia' di tale concetto nel contesto della filosofia di Vico, sfruttandone la forza evocativa ma rifugiandosi nella sua vaghezza. A questa obiezione, tuttavia, si può rispondere domandandosi se quest'ultima rappresenti necessariamente un

---

400 «È proprio degli scrivani stare attaccati alla lettera delle leggi, è proprio del giurista, invece, coglierne il significato profondo» (G. B. Vico, *Institutiones Oratoriae*, Istituto Suor Orsola Benincasa, Napoli 1989, p.128).

401 Mi richiamo qui alla lettura del contributo dell'ermeneutica giuridica proposta da Francesca Zanuso, per cui si veda: F. Zanuso, *In claris non fit interpretatio: las ilusiones del normativismo en la critica del la hermenéutica*, in M. Grande Yanez (a cura di), *Hermenéutica juridica: sobre el alcance de la interpretaciòn en le Derecho*, Comillas, Madrid 2011, pp. 255-275.

402 Sulla ricerca di *best reasons* come 'risposta' al razionalismo dogmatico moderno e alle derive scettiche postmoderne, rinvio a W. Slob, *Dialogical Rhetoric. An Essay on Truth and Normativity after Postmodernism*, Kluwer, Antwerp 2002.

impoverimento per la riflessione o non costituisca, piuttosto, un'apertura di scenario, un invito alla ricerca. Lo stretto legame fra dimensione cognitiva ed etica del limite – di cui il *pudor* costituisce punto di raccordo – ricorda come nella riflessione giuridica vichiana il diritto sia strettamente legato ad un 'tendere' che fa del diritto stesso una forma di processualità inesauribile: la mente umana "è sempre in tensione, sempre in cammino, alla ricerca di quegli elementi delle cose il cui totale possesso è, per definizione, negato. Essa è filosofia nel senso del termine inaugurato da Platone nell'Apologia di Socrate, in cui alla figura del dio, nel quale risplende la piena luce della sapienza, è contrapposto il filosofo, il veramente pio, colui che riconoscendo la sapienza come possesso unicamente del dio, va per strada confessando la propria ignoranza alla ricerca della saggezza umana, che è filo-*sofia*, amore e tendenza continua alla sapienza"[403].

Letta in questo modo, la prospettiva vichiana è certamente aperta e problematica, ma non proiettata verso lo 'scacco', bensì verso uno slancio a cui Vico sembra invitare il giurista di ogni tempo: a quest'ultimo, infatti, il filosofo partenopeo sembra ricordare che la non definitività e la contestualità delle norme puntuali non comportano necessariamente uno scivolamento nell'arbitrarietà, bensì richiedono una rafforzata assunzione di responsabilità delle proprie scelte, dalle quali non si può disgiungere l'invito ad una solida attività argomentativa a giustificazione di queste ultime[404].

Forse, tuttavia, il giurista contemporaneo, nel dopo-secolarizzazione, sarebbe tentato, a questo punto, di obiettare – non necessariamente con vena polemica – facendo proprio un interrogativo

---

[403] A. Murari, *Introduzione*, in G.B. *Vico, Metafisica e Metodo*, Bompiani: Milano 2008, pp. 7-47, p. 31.

[404] Cfr. A. Anzalone, *Irrenunciable positivación, esencialidad natural e historicidad invisible del derecho: más allá del verum ipsum factum*, in "Sección Abierta del número 56 (2022) de la Revista Anales de la Cátedra Francisco Suárez, editada por el Departamento de Filosofía del Derecho de la Universidad de Granada y la Editorial Universidad de Granada" (ringrazio vivamente l'Autore per avermi concesso di leggere in anteprima il suo lavoro, di ormai prossima pubblicazione).

già emerso, nei termini che seguono, in una nota vicenda processuale: *quid est veritas*[405]? Si può concedere che la domanda non consenta risposte esaustive; tuttavia, a ciò si può parimenti ribattere sostenendo che eludere radicalmente un simile quesito, o rispondervi in modo superficiale o preconcetto, non è privo di conseguenze sul piano giuridico, oltre che etico.

Vico ricorda al giurista che, anche qualora a tale domanda non si possa rispondere esaustivamente – forse perché è impossibile, o probabilmente proprio per questo – evitare di porsela, per lo meno per lo stretto ambito di applicazione del caso concreto, può davvero comportare il rischio che da una decisione o, comunque, da un atto interpretativo, non promanino leggi ma – per richiamare ancora una volta la pregnante espressione vichiana – *monstra legum*[406]. Il monito lega quindi strettamente, nella concezione giuridica dell'Autore, la dimensione legata all'abilitare e tutelare la reciprocità intersoggettiva con quella del confronto dialettico e dialogico quale strumento di ricerca di ragioni condivise: una sfida che impegna, in un tendere continuo e doloroso, l'umanità che, nell'esperienza, ivi compresa quella giuridica, si misura con il proprio accidentato cammino.

---

405 "Cos'è la verità? Non soltanto Pilato ha accantonato questa domanda come irrisolvibile e, per il suo compito, impraticabile. Anche oggi, nella disputa politica, come nella discussione circa la formazione del diritto, per lo più si prova fastidio per essa. Ma senza la verità l'uomo non coglie il senso della sua vita, lascia, in fin dei conti, il campo ai più forti" (Benedetto XVI, *Gesù di Nazaret. Seconda parte. Dall'ingresso in Gerusalemme fino alla Risurrezione*, Bur, Milano 2012, p. 215).Cfr., per alcune riflessioni a partire da questo tema, C. Bonvecchio – D. Coccopalmerio (a cura di), *Ponzio Pilato o del giusto giudice. Profili di simbolica giuridica*, Cedam, Padova 1998.

406 "La pace si fonda sulla giustizia. La forza di Roma era il suo sistema giuridico, l'ordine giuridico, sul quale gli uomini potevano contare. Pilato (...) "conosceva la verità di cui si trattava in questo caso" – per lo meno circa l'innocenza dell'accusato che veniva presentato dinnanzi a lui – "e sapeva quindi che cosa la giustizia richiedeva da lui. Ma alla fine vinse in lui l'interpretazione pragmatica del diritto: più importante della verità del caso è la forza pacificante del diritto, questo fu forse il suo pensiero, e così si giustificò davanti a se stesso" (Benedetto XVI, *Gesù di Nazaret*, cit. p. 222).

8. Senso, fantasia e ragione: un diritto... umano e aperto alla sfida dell'interculturalità.

Già abbiamo evidenziato come nel suo impegno speculativo Vico abbia cercato di ampliare gli spazi della ragione, evitando le angustie del razionalismo e le tentazioni dello scetticismo. In questo percorso, peraltro, l'attenzione del filosofo si è rivolta anche all'evidenziare il ruolo rivestito, sia nei processi cognitivi che in quelli comportamentali, da fattori come le emozioni e la fantasia.

Ci riferiamo alla nota *Degnità* della *Scienza Nuova*, per la quale «*Gli uomini prima sentono senz'avvertire, dappoi avvertiscono con animo perturbato e commosso, finalmente riflettono con mente pura*»[407].

Su un piano 'macrocosmico' Vico, come sappiamo, costituisce correlazioni fra la prevalenza di senso, di fantasia o di ragione, e la delineazione di mentalità che influiscono sul pensiero e sull'assetto di costumi e istituzioni di determinate *societates*: di qui si configurano anche tre 'età' dell'umanità, 'figure', modelli di 'civiltà' (basati, nelle loro narrative fondamentali e nelle loro 'normatività', su profili sensistici, mitologici o compiutamente razionali).

Su un piano microcosmico, invece, Vico offre una rappresentazione del modo di conoscere tipico dell'essere umano, che vede la compiuta razionalità come esito di un processo che ha origine in una attivazione emotiva, successivamente in un pensiero 'mitologico' incentrato sull'immaginario e sulle narrazioni, e solo in una fase 'matura' giunge alla piena razionalità.

Si è già rilevato come l'osservazione vichiana sia di grande attualità nel contesto contemporaneo, soprattutto per effetto delle neuroscienze, rispetto alle quali emerge con evidenza il limite del concetto cartesiano di razionalità in riferimento ai processi cognitivi e comportamentali[408], con evidenti ricadute anche sul piano

---

[407] Vico, *Scienza Nuova*, 1744, Degnità LIII.

[408] Cfr. A. Damasio, *L'errore di Cartesio. Emozione, ragione e cervello umano*, Adelphi, Milano, 1995.

dell'esperienza giuridica[409]. Inoltre, anche nell'ambito delle metodologie e tecniche di composizione consensuale della controversia molti sono gli studi che hanno evidenziato l'importanza che i fattori emotivi e le narrazioni (individuali e sociali) rivestono sia sulla comprensione del conflitto che sulla sua elaborazione[410].

La composizione del conflitto stesso richiede una sapiente opera di collegamento fra dimensioni distinte ma interconnesse: *pathos; ethos; logos*[411]. In questo, la lezione vichiana si rivela capace tanto di riconnettersi con l'eredità del mondo classico, quanto di offrire supporto filosofico a elaborazioni contemporanee – per esempio in tema di *conflict transformation* – le quali non solo rilevano le eccessive angustie del diritto formalizzato ed astratto, retaggio del mondo moderno, bensì ambiscono a ritrovare spazi per dimensioni umane, come il mondo dell'intuizione e della creatività, ritenute fondamentali tanto nella comprensione del conflitto quanto nella sua trasformazione non-violenta[412].

Vico, nel suo invito a 'incarnare' il *logos* entro un mondo umano il quale, nella *praxis*, vive anche di *senso* e *fantasia*, e grazie ad essi elabora 'narrative di senso' idonee a promuovere, custodire e ri-abilitare la relazione umana nelle sue articolate sfaccettature, mette in guardia contro il rischio di un diritto troppo lontano dal mondo dell'esperienza

---

[409] Cfr. S. Fuselli, *Diritto, neuroscienze e filosofia*, Franco Angeli, Milano, 2014

[410] Ci sia consentito di fare riferimento alla ricognizione ampiamente effettuata, a tal riguardo, in F. Reggio, *Concordare la norma*, cit., *passim*.

[411] Così, ad esempio, J. W. Cooley, *Classical Approach to Mediation - Part I: Classical Rhetoric and the Art of the Persuasion in Mediation*, in "University of Dayton Law Review", 19:1 (1993) pp. 83-131, e Id., *Classical Approach to Mediation - Part II: The Socratic Method and Conflict Reframing in Mediation*, in University of Dayton Law Review, 19:2 (1994), pp. 589-632.

[412] Si veda, *in primis*, J. P. Lederach, *The Moral Imagination. The art & Soul of Building Peace*, Oxford University Press, Oxford 2005.

umana nella sua complessità, pericolosamente posto sulla china dell'autoreferenzialità[413].

Ebbene, un diritto "della ragione umana tutta spiegata", come quello del moderno e contemporaneo, non deve cadere nel rischio di 'disincarnare' la ragione dalle altre dimensioni che caratterizzano l'umano, pena il dare origine a una divaricazione fra categorizzazione giuridica ed esperienza sociale, da cui verosimilmente discendono diverse declinazioni di quel 'malessere' contemporaneo verso il diritto di cui già si è ampiamente fatto cenno.

Questo disagio, peraltro, si accentua in un contesto di società sempre più fortemente interconnesse e interculturali, nelle quali l'elevato grado di astrazione e formalità delle categorie giuridiche occidentali può apparire sovrastrutturale, se non eccessivamente costrittivo, a quelle situazioni culturali e sociali poco avvezze a una

---

[413] Va peraltro rilevato come, sul crinale della modernità, una importante rivalutazione del ruolo delle emozioni e dei sentimenti, soprattutto in funzione di un ripensamento della soggettività in una chiave differente da quella della tradizionale ontologia, sia stata oggetto di importanti riflessioni da parte di Martin Heidegger. L'autore tedesco, in particolare, ha rilevato come tanto il conoscere quanto il volere siano possibili in virtù di un *Da-sein* che è già nel mondo, e, pertanto può trovarsi 'presso' le 'cose' che cadono sotto la conoscenza o la volizione. Ma appunto, questo essere 'presso', di carattere ontologico, non può prescindere dallo 'stato d'animo' del soggetto, ovvero dalla *situazione emotiva* in cui quest'ultimo si trova, la quale entra a far parte del suo esserci (Cfr., sul punto, M. Heidegger, *Prolegomena zur Geschichte des Zeitbegriffs*, Klostermann, Frankfurt am Main, 1975, passim; M. Heidegger, *Die Grundbegriffe der Metaphysik: Welt*, Endlichkeit, Einsamkeit, Klostermann, Frankfurt am Main 1983). In questo senso, pur in termini differenti, tornano attuali due profili già posti in evidenza da Vico nella sua critica alla 'ragione dei moderni': la pretesa di separare la razionalità dall'emotività e dal sentimento, e la pretesa di rapportarsi al mondo in termini di 'oggetto', e, ancor più di prodotto (aspetto in merito al quale si è già posto in evidenza un più coerente modo di leggere il *verum-factum*).

divaricazione netta e ampia fra costume sociale, cultura tradizionale e prassi giuridica[414].

In un contesto in cui non mancano riflessioni critiche sull'esigenza di de-colonizzare il diritto dalla rete categoriale occidentale, e nel quale spesso si ritrova l'esigenza di riportare in luce tradizioni e prassi afferenti ad altri nuclei culturali e socio-antropologici, il pensiero filosofico-giuridico vichiano può dunque offrire spunti fondamentali per affrontare il tema dell'interculturalità.

Una riabilitazione di senso e fantasia, di un'attenzione a narrazioni culturali e a profili di costume, può aiutare, quindi, a cercare di riconnettere – pur nelle opportune e necessarie distinzioni – elementi emotivi, simbolici, mitologici e mitopoietici, mondo dei *mores* e mondo delle norme, che nella rete categoriale del diritto occidentale moderno, e nel suo precipitato contemporaneo, ancora sembrano faticare a trovarsi connesse. Questo è uno degli aspetti a nostro avviso più rilevanti dell'Autore, soprattutto considerando gli elementi di continuità fra la riflessione condotta nelle *Opere Giuridiche* e l'ampliamento di prospettive operato nella *Scienza Nuova*: il mostrare come, leggendo il diritto quale fatto sociale e antropologico, sia possibile istituire connessioni fra costume, manifestazioni culturali e istituzioni politiche e giuridiche, senza venir meno al compito di osservare la loro rilevanza e il loro impatto sul piano del diritto.

La sfida che Vico sembra porre oggi al giurista pare evidente: essa incarna l'invito a interrogarsi se un simile ampliamento di prospettive significhi 'diluire' la dimensione giuridica, togliendole specificità, o piuttosto non possa costituire un'occasione per salvarla dal pericolo di un riduzionismo tecnico, che, nel nome di una pretesa scientificità e controllabilità, rischia di separare il diritto dall'esperienza, la norma dalla persona. Il profilo del quesito non è meramente etico, bensì è dotato, a nostro avviso, di evidenti ricadute pratiche, socio-

---

[414] Sono personalmente grato al prof. Mario Ricca, al dott. Immanuel Varte e alla dott.ssa Katerina Soulou per le sollecitazioni che mi hanno offerto a questo riguardo, in diverse occasioni di dialogo e confronto.

politiche, perché qui si annida il rischio di perdere l'occasione di sviluppare una riflessione giuridica in grado di cogliere la sfida dell'interculturalità senza circoscriverla entro istanze di chiusura identitaria o in un pluralismo scetticheggiante, che giustappone e affianca senza porsi il problema del collegamento fra le differenze.

9. Il 'caduceo di Mercurio': spunti di attualità vichiana a confronto con fenomeni evolutivi del diritto contemporaneo.

Si è esordito, in questo capitolo conclusivo, evidenziando l'attualità di alcune 'ricorsività' vichiane per il dibattito giuridico contemporaneo, riguardante due distinti ma in realtà connessi fenomeni: il potenziamento, da un lato, della dimensione giurisprudenziale – e giudiziale – del diritto e, dall'altro la 'fuga' dalla giurisdizione in favore di forme di soluzione della controversia più orientate alle dimensioni dell'autonomia negoziale delle parti e del consenso.

Si è giunti, in conclusione dello stesso percorso, a evidenziare come la concezione giuridica vichiana trasmetta un'immagine di diritto posto a manifestazione, e nel frattempo a promozione e custodia della reciprocità intersoggettiva: una prospettiva, invero, che pone uno spunto critico utile per misurarsi con entrambi i fenomeni sopra rammentati, dal momento che ha come obiettivo dialettico il controbattere una possibile svolta volontaristica del diritto. Quest'ultima – a ben vedere – costituisce un elemento che, pur nell'apparente opposizione, può accomunare i due fenomeni sopra descritti nel rischio di 'assorbire' la normatività nell'efficacia data da un atto di volontà (connesso all'*auctoritas* nel caso della decisione giudiziale, legato invece al *consensus* nell'ambito degli strumenti negoziali di composizione della controversia).

Vico, invero, nel riconnettere la dimensione giuridica all'esigenza di tutelare la *socialitas*, e, con essa, alla funzione di prevenire e risolvere il conflitto in forme non abbandonate alla violenza, ha posto in evidenza come quest'ultima funzione non si esaurisca in una modalità o in una forma. A partire dalla riflessione sugli 'universali fantastici', così fortemente collegata con narrazioni mitologiche che riportano alle remote antichità della civiltà occidentale, Vico ha infatti ricordato che la composizione del conflitto non è stata affidata alla sola dimensione del processo (cui riconnette il simbolo di Vesta), bensì anche a spazi in cui il diritto si manifesta attraverso la negozialità (cui riconnette il simbolo di Mercurio, e del suo caduceo, che riportava quiete negli animi di parti confliggenti). Nell'ottica del nostro Autore, quindi, la dimensione negoziale e quella giudiziale, non sono colte solo nella reciproca alternatività, bensì nel loro costituire diverse modalità potenzialmente rivolte al medesimo fine di prevenire la violenza e di ricomporre il tessuto intersoggettivo da essa lacerato. In questo senso, più che la dimensione della volontà – sia essa manifestata in modo eteronomo nel giudizio, o in modo autonomo nell'accordo – ciò che caratterizza la via del diritto, è la sua capacità di porsi come alternativa ad un uso autoreferenziale e ultimativo della forza quale unico criterio di soluzione del conflitto.

Questa posizione, che a nostro avviso incarna un tratto caratteristico della filosofia giuridica vichiana, appare oggi di sicura attualità.

Non mancano, infatti, anche nel dibattito contemporaneo, voci che si elevano in senso contrario a una svolta volontaristica, senza necessariamente cadere in un pericolo consensualistico che, come si è visto, non costituisce un vero antidoto ma rischia, se non ben concepito, di divenire solo un altro volto del medesimo problema[415]. Ci

---

[415] Fra le voci più significative, e a cui si dedica particolare attenzione nel contesto di questo paragrafo, si segnalano quelle che sono intervenute nel dibattito sul tema della pena. Cfr., su questo punto, (con riferimento ad una visione informata dall'umanesimo cristiano), M. Ancel, *La défense sociale nouvelle*, Cujas, Paris 1966; E. Wiesnet, *Die verratene Versöhnung. Zum Verhaeltnis von Christentum und Strafe*, Patmos Verlag, Duesseldorf 1980; F. Cavalla, *La pena come problema*, Cedam, Padova 1979. Con riguardo a istanze abolizioniste e libertarie, cfr. L. H.C. Hulsman – J. Bernat de Celis, *Peines Perdues. Le système*

si riferisce, in particolare, a voci che propongono una ri-umanizzazione del diritto e della giustizia, invocando un vero e proprio '*cambiamento di paradigma*' a partire dal porre il diritto a tutela della dimensione della relazionalità intersoggettiva, ovvero come strumento volto a ripristinarla qualora essa sia stata violata o 'messa tra parentesi' nel conflitto interpersonale. Un luogo nel quale molte istanze così descritte vengono a coagularsi in una prospettiva di pensiero, divenuta anche proposta riformatrice e movimento internazionale, è quello della *Restorative Justice*[416]. Essa, come ha sottolineato Massimo Donini, "è la novita politico-criminale più importante degli ultimi lustri, a livello internazionale, sul terreno della prassi e della teoria della pena"[417]. È possibile, dunque, a partire da tale rilevante e innovativa proposta,

---

pénale en question, Paris, Le Centurion 1982; H. Bianchi – R. Van Svaanigen (a cura di), *Abolitionism: Toward a Non-repressive Approach to Crime*, Free University Press, Amsterdam 1986; N. Christie, *Conflicts as Property*, in "British Journal of Criminology", 17/1977, pp. 1-8; N. Christie, *Limits to pain*, Martin Robertson, Oxford 1981; J. Blad - H. Van Mastrigt - N. Uitdriks (a cura di), *The Criminal Justice System as a Social Problem. An Abolitionist Perspective*, Mededelingen van net Juridisch Instituut van de Erasmus Universiteit, Rotterdam 1987. In un'ottica liberale, volta a riavvicinare giustizia penale e giustizia civile, J. Hagel III - R. E. Barnett (a cura di), *Assessing the Criminal. Restitution, Retribution and the Legal Process*, Ballinger Pub. Co., Cambridge (MA) 1977; F. Abel - F. H. Marsch, *Punishment and Restitution*, Greenwood Press, Westport-London 1984; R. M. Rojas, *Las contraddiciones del derecho penal*, Ad Hoc, Buenos Aires 2000. Cfr., infine, in un'ottica di 'criminologia critica', R. Van Svaanigen, *Critical Criminology. Visions from Europe*, London, Sage 1998), con riferimento a movimenti femministi, M. Kay Harris, *Moving into the New Millennium: Toward a Feminist Vision of Justice*, in "The Prison Journal" 2/1987, pp. 27-38.

[416] L'immagine del 'cambiamento di paradigma' è di H. Zehr, *Changing lenses. A new focus on crime and justice*, Herald Press, Scottsdale 1990, *passim*. Quest'opera costituisce la prima sistematica tematizzazione della 'restorative justice', accanto a due scritti sostanzialmente, coevi: M. Wright, *Justice for victims and offenders*, Open University Press, Philadelphia 1991; W. Cragg, *The practice of punishment. Towards a theory of restorative justice*, Routeledge, London–New York 1992.

[417] M. Donini, *Il delitto riparato. Una disequazione che può trasformare il sistema sanzionatorio?* In "Diritto penale contemporaneo"; 2/2015, pp. 236-250, p. 237.

valutare un importante istanza riformatrice, internazionalmente presente nel dibattito giuridico contemporaneo[418].

Nelle parole di tre dei principali sostenitori di questa proposta riformatrice, la *Restorative Justice* "offre una sfida e una 'illuminazione' in vista del ripensamento complessivo della pena, del cui bisogno molta parte della criminologia contemporanea si è fatta interprete. Tra i principali vantaggi che tali approcci manifestano vi sono: la loro 'adattabilità' ad operare entro (e con) differenti sostrati culturali; la capacità di attuare un coinvolgimento della comunità civile nel *justice process;* l'attenzione offerta alle vittime di reato; la riduzione dell'invasività dell'intervento dello stato nella vita degli autori di reato"[419].

Le caratteristiche sopra evidenziate – e che per John Blad, David Cornwell e Martin Wright costituiscono vere 'spinte' per una 'civilizzazione' della giustizia penale – non sono state a caso richiamate in conclusione del nostro percorso a margine della filosofia giuridica di Giambattista Vico, dal momento che esse evidenziano chiare affinità con la proposta del filosofo napoletano: attenzione alle persone e alle relazioni; riscoperta del conflitto nella sua dimensione intersoggettiva, comunitaria e sociale; flessibilità contestuale delle forme attuative. Del resto, come è emerso nel contesto di due rilevanti dibattiti internazionali, la proposta riformatrice della *Restorative Justice* si pone in aperta critica nei confronti dei presupposti 'moderni' non solo della giustizia penale, ma anche del diritto *tout-court*, per cui invoca un ripensamento più globale, che investa l'intera concezione giuridica in

---

418 La riparazione appare una convincente alternativa fra "l'inhumanité et l'inefficacité (justice rétributive)" e "l'imperfection et l'incomplétude (justice réhabilitative)" in R. Cario, *Justice restaurative*, in G. Lopez- S.Tzitzis (a cura di), *Dictionnaire des Sciences Criminelles*, Dalloz, Paris 2004, p.573.

419 J. R. Blad, D. Cornwell, M. Wright, *'Civilizzare' la giustizia penale. Principi, filosofia e prassi della Restorative Justice secondo una prospettiva internazionale e interdisciplinare,* in *'Mediares'*, 20/2013, pp. 141-154, p. 143.

un percorso critico e ri-fondativo[420]. Il riferimento a Vico, a questo riguardo, non è solo spontaneo, ma si è puntualmente, sia pur tangenzialmente, inserito nel dibattito *de quo*, portando di nuovo in evidenza la vivacità del pensiero dell'Autore[421].

In particolare, la *pars destruens* che accomuna i sostenitori dell'approccio *restorative* tende a concentrare i propri strali avverso una visione stato-centrica e formalista della giustizia penale, figlia di una concezione 'statica' e 'geometrica' dell'ordine giuridico, e di una visione antropologica individualistica e utilitaristica, affermatasi, non a caso in tarda età barocca, a partire dalle dottrine giusnaturalistiche moderne[422].

---

[420] Mi riferisco al convegno "*Civilising Criminal Justice*" (University of Rotterdam, 13 Ottobre 2014, e al successivo seminario, promosso presso l'Università di Lovanio dalla *European Science Foundation* e dal *Leuven Institute of Criminology*, intitolato "*Critical Restorative Justice*" (KU Leuven, 16-17 Ottobre 2014). Proprio nel contesto di quest'ultimo incontro di studi, è emersa l'opportunità di considerare la proposta filosofico-giuridica di Vico quale possibile 'alternativa scartata' con cui confrontarsi oggi, alla ricerca di differenti parametri concettuali per un consolidamento teorico-generale del paradigma riparazionista. Sono particolarmente grato, per avermi incoraggiato su questo filone, ai proff. George Pavlich, John R. Blad, Martin Wright, Lode Walgrave e Ivo Aertsen. I primi esiti di tale ricerca sono stati formulati in F. Reggio, *The broken tablets of Moses and the Exodus from post-modernity. On Rethinking the Role and the Rule of Law in a Dialogical Way*, in I. Aertsen – B. Pali, *Critical Restorative Justice*, Hart-Bloomsbury, Oxford 2017, pp. 259-281.

[421] Preme rammentare come l'attenzione a Vico sia forte, soprattutto nel contesto olandese, anche grazie al magistero di August C. 't Hart, il quale, oltre ad aver dedicato studi specifici alla metodologia giuridica vichiana, e ad averne approfondito il rapporto con pensatori olandesi (si pensi a Grozio e a LeClerc, che aveva positivamente recensito il *De Uno*, favorendone la diffusione in ambiente fiammingo), ha influenzato significativamente la revisione critica della penalità moderna consolidatasi in seno alla scuola di Rotterdam. Cfr., emblematicamente, A.C. 't Hart, *Openbaar ministerie in rechtshandhaving*, Gouda Quint, Arnhem 2004; J. R. Blad, *Civilization of Criminal Justice: Restorative Justice Amongst Other Strategies*, in D. Cornwell, J Blad and M Wright (a cura di), *Civilising Criminal Justice: A Restorative Agenda for Penal Reform* (Hook, Waterside Press) pp. 209 – 254.

[422] Come osserva Christa Pelikan, "the state, as the new sovereign, extends its realm of power and establishes its monopoly of the use of force by promising

Se da un lato a questo momento storico va ascritta una fase di sviluppo e di civilizzazione giuridica, nella cui direzione si sono poi iscritte le vicende della codificazione, e dell'affermazione degli stati costituzionali, oltre che, infine, delle dichiarazioni universali dei diritti, tale percorso ha parimenti rivelato un "volto di Giano", traducendosi in esiti altamente spersonalizzanti[423]. Essi possono essere così descritti, dal punto di vista della critica al modello dominante di giustizia penale ne è promanato: (I) la tendenza a descrivere il reato come rottura di un ordine (sociale, politico, legale) costituito, più che un conflitto interpersonale; (II) la concezione della pena con la conseguenza legalmente prestabilita per 'ricostituire' la validità di tale ordine; (III) la delega della difesa di tale ordine allo stato, quale attore monopolista; (IV) la 'astrazione' del conflitto, concepito anzitutto fra '*lawbreaker*' e '*legal system*'[424].

Pur nella sua schematicità, la ricostruzione evidenzia importanti punti di frizione fra la concezione 'esito' della modernità, e le proposte della *Restorative Justice*, la quale: (I) pone attenzione ai tessuti relazionali colpiti dal conflitto e dal reato; (II) ambisce ad una giustizia

---

equality of all those new subjects, now 'citizens' that come under its sole rule"(C. Pelikan, *The Place of Restorative Justice in Society: Making Sense of Developments in Time and Space*, in R. Mackay – M. Boš njak – J. Deklerck – C. Pelikan – B. van Stokkom and M. Wright (a cura di), *Images of Restorative Justice Theory*, Verlag für Polizeiwissenschaft, Frankfurt am Main, pp. 35 – 55, qui p. 39).

423 Così, soprattutto con riferimento alle tradizionali teorie della pena, C.G. Brunk, *Restorative Justice and the Philosophical Theories of Criminal Punishment*, in M.L.Hadley (a cura di), *The Spiritual Roots of Restorative Justice*, State University of New York Press, 2001, pp. 31e ss. Cfr., altresì, C. Mazzucato, *Appunti per una teoria 'dignitosa' del diritto penale a partire dalla* restorative justice, in "*Dignità e dititto: prospettive interdisciplinari*", pp. 99 – 168.

424 Cfr., H. Zehr, *Changing Lenses*, cit., *passim*, e, analogamente, ma esternamente al dibattito della restorative justice, F. Cavalla, *La pena come riparazione. Oltre la concezione liberale dello stato: per una teoria radicale della pena*, in F. Cavalla - F. Todescan (a cura di), *Pena e riparazione,* Cedam, Padova 2000, pp. 1 – 109.

partecipativa, che coinvolga vittima, offensore, e comunità civile; (III) assume un'idea di ordine legale attenta all'esperienza, al contesto e alla complessità, e, soprattutto, posto a tutela di relazioni intersoggettive; (IV) preferisce un modello di '*legal regulation*' orizzontale, partecipativo e sensibile al contesto, lasciando come opzioni 'secondarie' gli aspetti gerarchici, formalistici e marcatamente coattivi del diritto.

Se, appellandosi ad approcci critici post-moderni, alcuni sostenitori del paradigma *restorative* hanno cercato di 'decostruire' premesse concettuali ritenute obsolete e inadatte a sostenere una revisione del sistema penale, sul fronte della *pars construens*, essi hanno rivelato specifiche debolezze, dal momento che, appellandosi ad argomentazioni a tal punto anti-fondazionali da risultare auto-erosive, tali proposte sono rimaste 'impigliate' nella 'insostenibile leggerezza' di un sostanziale scetticismo giuridico e filosofico[425].

Proprio qui torna attuale, in tutta la sua carica evocativa, la difficile e complessa ricerca di una terza via fra razionalismo e scetticismo, operata con fatica da Vico nel suo intero percorso di studioso.

Non è difficile poter trarre ispirazione, infatti, dalla accezione relazionale, che ci è parso di scorgere come tratto essenziale della proposta vichiana, un'idea di diritto che non solo rifiuta di fondarsi sull'*auctoritas* (statuale), ma che ne reinterpreta lo stesso concetto: lo si vede anche nell'uso che Vico fa del termine, di cui – in omaggio all'etimologia derivante da '*augeo*' – pare più marcato il riferimento all'idea di *auctoritas* come 'sfera di validità' o 'ambito di operatività', piuttosto che alla mera dimensione volitiva. Da una simile visione è possibile trarre spunto per reinterpretare l'idea di potere, connessa al diritto, in termini 'abilitativi', più che 'potestativi', in cui concetti-

---

[425] Mi riferisco, in particolare, alla proposta – apertamente ispirata a Derrida – di George Pavlich, per cui cfr. G. Pavlich, *Governing Paradoxes of Restorative Justice*, Glass House Press, London 2007; G. Pavlich, Ethics, Universal Principles and Restorative Justice, in G. Johnstone – D.W. Van Ness (a cura di), *Handbook of Restorative Justice*,Willan Publishing, Cullompton, pp. 615 – 627.

chiave, anche per la *restorative justice*, come *empowerment* ('abilitazione') e *recognition* ('riconoscimento') agiscono sia come fonte che come limite della legittimazione del potere: essi fungono altresì da fattore legittimante nei casi in cui lo stesso ordine giuridico è chiamato a intervenire (*tutela*), per far valere le sue salvaguardie laddove la mutualità intersoggettiva è stata violata.

Appare particolarmente appropriato, in questa sede, richiamare come un importante studioso olandese, più volte citato in queste pagine, quale August C. 't Hart, abbia dedicato riflessioni pregnanti sia alla metodologia giuridica vichiana (così orientata ad una dimensione 'processuale' della giuridicità), sia ad una rilettura critica del concetto moderno di '*rule of law*', soprattutto con riferimento al diritto penale. Nella sua concezione relazionale di '*rule of law*', t'Hart immagina un ordinamento giuridico dinamico, "nel quale il potere viene diviso fra i partecipanti, che si riconoscono reciprocamente, e nel quale il diritto funzionerebbe essenzialmente come la struttura che costituisce la relazione fra i *com-partecipanti* al potere. Il diritto, dunque, non si esaurisce a puro strumento di esercizio di potere, ma è anzitutto compreso come una trama di relazioni (...) che esprime la ricerca di un comprensivo e strutturale equilibrio, in forza del quale l'esercizio del potere stesso è consentito, diffuso e limitato"[426].

Un autorevole sostenitore dell'approccio *restorative*, come Lode Walgrave, ha proposto di considerare le salvaguardie giuridiche come 'sfere di autonomia' e come 'strutture di relazione', che lo studioso belga non esita a ricomprendere nel termine *dominium/dominion*[427]. Entro tale cornice concettuale, diritti e libertà individuali non sono un privilegio 'artificiale' che l'ordine giuridico 'genera' e 'concede' in via eteronoma ai cittadini, quanto la proiezione di un tentativo,

[426] Cfr., A.C. 't Hart, *Openbaar ministerie in rechtshandhaving*, Gouda Quint, Arnhem 2004, p. 204 (ringrazio John R. Blad per l'aiuto nel verificare il testo, a partire da una sua traduzione inglese).

[427] Cfr. L. Walgrave, *Restorative Justice, Self Interest and Responsible Citizenship*, Willan Publishing, Cullompton 2007, *passim*.

storicamente determinato, di conciliare libertà e reciprocità intersoggettiva, che preesistono e sono condizioni di possibilità della stessa giuridicità.

La *restorative justice*, in questo senso, può essere letta come uno dei più rimarchevoli esempi di una 'inversione di tendenza' rispetto a quella visione giuridica di cui Vico, nel suo tempo, era stato osservatore critico, proponendo un'alternativa risultata – agli esiti storici – scartata, ma non per questo priva di importanti coordinate filosofiche utili per la riflessione contemporanea.

Anzi, proprio leggendo Vico, sorge spontaneo spingersi ad un ripensamento del diritto in chiave dialogica, immaginandolo strutturato intorno ad un'idea dinamica, flessibile, mediativa e solo sussidiariamente coercitiva della giuridicità. In questa visione, la dimensione regolativa ha come scopo primario abilitare e proteggere relazioni di reciprocità interpersonale, e pertanto è favorevole a modelli regolativi partecipativi, possibilmente consensualistici, e ad un ricorso all'eteronomia sussidiario rispetto a ciò che può essere affidato all'autonomia e al *consensus inter partes*. Anche per questo motivo, nell'affrontare il tema del conflitto intersoggettivo, una siffatta concezione privilegia soluzioni non serializzate, e possibilmente ottenute in forme partecipative, ponendo la soluzione imposta e standardizzata come opzione sussidiaria[428]. Ne consegue che l'intervento dell'*auctoritas* – soprattutto pubblica – si esprime nella *ratio* di riequilibrare sbilanciamenti di potere, secondo un concetto di sussidiarietà orientato alla ricerca di una '*appropriate regulation*', che trova proprio nella tutela della intersoggettività la sua *ratio* e il suo limite, nella

---

[428] "Alla *sophia* dell'edificio normativo penalistico" la Restorative Justice "contrappone, o meglio, umilmente affianca la *phronesis* che si preoccupa di fare giustizia nell'immanenza multiforme del caso concreto" a partire dalla "capacità di essere in relazione con l'altro nell'orizzonte della responsabilità" (G. Mannozzi *Sapienza del diritto e saggezza della giustizia. L'attenzione alle emozioni nella normativa sovranazionale in materia di Restorative Justice*, in "Criminalia" 2019, pp.141-180).

duplice accezione di *Grenze* (limite in senso de-limitativo) e di *Schranke* (limite in senso contenitivo)[429].

Quanto sinora tratteggiato – alla luce di studi e occasioni di dialogo maturate in ambiti differenti, ma connessi, dell'esperienza giuridica contemporanea (come, appunto, la *Restorative Justice* e il mondo degli ADR[430]) – non è, con ogni probabilità, una proposta 'vichiana' in senso stretto: tuttavia appare legittimo affermare che, senza il riferimento al pensiero giuridico del Nostro, e al *paradigma scartato* ad esso sotteso, la base filosofica di tali riflessioni si troverebbe priva di coordinate concettuali di fondamentale importanza.

---

[429] Cfr., nuovamente, L. Illetterati, *Figure del limite*, cit., *passim*.

[430] Mi permetto di richiamare le riflessioni che ho proposto, su questa idea dialogica di giustizia e di diritto, con riferimento all'ambito penale in F. Reggio, *Giustizia Dialogica, Luci & Ombre della Restorative Justice*, FrancoAngeli, Milano 2010, e, con riferimento all'ambito civile (ADR), in F. Reggio, *Concordare la norma. Gli strumenti consensuali di soluzione della controversia in ambito civile. Una proposta filosofico-metodologica*, Cleup, Padova 2017.

Conclusioni

"*Se non siesi pio non puossi daddovero esser saggio*". Così – come si è già in precedenza rammentato – Vico ammonisce i suoi lettori al termine della *conchiusone* della *Scienza Nuova*, a rimarcare un aspetto saliente del suo pensiero: la connessione fra saggezza e *pietas*, la quale si esprime, anzitutto, come consapevolezza che vi è un 'oltre' che trascende le potenzialità di pensiero e le capacità pratiche dell'uomo[431]. Dimenticanza del limite – nelle forme tanto di un ottundimento della ragione, quanto di una superbia votata al ripiegamento solipsistico – e dimenticanza del *metà tà physikà* vanno, per il filosofo napoletano, di pari passo, perché il limite è, anzitutto, una soglia verso ciò che è mistero, potenza non dominabile, e che riporta l'uomo al confronto (oltre che con il divino) con la sua stessa finitezza e umanità, lasciandolo peraltro libero di ignorare o dimenticare tale consapevolezza, oppure di accorgersene e farne un punto di appoggio per il proprio cammino tortuoso attraverso la storia.

Sorge spontaneo, a quest'ultimo riguardo, pensare all'interpretazione con cui Martin Buber, in dialogo con la tradizione sapienziale del Chassidismo, si interroga sul motivo per cui, nella *Genesi*, Dio – essendo onnisciente – chieda ad Adamo, dopo il peccato originale, dove egli sia. Il filosofo prosegue ricordando che il primo uomo risponde dicendo di essersi nascosto; "Adamo sei tu" – Adamo è potenzialmente ogni uomo – e dalla consapevolezza di tale nascondimento inizia, o può ri-iniziare il cammino dell'uomo[432].

Un'epoca nella quale l'essere umano rischia nuovamente di nascondersi, anzitutto a se stesso, pare essere, per Buber, proprio quella

---

[431] Il cuore della sapienza, ricorda Roland Barthes, risiede nel cercare, a partire dalla consapevolezza di ciò che non si sa. Per questo essa comporta "nessun potere, un po' di sapere, un po' di intelligenza, e quanto più sapore possibile" (R. Barthes, *Roland Barthes au Collège de France*, IMEC, Saint-Germain la Blanche-Herbe 2002, p. 13).

[432] M. Buber, *Il cammino dell'uomo*, Qiqajon, Bose-Biella 1990, p. 9.

a lui contemporanea, e di cui il presente è sèguito immediato: un momento di crisi che ha la caratteristica di porre radicalmente in discussione "il rapporto fra l'uomo e le cose e nuove relazioni nate dalla sua azione o dal concorso di questa"[433]. In questo frangente "l'uomo si lascia distanziare dalle sue stesse opere (...) e non è più capace di signoreggiare il mondo che egli stesso ha fatto sorgere: questo mondo diviene più forte di lui, si libera di lui, gli sta innanzi nella sua elementare indipendenza, e l'uomo non conosce più la parola che abbia il potere di assoggettare il *Golem* che egli ha creato, e di renderlo inoffensivo"[434]. Non stupisce, dunque, che un altro grande osservatore della crisi dell'uomo contemporaneo, come Martin Heidegger, abbia rilevato, proprio intorno alla metà del Novecento, che "nessuna epoca ha saputo meno della nostra cosa sia l'uomo. Mai l'uomo ha assunto un aspetto così problematico come ai nostri giorni"[435].

La parabola dell'uomo moderno si sarebbe dunque tradotta in quella che Vico definirebbe una '*eterogenesi dei fini*', in cui il dominante si sente esposto al continuo rischio di essere dominato, il *faber* avverte il pericolo di divenire *fabricatus*[436], e le '*magnifiche sorti e progressive*' si sono

---

[433] M. Buber, *Il problema dell'uomo*, Marietti, Genova 2004, p. 58.

[434] M. Buber, *Il problema dell'uomo*, cit., p. 59

[435] M. Heidegger, *Kant und das Problem der Metaphysik*, in M. Heidegger, *Gesamtausgabe*, I Abt.: *Veroeffentlichen Schriften* (1910-1976), Klostermann, Frankfurt A.M., p. 209. Heidegger espone questa considerazione muovendo, in particolare, dall'opera di Max Scheler, *Die Stellung des Menschen in Kosmos* (così in nota nell'opera sopra citata). Non è possibile dar conto della vastissima produzione filosofica novecentesca in merito alla problematicità della domanda antropologica. Mi limito a citare, pertanto, alcune opere che hanno influenzato il mio personale percorso: cfr., M. Buber, *Das Problem der Menschen*, in M. Buber, *Werke. Schriften zur Philosophie*, 1. Band, München 1962; G. Marcel, *L'homme problématique*, Aubier-Montaigne, Paris 1955; F. Chiereghin, *Dall'antropologia all'etica. All'origine della domanda sull'uomo*, Guerini, Milano 1997.

[436] Cfr. G. Israel, *Il giardino dei noci: incubi postmoderni e tirannia della tecnoscienza*, Cuen, Napoli 1998; V. Possenti, *L'uomo postmoderno. Tecnica, religione e politica*, Marietti, Milano 2009. Sull'idea di *homo fabricatus* nella lettura di alcune

tradotte in una corsa frenetica di cui si scorgono sempre più spesso i profili inquietanti e gli elementi di insensatezza, trasformando la ricerca di senso dell'uomo occidentale in un 'lungo addio' dalla stessa domanda[437].

Da questo punto di vista, si può dunque sostenere che l'Occidente non abbia ascoltato l'esortazione di Vico relativamente alla *pietas* e alla *sapientia*, incamminandosi, per contro, in un lento e progressivo "processo di espulsione del riferimento ad una dimensione trascendente da ciò che è ritenuto in grado di fondare saperi e conoscenze", che, è appunto, una delle possibili definizioni della *secolarizzazione*[438]. I più marcati effetti di tale fenomeno si rendono visibili proprio nel contesto attuale, nell'orizzonte frantumato e caleidoscopico in cui l'uomo contemporaneo si trova ad attraversare una crisi di identità alquanto profonda, e di cui è specchio, molto spesso, la costante paura di trovarsi 'travolto' dai suoi stessi prodotti – ovvero dalla tecnica – di cui egli avverte, spesso oscuramente, di aver perso il controllo[439].

---

proposte contemporanee particolarmente provocatorie rinvio ad A.L. Kiss, *"Zukunftsmensch" als Homo fabricatus. Bemerkungen über die futuristische Anthropologie von Jean Baudrillard und Peter Sloterdijk*, in "Sythesis Philosophica" 61, 1/2016, pp. 55-64.

[437] Cfr., sul punto, in dialogo con il pensiero heideggeriano, G. Vattimo, *Le avventure della differenza. Che cosa significa pensare dopo Nietzsche e Heidegger*, Garzanti, Milano 2001.

[438] Questo processo è così definito in F. Cavalla, *All'origine del diritto al tramonto della legge*, Jovene, Napoli 2011, p. 161. Cfr., altresì, sempre nel dibattito filosofico-giuridico contemporaneo, L. Palazzani (a cura di), *Filosofia del diritto e secolarizzazione. Profili giuridici ed etici*, Studium, Roma 2011.

[439] Sul legame fra crisi di identità dell'uomo contemporaneo e dominio della tecnoscienza, rinvio a M. Heidegger, *La questione della tecnica*, in *Saggi e discorsi*, Mursia, Milano 2007. Se, come osserva l'Autore, la tecnica è un'attività propriamente umana, rimane da chiedersi su cosa poggi il compito di pensare e delineare i fini della stessa (attività invero esterna e che precede e dirige l'attività tecnica) e qui si pone un profilo problematico: nel pensiero che calcola non c'è salvezza, anzi lì si nasconde il pericolo più serpeggiante e

Da questo fenomeno non è immune il campo del diritto, che si dibatte, oggi, entro una frammentazione sia concettuale che pratica, assorbito da procedure e categorie spesso autoreferenziali, in cui la normatività tende a diluirsi nel provvedimento puntuale, perdendo di vista una visione d'insieme, e financo, come si è visto, l'uomo stesso, consegnandolo ad una giuridicità spesso disorientata nell'individuazione di *rationes*, fini e mezzi che la ispirano, fino a tradursi – come è stato lucidamente preconizzato all'interno del dibattito filosofico-giuridico contemporaneo – in una *possibilità impazzita*[440].

Viene spontaneo chiedersi, rileggendo Vico, se l'uomo moderno, intento a *cogitare* e *minuere*, e a fare del mondo un oggetto di dominio e trasformazione, non abbia finito per *minuere – anatome quaedam* – se stesso[441]. Nella sua lucida critica al *mainstream* del pensiero moderno, del resto, Vico aveva colto l'affermarsi di un modello antropologico definito, di cui egli aveva osservato i limiti ed i pericoli: quello dell'*homo faber*, nel quale sono strettamente allacciati una gnoseologia razionalista, un'antropologia individualistica ed un'etica utilitarista[442].

---

pervasivo. Sicché, come osserva lo stesso Heidegger, "Ciò che è veramente inquietante non è che il mondo si trasformi in un completo dominio della tecnica. Di gran lunga più inquietante è che l'uomo non è affatto preparato a questo radicale mutamento del mondo. Di gran lunga più inquietante è che non siamo ancora capaci di raggiungere, attraverso un pensiero pensante, un confronto adeguato con ciò che sta realmente emergendo nella nostra epoca" (M. Heidegger, *L'abbandono*, Il Melangolo, Genova 1983, p. 31).

440 Cfr. B. Montanari (a cura di), *La possibilità impazzita. Esodo dalla Modernità*, Giappichelli, Torino 2005.

441 Va rammentata, a questo riguardo, l'originale lettura di Eric Voegelin, che vede in Vico un fiero oppositore delle tendenze gnostiche che, proprio nella sua epoca, avrebbero iniziato a prendere il sopravvento all'interno della mentalità occidentale. Cfr. E. Voegelin, *La Scienza Nuova nella storia del pensiero politico,* Guida, Napoli 1996.

442 Del resto, come osservava Hannah Arendt, fra gli atteggiamenti tipici dell'*homo faber* si trova "la sua strumentalizzazione del mondo, la sua fiducia negli strumenti e nella produttività del costruttore di oggetti di artificiali, nella

Secolarizzazione e *homo faber* sono dunque strettamente connessi, perché è tratto caratterizzante di quest'ultimo un rapporto di ostilità, se non di rimozione, nei confronti del limite, e ciò comporta la tendenza a trascurare tutto ciò che possa rimandare alla finitezza umana, trascendendola.

Eppure, come Vico ha cercato di mostrare in molti punti del suo percorso filosofico, la figura antropologica dell'*homo faber* non è l'unica concezione che l'epoca moderna ha tramandato: l'uomo vichiano, anzi, come si è visto, rammenta che il risveglio dell'umanità in senso pieno si dà attraverso altre dimensioni, come quelle dell'accorgersi, del contemplare, dell'interrogare, del dialogare, dell'agire inteso come *prattein*[443].

Vico ricorda, dunque, che l'*homo faber* è una figura concettuale filosoficamente e storicamente contestualizzata – per quanto dominante nell'Occidente moderno – ma rivela nel contempo la

---

portata omnicomprensiva della categoria mezzi-fine, la sua convinzione che ogni problema possa essere risolto e ogni motivazione umana ridotta al principio dell'utilità; la sua sovranità, che considera come un '*immenso tessuto da cui possiamo ritagliare ciò che vogliamo*', la sua equiparazione di intelligenza ed ingegnosità, cioè il suo disprezzo per ogni pensiero che non possa essere considerato" come orientato alla fabbricazione di oggetti artificiali o di strumenti utili in tal senso; "infine la sua identificazione acritica della fabbricazione con l'azione"(H. Arendt, *Vita activa. La condizione umana*, Bompiani, Milano 2000, p. 227).

[443] Aldo Vedemiati osserva come intorno all'*homo faber*, in passato "parte ausiliaria dell'*homo sapiens*", si sia determinata, in epoca moderna, una "svolta antropologica": un tempo era la tecnica ad essere "al servizio dell'esistenza umana, guidata dalla saggezza. Ora invece la ragione strumentale prende il predominio (…) e conduce ad una sorta di atrofizzazione dell'identità dell'uomo" (A. Vendemiati, *Universalismo e relativismo nell'etica contemporanea*, Marietti, Genova 2007, p. 31). Lo stesso autore dedica pregnanti pagine al recupero della *phronesis* e del *prattein* nell'etica della seconda metà del XX secolo, (Ivi, pp. 149 e ss).

possibilità di un'alternativa, che sembra più dirigersi verso un *homo dialogicus*, classicamente inteso[444].

Se l'uomo contemporaneo raccoglie dall'*homo faber* un'eredità travagliata, densa di crepe, timori e disillusioni, in cui il *gap* tra ciò che l'uomo 'può fare' e ciò che egli effettivamente 'sa' restituisce paure, e la percezione di un perdurante stato di crisi, viene spontaneo chiedersi se il 'paradigma scartato' di Vico costituisca, oltre che un'occasione perduta, un'occasione *per sempre* perduta.

Il tema è, in altri termini, quello della irreversibilità della parabola dell'Occidente, o della possibilità di percorsi alternativi[445].

Si tratta, invero, di una domanda troppo profonda e complessa per trovare, in questa sede, anche solo un tentativo di risposta.

Tuttavia, ciò che appare lecito qui affermare è che rispetto ad un simile quesito, il confronto con il pensiero filosofico e giuridico di Vico costituisce ancora un riferimento prezioso e ricco di orizzonti inesplorati.

---

[444] Rinvio, sul punto, alle riflessioni proposte in F. Zanuso, *Conflitto e controllo sociale nel pensiero politico-giuridico moderno*, Cleup, Padova 1993 e, più estesamente, in F. Cavalla, *Sul fondamento delle norme etiche*, in E. Berti (a cura di), *Problemi di etica: fondazione, norme, orientamenti*, Gregoriana, Padova 1990, pp.142-202.

[445] Leggendo, invero, Eric Voegelin, parrebbe di scorgere già una traccia di risposta laddove si consideri che l'idea di un ineluttabile cammino verso la decadenza sia una possibile variante di un approccio gnostico alla storia umana, che Vico stesso non condividerebbe, non da ultimo per il ruolo che il filosofo napoletano attribuisce alla Provvidenza. Cfr. E. Voegelin, *La Scienza Nuova nella storia del pensiero politico,* cit., *passim.* Non va tuttavia dimenticato come nella stessa *conchiusione* della *Scienza Nuova* Vico rammenti che la Provvidenza talora si avvale di 'mezzi correttivi' dagli esiti particolarmente drammatici e financo distruttivi, sia pur come *extrema ratio* e con un intento, in ultima istanza, salvifico. Rimane dunque aperta la questione sulla possibilità stessa della sopravvivenza di una società o di una cultura, posto che esse costituiscono un 'ambito di possibilità' e non un 'luogo totalizzante' per l'umanità, in senso ampio intesa.

Nota preliminare alla bibliografia

La citazione delle opere di Vico è operata, d'ora in poi secondo i criteri bibliografici formalmente indicati dal Centro Studi vichiani (Università Federico II Napoli). Segnatamente, le opere sono così citate: Ars = De arte poetica; De Ant. = De antiquissima italorum sapientia (1710); De const. = De constantia jurisprudentis (1721); De mente = De mente heroica (1732); De rat. = De nostri temporis studiorum ratione (1709); De Uno = De uno universi juris principio et fine uno (1720); Du = Diritto universale (1721-23); Epist. = Lettere; Inst. = Institutiones oratoriae; Orat. = Orazioni inaugurali; Poesie = Poesie; Risp. I = Risposta (1711); Risp.II = Risposta (1712) Sin. = Sinopsi (1720); Sn25 = Principi di una Scienza nuova ("scienza nuova prima" 1725); Sn30 = Scienza nuova "seconda" (1730); Sn44 = La Scienza nuova (1744); Vita = Autobiografia (1728).

Le opere indicate con tali criteri si riferiscono ai seguenti testi:

Giambattista Vico: *Opere Giuridiche, II Diritto Universale*, Sansoni, Firenze, 1974, contenente: Sinopsi del diritto universale; De uno universi juris uno principio et fine uno; De constantia ìurisprudentis;

Giambattista Vico: *Opere*, Mondadori, Milano, 2001, contenente: Vita scritta da se medesimo; De nostri temporis studiorum ratione; Lettere; De mente heroica; Princìpi di scienza nuova (1744); Princìpi di scienza nuova (1725);

Giambattista Vico, *Institutiones Oratoriae*, Suor Orsola Benincasa Napoli, 1989;

Giambattista Vico: *De antiquissima Italorum sapientia*, Sansoni, Firenze, 1998.

Bibliografia

Abel, F. - Marsch, F. H., *Punishment and Restitution*, Greenwood Press, Westport-London 1984

Abel, R., *The Politics of Informal Justice*, New York 1982

Acocella, G., *Sulle origini dello 'sconfinamento giudiziario' nel sistema politico italiano*, in "Rivista di Studi Politici", XXXVI, 3/2014, pp. 121-139

Agrimi, M., *Vico e la tradizione platonica*, in "Bollettino del Centro di Studi Vichiani", XXII-XXIII, 1992-1993, pp. 76-77

Althusius, (Johannes Althusius), *Politica methodice digesta* (1614), Harvard University Press, Cambridge (MA) 1932

Ambrosetti, G., *Diritto naturale cristiano*, Giuffrè, Milano 1985

Ambrosetti, G., *Idea ed esperienza del diritto in Vico*, in E. Riverso (ed.), *Leggere Vico*, Spirali, Milano 1982

Ambrosetti, G., *Il perenne monito di Vico per la filosofia del diritto positivo*, in "*Archivio Giuridico*", 1-2/1974

Ambrosetti, G., *La storia del giusnaturalismo nella storia d'Occidente*, in "Jus" 3-4/1963, pp. 317-328;

Ambrosetti, G., *Lezioni di Filosofia del Diritto*, Modena, 1976, pp. 324-332

Amerio, F., *Introduzione allo studio di Vico*, SEI, Torino 1947

Ancel, M., *La défense sociale nouvelle*, Cujas, Paris 1966

Antonazzi, M., *Il Negoziato cognitivo*, in F. Reggio – C. Sarra (a cura di), *Diritto, metodologia giuridica e composizione del conflitto*, Primiceri, Padova 2020, pp. 181-218

Antonazzi, M., *Il negoziato psicologico*, Eurilink, Roma 2017

Anzalone, A., *Irrenunciable positivación, esencialidad natural e historicidad invisible del derecho: más allá del verum ipsum factum*, in "Sección Abierta del número 56 (2022) de la Revista Anales de la Cátedra Francisco Suárez, editada por el Departamento de Filosofía del Derecho de la Universidad de Granada y la Editorial Universidad de Granada" (accettato in pubblicazione nella menzionata rivista, anno 2022. Citato su gentile concessione dell'Autore).

Arendt, H., Vita activa. *La condizione umana*, Bompiani, Milano 2000

Auerbach, S., *Justice Without Law? Non-Legal Dispute Settlement in American History*, Oxford 1983

Badaloni, N., *Sul vichiano diritto naturale delle genti*, in G. B. Vico, *Opere giuridiche*, cit., pp. 1-XLI

Badaloni, N., *Vico prima della Scienza Nuova*, in "Rivista di filosofia", LIX, 1968, pp. 46-62

Bandes, S. A. – Blumental, J. A., *Emotions and the Law*, in "Annual Review of Law and Social Science, 8/2012, pp. 161-181;

Barthes, R., *Roland Barthes au Collège de France*, IMEC, Saint-Germain la Blanche-Herbe 2002

Bassi, R., *Il* De Uno *alla luce dell'*Exemplum tractatus de justitia universali, sive de fontibus juris *di Francis Bacon*, in "Laboratorio dell'ISPF", XIII, 2016, pp. 1-33

Battistini, A., *Vico lettore agonistico*, in "Studi di Estetica", XIX, 3-4/1991, pp. 249-259

Battistini, A., *Vico tra antichi e moderni*, Il Mulino, Bologna 2004

Becchi, P., *Per un'idea 'federativa' di Stato nazionale*, in "Paradoxa", 2/2017, pp. 157-169

Belley, J. G., *Une justice de la seconde modernité: propositions de principes généraux pour le prochain code de prócedure civile*, in "McGill Law Journal", vol. 46, 2/ 2001, pp. 317-372

Bellofiore, L., *La dottrina del diritto naturale in G.B. Vico*, Giuffrè, Milano, 1954

Bellofiore, L., *Morale e Storia in G. B. Vico*, Giuffrè, Milano 1972

Belponer, M., *La traccia della Bibbia nel Diritto Universale di Vico*, in T. Piras (a cura di), *Gli scrittori italiani e la Bibbia*, EUT, Trieste 2011, pp. 55-66

Benedetto XVI, *Gesù di Nazaret. Seconda parte. Dall'ingresso in Gerusalemme fino alla Risurrezione*, Bur, Milano 2012

Benson, B. L., *Giustizia senza stato. I tribunali mercantili dell'Europa medievale e i loro equivalenti moderni*, in D. T. Beito, P. Gordon e A. Tabarrok (a cura di), *La città volontaria*, Rubbettino-L. Facco: Treviglio-Soveria Mannelli 2010, pp. 61-93

Berlin, I., *Il divorzio tra le scienze e le discipline classiche, in E. Nuzzo (a cura di), Giambattista Vico*, Armando, Roma, 1975, p. 226 e ss.

Bianchi, H., Van Svaanigen, R. (a cura di), *Abolitionism: Toward a Non-repressive Approach to Crime*, Free University Press, Amsterdam 1986

Bianchi, L., *"E contro la pratica de' governi di Baile, che vorrebbe senza religioni possano reggere le nazioni": note su Bayle nella corrispondenza di Vico*, in "Bollettino del Centro di Studi Vichiani", XXX, 2000, p. 27

Blad, J. R., *Civilization of Criminal Justice: Restorative Justice Amongst Other Strategies*, in D. Cornwell , J Blad and M Wright (a cura di), *Civilising Criminal Justice: A Restorative Agenda for Penal Reform* (Hook , Waterside Press) pp. 209 – 254

Blad, J. R., Cornwell, D., Wright, M., *'Civilizzare' la giustizia penale. Principi, filosofia e prassi della Restorative Justice secondo una prospettiva internazionale e interdisciplinare,* in *"Mediares"*, 20/2013, pp. 141-154

Blad, J. R., Van Mastrigt, H., Uitdriks, N. (a cura di), *The Criminal Justice System as a Social Problem. An Abolitionist Perspective*, Mededelingen van net Juridisch Instituut van de Erasmus Universiteit, Rotterdam 1987

Blad, J., Cornwell, D., Wright, M., (a cura di), *Civilising Criminal Justice. A Restorative Agenda for Penal Reform*, Waterside Press: Hook-Hampshire 2013

Bobbio, N., *Giusnaturalismo e positivismo giuridico*, Giuffrè, Milano 1965

Bobbio, N., *Il diritto naturale nel secolo XVIII*, Giappichelli, Torino 1947

Bobbio, N., *Il positivismo giuridico*, Giappichelli, Torino, 1961

Bonvecchio C., Coccopalmerio, D. (a cura di), *Ponzio Pilato o del giusto giudice. Profili di simbolica giuridica*, Cedam, Padova 1998

Botturi, F., *Hermeneutica del evento. La filosofia de la interpretecion de Giambattista Vico*, in "Quadernos sobre Vico" 9-10/1998, pp. 43-56

Botturi, F., *L'etica ermeneutica di G.B. Vico*, pubblicato *online* il 18/02/2005 su: http://www.ccdc.it/DettaglioDocumento.asp?IdDocumento=76&IdCategoria=13&IdAutore=&IdArgomento=&testo=&Id=3, p. 10).

Brunk, C.G., *Restorative Justice and the Philosophical Theories of Criminal Punishment*, in M.L.Hadley (a cura di), *The Spiritual Roots of Restorative Justice*, State University of New York Press, 2001, pp. 31 e ss.

Buber, M., *Das Problem der Menschen*, in M. Buber, *Werke. Schriften zur Philosophie*, 1. Band, München 1962

Buber, M., *Il cammino dell'uomo*, Qiqajon, Bose-Biella 1990

Buber, M., *Il problema dell'uomo*, Marietti, Genova 2004

Cacciari, M., *Ricorsi Vichiani*, in G.B. *Vico, Metafisica e Metodo*, Bompiani, Milano 2008, pp. 556-574

Cacciatore G., Cantillo, G., *Materiali su "Vico in Germania", in* 'Bollettino del Centro di Studi Vichiani", *XI*, 1981, pp. 13-32

Cacciatore, G., Caianiello, S., *Vico anti-moderno*, in "Bollettino del Centro di Studi Vichiani", XXVI-XXVII, 1996/1997, pp. 205-218

Cacciatore, G., *Contro le borie "ritornanti": per un sano uso della critica*, in "Trans/Form/Ação", Marília, v. 37, n. 3/2014, pp. 45-56

Cacciatore, G., *Interpretazioni storicistiche della Scienza Nuova*, in *Filosofia e storiografia. Studi in onore di Girolamo Cotroneo*, a cura di F. Rizzo, Rubbettino, Soveria Mannelli 2005, pp. 53-70

Calasso, R., *Introduzione al diritto comune*, Giuffrè, Milano 1951

Cantone, G., *Il concetto filosofico di diritto in Giambattista Vico*, Società Editrice Siciliana, Mazara 1952

Capograssi, G., *Dominio, libertà, tutela nel De Uno*, in "Rivista Internazionale di Filosofia del Diritto", 3/1925, III, pp. 437-451

Capograssi, G., *Il significato dello Stato contemporaneo*, 1942, ora in G. Capograssi, *Opere*, IV vol, Giuffrè, Milano 1959

Capograssi, G., *Studi sull'esperienza giuridica*, 1932, in ora in Id., *Opere*, Giuffrè, Milano 1959, II vol.

Capograssi, G., *L'attualità di Vico*, in Id., *Opere*, Giuffrè, Milano 1959

Caponigri, R., *Jus and Aevum: The Historical Theory of Natural Law in G.B. Vico*, in "American Journal of Jurisprudence" 25/1980, pp. 146–172, 163

Caporali, R., *Heroes gentium: Sapienza e politica in Vico*, Il Mulino, Bologna, 1992

Caporali, R., *La tenerezza e la barbarie. Studi su Vico*, Liguori, Napoli 2006

Caporali, R., *Vico e la "temperatura": sull'idea di stato misto nel Diritto Universale*, in "Biblioteca Elettronica su Montesquieu e Dintorni" 1/2009, pp. 1-16

Caporali, R., *Vico: quale modernità?*, in "Rivista di Filosofia", 1/ 1996, pp. 357-378

Caramella, S., *Giambattista Vico*, in *Grande Antologia Filosofica*, Giuffrè, Milano, 1964

Carbone, R., *Malebranche, Locke, Vico: momenti di riflessione sulla ragione universale*, in M. Carbi, R. Carbone, A. Corrano, E. Massimilla, *Ragione,*

Razionalità e Razionalismo in età moderna e contemporanea, fedOA, Napoli 2020, pp. 191-218

Cario, R., *Justice restaurative*, in G. Lopez- S.Tzitzis (a cura di), *Dictionnaire des Sciences Criminelles*, Dalloz, Paris 2004

Carravetta, P., *Reflections on Rhetorics and Hermeneutics in Vico and Heidegger*, in F. Ratto (a cura di), *All'ombra di Vico. Testimonianze e saggi vichiani in ricordo* di Giorgio Tagliacozzo, Sestante, Acquaviva Picena 1997, pp. 211-222

Cartabia, M., Simoncini, A (a cura di), *La legge di re Salomone. Ragione e diritto nei discorsi di Benedetto XVI*, Bur, Milano 2013

Caruso, S., *La miglior legge del regno, Consuetudine, diritto naturale e contratto nel pensiero e nell'epoca di John Selden* (1584-1654), Giuffrè, Milano 2001

Cavalla, F. (a cura di), *Cultura moderna ed interpretazione classica*, Cedam, Padova 1997.

Cavalla, F., "Topica Giuridica", in Enciclopedia del Diritto, Giuffrè, Milano 1991, pp. 720–39

Cavalla, F., *All'origine del diritto al tramonto della legge*, Jovene, Napoli 2011

Cavalla, F., *Appunti intorno al concetto di secolarizzazione*, in L. Palazzani, *Filosofia del diritto e secolarizzazione. Percorsi, Profli, Itinerari*, Edizioni Studium, Roma 2011, pp. 11-38

Cavalla, F., *Dalla "retorica della persuasione" alla "retorica degli argomenti". Per una fondazione logica rigorosa della topica giudiziale*, in *La retorica fra scienza e professione legale* Giuffrè, Milano 2004, pp. 25-82

Cavalla, F., *L'origine e il diritto*, FrancoAngeli, Milano 2017

Cavalla, F., *La pena come problema*, Cedam, Padova 1979

Cavalla, F., *La pena come riparazione. Oltre la concezione liberale dello stato: per una teoria radicale della pena*, in F. Cavalla - F. Todescan (a cura di), *Pena e riparazione*, Cedam, Padova 2000, pp. 1 – 109.

Cavalla, F., *La prospettiva processuale del diritto. Saggio sul pensiero di Enrico Opocher*, Cedam, Padova, 1991

Cavalla, F., *La verità dimenticata. Attualità dei presocratici dopo la secolarizzazione*, Cedam, Padova 1996

Cavalla, F., *Sul fondamento delle norme etiche*, in *Problemi di etica: fondazione, norme, orientamenti*, a cura di E. Berti, Gregoriana, Padova 1990, p. 142-202

Cavalla, F., *Sull'attualità del dibattito fra giusnaturalismo e giuspositivismo*, in "Rivista di Filosofia del Diritto", 1/2012, pp. 107-122

Cavalla., F., *Appunti intorno al concetto di secolarizzazione*, in L. Palazzani (a cura di), *Filosofia del Diritto e Secolarizzazione. Percorsi, profili, itinerari*, Edizioni Studium, Roma 2011, pp. 11-38

Cavanna, A., *Storia del diritto moderno in Europa*, Giuffrè, Milano, 2000

Chevallier, J.J., *Storia del pensiero politico*, vol. II, Il Mulino, Bologna 1990

Chiereghin, F., *Dall'antropologia all'etica. All'origine della domanda sull'uomo*, Guerini, Milano 1997

Chiereghin, F., *Emozione, comprensione e azione nell'opera d'arte*, in «Verifiche» 1-3/2011, pp. 63-121.

Chiereghin, F., *Possibilità e limiti dell'agire umano*, Marietti, Genova 2000

Chiocchetti, E., *La filosofia di Giambattista Vico*, Milano, 1935

Christie, N., *Conflicts as Property*, in "British Journal of Criminology", 17/1977

Christie, N., *Limits to pain*, Martin Robertson, Oxford 1981

Ciccarelli, P., *Sul problema cartesiano del criterio di verità nel* Liber Metaphysicus *di Giambattista Vico*, in "Giornale Critico di Storia delle Idee" 2/2017, pp. 239-252.

Composta, D., *L'ateismo nella filosofia del diritto*, in "Salesianum", XXVI, 1964, pp. 3-53

Consolo, C., *Spiegazioni di diritto processuale civile*, Cedam, Padova 2008

Cooley, J. W., *Classical Approach to Mediation - Part I: Classical Rhetoric and the Art of the Persuasion in Mediation*, in "University of Dayton Law Review", 19:1 (1993) pp. 83-131

Cooley, J.W., *Classical Approach to Mediation - Part II: The Socratic Method and Conflict Reframing in Mediation*, in "University of Dayton Law Review", 19:2 (1994), pp. 589-632.

Cooley, J. W., *The Mediator's Handbook. Advanced Practice Guide for Civil Litigation*, National Institute for Trial Advocacy Press: Boulder (CO) 2006

Corsano, A., "*Cicerone, il diritto e Vico*", in *Bollettino del Centro di Studi Vichiani, XVII, 1977*, pp. 122-123

Cosi, G., Foddai, M.A., *Lo Spazio della Mediazione. Conflitto di diritti e confronto di interessi*, Giuffrè, Milano 2003

Cosi, G., Romualdi, G., *La mediazione dei conflitti. Teoria e pratica dei metodi ADR*, Giappichelli, Torino 2010;

Cosi, G., *Invece di giudicare. Scritti sulla mediazione*, Giuffrè, Milano 2007.

Costa, G., *G.B. Vico's Global Reception: Europe, Latin America, and Asia*, in "Eighteenth-Century Studies" Vol. 44/2011, pp. 538–141;

Costantini, F., *L' «ontologia sociale» di Giovanni Ambrosetti. Una visione del diritto naturale classico tra «verità» e «prassi»*, ESI, Napoli 2014.

Cotta, S., *Diritto, persona, mondo umano*, Giappichelli, Torino 1989

Cotta, S., *Giusnaturalismo*, voce, in *Enciclopedia del diritto*, Milano, 1970

Cotta, S., *Il diritto nell'esperienza. Linee di ontofenomenologia del diritto*, Giuffrè, Milano 1991

Cragg, W., *The Practice of Punishment. Towards a Theory of Restorative Justice*, Routeledge: London-New York 1992

Croce, B., *Illusione degli autori sui "loro" autori*, in "Quaderni della Critica", 14/1949, pp. 84-90

Croce, B., *La Filosofia di G.B.Vico*, Laterza, Bari 1922

D'Agostino, F., *Filosofia del Diritto*, Giappichelli, Torino 2000

Dalmasso, G.F., *La verità in effetti. La salvezza dell'esperienza nel neoplatonismo*, Jaca Book, Milano 1996

Damasio, R., *Descartres' Error. Emotion, Reason and Human Brain*, Penguin Books, New York 2005

Damiani, A.M., *Die Wiederlegung des metaphysischen und politischen Skeptizismus: Vico gegenueber Descartres und Grotius*, in "Archiv fuer Rechts – und Sozialphilosophie", 2/2000, pp. 207-214

De Palo, G. - Guidi, G., *Risoluzione delle controversie. ADR nelle corti federali degli Stati Uniti*, Giuffrè, Milano 1999.

Del Vecchio, G., *Sulla comunicabilità del diritto*, in "Rivista internazionale di Filosofia del diritto", 1938, pp. 606-613

Denenberg, T.S. - Denenberg, R.V., *Dispute Resolution: Settling Conflicts without Legal Action*, Public Affairs Committee: New York 1981

Di Cesare, D., *Parola, Logos, Dabar: linguaggio e verità nella filosofia di Vico*, in "Bollettino del Centro di Studi Vichiani", XXII-XXIII, 1992-1993, p. 251-292

Di Giovanni, P., *Filosofia e Psicologia nel positivismo italiano*, Laterza, Roma-Bari 2006

Donini, P., *Il delitto riparato. Una disequazione che può trasformare il sistema sanzionatorio?* In "Diritto penale contemporaneo"; 2/2015, pp. 236-250

Duni, E., *La Scienza del Costume o sia sistema sul diritto universale*, Simoniana, Napoli 1775

Duni, E., *Saggio sulla Giurisprudenza Universale* (1760), edizione del 1845, Stamperia della Rev. Cam. Apost, Roma 1845

Ehrlich, E., *I fondamenti della sociologia del diritto*, Giuffrè, Milano 1975

Ehrlich, E., *Recht und Leben. Gesammelte Schriften zur Rechtstatsachenforschung und zur Freirechtslehre*, (a cura di Manfred Rehbinder), Duncker Humblot, Berlin 1967

Fassò, G., *I "quattro auttori" del Vico, saggio sulla genesi della "Scienza Nuova"*, Giuffrè: Milano 1949

Fassò, G., *Introduzione*, in U. Grozio, *Il diritto della guerra e della pace – Prolegomeni e libro primo*, a cura di F. Arici e F. Todescan, Cedam, Padova 2010, pp. XIII-XLVI.

Fassò, G., *Storia della Filosofia del Diritto*, Laterza, Bari-Roma 2001, vol. I e II;

Fassò, G., *Vico e Grozio*, Guida, Napoli 1971

Faucci, D., *Vico e Grozio, giureconsulti del genere umano*, in "Filosofia", XIX, 1968, pp. 502-523

Febbrajo, E., *Ehrlich: dal diritto libero al diritto vivente*, in «Sociologia del diritto», 9/1982, p. 137-159

Feteris, E.T., *Rationality in Legal Discussion. A Pragma-Dialectical Perspective*, in "Informal Logic", 1993, pp. 179-188

Fisch, M.H., *Vico on Roman Law*, in "New Vico Studies" 19/2001, pp. 1–28

Fisher, R. – Ury, W. - Patton, B., *Getting to Yes. Negotiating Agreement without giving in*, Penguin Books, Londra 1981

Foddai, M. A., *Alle origini degli Alternative Dispute Resolution: il caso degli Stati Uniti d'America*, in "Giureta - Rivista di Diritto dell'Economia, dei Trasporti e dell'Ambiente", 10/2012, pp. 407–22

Folchieri, G., *Bene comune e legislazione nella dottrina di Vico, in* 'Rivista internazionale di Filosofia del Diritto", III, 1925, pp. 494-511

Fontana, S., *Parola e comunità politica. Saggio su vocazione e attesa*, Cantagalli, Siena 2010

Friedman, B., *Popular Dissatisfaction with the Administration of Justice: a Restrospective (and a Look ahead)*, in "Indiana Law Review", 5 /2007, pp. 1193–1214

Fuselli, S., *Apparenze. Accertamento giudiziale e prova scientifica*, FrancoAngeli, Milano 2008

Fuselli, S., *La lanterna di Diogene. Alla ricerca dell'umano negli esperimenti di ibridazione*, in F. Zanuso (a cura di), *Il Filo delle Parche. Opinioni comuni e valori condivisi nel dibattito biogiuridico*, FrancoAngeli, Milano 2009, pp. 91-110

Fuselli, S., *Ragionamento Giudiziale e sillogismo*, in F. Cavalla, *Retorica, processo, verità*, Cedam, Padova 2007

Fuselli, S., *Sulle radici antropologiche della giustizia. Spunti per un dialogo fra neuroscienze e filosofia del diritto*, in F. Zanuso (a cura di), *Custodire il fuoco*. FrancoAngeli, Milano 2013, pp. 83-120

Fuselli, S., *Tra legge e sentenza. Sul ruolo delle emozioni nella decisione giudiziale*, in C. Sarra e M. I. Garrido Gómez (a cura di), *Positività giuridica. Studi ed attualizzazione di un concetto complesso*, FrancoAngeli, Milano 2018, pp. 19-50

Gadamer, G., *Verità e Metodo*, Bompiani, Milano 1983

Galeazzi, U., *Ermeneutica e Storia in Vico. Morale, diritto e società nella 'Scienza Nuova'*, Japadre, Roma-L'Aquila 1993

Gebhardt, J., *Sensus communis: Vico e la tradizione europea antica*, in "Bollettino del Centro di Studi Vichiani", XXII-XXIII, 1992-1993, pp. 43-64

Geldseltzer, L., *Il metodo di studi di Vico e la giurisprudenza tedesca, in* 'Bollettino del Centro di Studi Vichiani", XXII-XXIII, 1992-1993

Gentile G, *Studi Vichiani*, Le Lettere, Firenze 1927

Gentile, F., *Intelligenza politica e ragion di stato*, Giuffré, Milano 1983

Gentile, F., *Politica aut/et statistica*, Milano, Giuffrè 2003

Gianniti, P., (a cura di), *Processo civile e soluzioni alternative delle liti. Verso un sistema di giustizia integrato*, Aracne, Rimini 2016;

Giarrizzo, G., *Aequitas e Prudentia, storia di un topos vichiano*, in "Bollettino del centro di studi vichiani", n VII, 1977, pp. 5-29

Giarrizzo, G., *Del 'senso comune' in Vico*, in G. Giarrizzo, *Vico, la politica e la storia*, Guida, Napoli 1981, pp. 125-141;

Giarrizzo, G., *Vico, la politica e la storia*, Guida, Napoli 1981

Gismondi, A., *Verità, ragione, storicità. Forme della ragione nella Napoli di G. B. Vico*, Giannini, Napoli 2011.

Giuliani, A., La *filosofia del processo in Vico ed il suo influsso in Germania*, in "Bollettino del Centro di Studi Vichiani", XXII-XXIII, 1992-1993, pp. 345-367

Grassi, E., *La priorità del senso comune e della fantasia: l'importanza filosofica di Vico oggi*, in E. Grassi, *Vico e l'Umanesimo*, Guerini e Associati, Milano 1992, 41-67

Grassi, E., *The Priority of Common Sense and Imagination: Vico's Philosophical Relevance Today*, in "Social Research" 43/1976, pp. 553–580

Grassi, E., *Vico and humanism*, tr. it. *Vico e l'umanesimo*, Guerini e associati, Milano 1992.

Greco Morasso, S., *Argumentation in Dispute Mediation*, John Benjamin Publishing Company: Amsterdam 2011

Greco, C., *Dualismo e poiesis in Giambattista* Vico, in G.B. *Vico, Metafisica e Metodo*, Bompiani, Milano 2008, pp. 460-553

Grimaldi, F., *Riflessioni sopra l'ineguaglianza fra gli uomini*, Vincenzo Mazzola-Vocola, Napoli 1779-1780

Grossi, P., *L'Europa del Diritto*, Laterza, Roma-Bari 2009

Grossi, P., *L'ordine giuridico medievale*, Laterza, Roma-Bari 1999

Grossi, R., *Understanding Law and Emotion*, in "*Emotion Review*", 7/2015, pp. 55-60.

Guastini, R., *Dalle fonti alle norme*, Giappichelli, Torino, 1990

Habermas, J., *Dottrina politica classica e filosofia sociale moderna*, in *Prassi politica e teoria critica della società*, Il Mulino, Bologna, 1973

Habermas, J., *Il discorso filosofico della modernità*, Laterza: Roma-Bari 1997

Hagel III; J R. – Barnett, R. E. (a cura di), *Assessing the Criminal. Restitution, Retribution and the Legal Process*, Ballinger Pub. Co., Cambridge (MA) 1977

Heidegger, M., *Die Grundbegriffe der Metaphysik: Welt, Endlichkeit, Einsamkeit*, Klostermann, Frankfurt am Main 1983

Heidegger, M., *Kant und das Problem der Metaphysik*, in M. Heidegger, *Gesamtausgabe*, I Abt.: *Veroeffentlichen Schriften* (1910-1976), Klostermann, Frankfurt A.M

Heidegger, M., *L'abbandono*, Il Melangolo, Genova 1983

Heidegger, M., *La questione della tecnica*, in *Saggi e discorsi*, Mursia, Milano 2007.

Heidegger, M., *Prolegomena zur Geschichte des Zeitbegreiffs*, Klostermann, Frankfurt am Main, 1975

Heritier, P., *Vico's Scienza Nuova: Sematology and Thirdness in the Law*, in "International Journal of Semiotics and Law", 33, 2020, pp. 1125-1142

Hobbes, T., *De Cive* (1642) – *On the Citizen*, Cambridge University Press: Cambridge 1998

Hoessle, V., *Introduzione a Vico*. Guerini e associati, Milano 1997

Hulsman, L. H.C., Bernat de Celis, J., *Peines Perdues. Le système pénale en question*, Paris, Le Centurion 1982

Illetterati, L., *Figure del Limite. Esperienze e forme della finitezza*, Verifiche, Trento 1996, p.95).

Imparato, E. A., *Common law v civil law. Tra formanti, canoni ermeneutici e giurisprudenza quali contaminazioni?*, in "Federalismi", 4/2016, pp. 2-33

Ingen-Housz, A., *ADR in Business. Practices and Issues across Countries and Cultures*, Kluwer, Dordrecht 2011;

Israel, G., *Il giardino dei noci: incubi postmoderni e tirannia della tecnoscienza*, Cuen, Napoli 1998

Jacobelli Isoldi, A.M., *G.B. Vico, la vita e le opere*, Il Mulino, Bologna, 1960;

Jacobelli Isoldi, A.M., *I limiti della fortuna di Vico nel pensiero contemporaneo*, in "Bollettino del Centro di Studi Vichiani", XXII-XXIII, 1992-1993, pp. 380-381.

Jori, M., *Del diritto inesistente. Saggio di metagiurisprudenza descrittiva*, ETS, Pisa 2010.

Kay Harris, M., *Moving into the New Millennium: Toward a Feminist Vision of Justice*, in "The Prison Journal" 2/1987, pp. 27-38

Kiss, A.L., *Zukunftsmensch" als Homo fabricatus. Bemerkungen über die futuristische Anthropologie von Jean Baudrillard und Peter Sloterdijk*, in "Sythesis Philosophica" 61, 1/2016, pp. 55-64

Kraybill, R. (a cura di), *Peace Skills. Manual for Community Mediators*, Wiley & Songs: Weinheim 2000

Lamacchia, A., *Senso comune e socialità in Giambattista Vico*, Levante Editori, Bari 2001

Lamas, A., *Dialectica y derecho*, in "Circa humana philosophia", 1998, pp. 9-76

Lederach, J. P., *The Moral Imagination. The art & Soul of Building Peace*, Oxford University Press, Oxford 2005.

Lenman, B. – Parker, G. (a cura di), *Crime and the Law: the Social History of Crime in Western Europe since 1500* Europa Publications, London 1979;

Levi, A., *Il diritto naturale nella filosofia di Giambattista Vico*, in *Studi in onore di Biagio Brugi*, Palermo, 1910

Lilla, M., *G. B. Vico, the Making of an anti-modern*, Harvard University Press, Cambridge (MA) 1993

Limone, G., *Fra Grozio e Vico: il problema del "diritto naturale" come tesi rigorosa*, in V. Fiorino – F. Vollhardt (a cura di), *Il diritto naturale della socialità. Tradizioni antiche e antropologia moderna nel XVII secolo*, Giappichelli, Torino 2004, pp. 51-77

Livi, A., *Il senso comune tra razionalismo e scetticismo*, Massimo, Milano 1992

Livi, A., *La Filosofia e la sua Storia*, Dante Alighieri, Città di Castello, 1996

López Bravo, C., *Una reflexión sobre la vigencia del pensamiento viquiano*, in A. de Julios-Campuzano (a cura di), *Constitucionalismo. Un modelo jurídico para la sociedad global*, Thomson Reuters Aranzadi Cizur Menor 2019.

MacCormick, N., *Law, Morality and Positivism*, in N. MacCormick-O. Weinberger, *An Institutional Theory of Law. New Approaches to Legal Positivism*, Reidel, Dordrecht, 1986, p. 128-129;

Malandrino, C., e Ingravalle, F., (a cura di), *Il lessico della Politica di Johannes Althusius*, Olschki, Firenze 2005.

Mannozzi, G., *La giustizia senza spada. Uno studio comparato su giustizia riparativa e mediazione penale*, Giuffré: Milano 2003;

Manzin, M., *Argomentazione giuridica e Dieci riletture sul ragionamento processuale*, Giappichelli, Torino 2014;

Manzin, M., Ordo Juris. *Alle origini del pensiero sistematico*, Franco Angeli, Milano 200

Manzin, M., Puppo, F., Tomasi, S., (a cura di), *Studies in Legal Argumentation 4: Ragione ed Emozione nella decisione giudiziale,* Università di Trento, collana Quaderni, Trento 2021

Manzin, M., *Retorica forense. Argomentazione giuridica e Dieci riletture sul ragionamento processuale*, Giappichelli, Torino 2014

Marcel, G., *L'homme problématique,* Aubier-Montaigne, Paris 1955

Marchetti, A., *Riscoprire Vico. Attualità di una metafisica della storia*, Scienze e Lettere, Roma, 1994

Marshall, L., *The Current State of Vico's Scholarship*, in "Journal of the History of Ideas", Vol. 72, 1/2011, pp. 141–160

Marzano Parisoli, M.M., *Lo ius naturale gentium in Vico: la fondazione metafisica del diritto universale*, in "Rivista internazionale di Filosofia del Diritto", 2000, pp. 59-87

Mazzoleni, E., *Universali fantastici giuridici. Narrazioni normative in Giambattista Vico*, in "Diritto penale e uomo", 25.09.2019, pp. 1-22.

Mazzotta, G., *La nuova mappa del mondo. La filosofia poetica di Giambattista* Vico, Einaudi, Torino 1999

Mazzucato, C., *Appunti per una teoria 'dignitosa' del diritto penale a partire dalla* restorative justice, in "*Dignità e ditito: prospettive interdisciplinari*", pp. 99 – 168

Meijers, M., *Etudes d'histoire du droit*, Universitaire Press Leiden, Leiden 1966

Minda, G., *Teorie postmoderne del diritto,* Il Mulino, Bologna 2001

Mingardo, L., *Osmosi tra ordinamenti giuridico. Un caso per il biodiritto: il giudizio sostitutivo*, in *Positività e Giurisprudenza*, a cura di P. Moro e C. Sarra, FrancoAngeli, Milano 2012

Modica, G., *La filosofia del "senso comune" in Vico*, Sciascia, Caltanissetta-Roma 1983

Montanari, B. (a cura di), *La possibilità impazzita. Esodo dalla modernità*, Giappichelli, Torino 2005

Montano, A., *Storia e convenzione: Vico contra Hobbes, La Città del Sole*, Guida, Napoli 1996

Monteverdi, D., *Vico, Le XII tavole e lo spirito del tempo*, in "Revista General de Derecho Romano", 28/2017, pp. 1-34

Mootz, F. J., *Vico and Imagination: An Ingenious Approach to Educating Lawyers with Semiotic Sensibility*, in "International Journal of Semiotic and Law", 22/2009, pp. 11-22

Morineau, J., *L'esprit de la mediation*, Eres, Toulouse 2010

Moro, P. - Sarra, C., *Introduzione*, in P. Moro - C. Sarra (a cura di) Positività e Giurisprudenza. *Teoria e prassi nella formazione giudiziale del diritto*, FrancoAngeli 2012, pp. 7-14

Moro, P. *Libertà indisponibile. Un percorso critico*, in F. Zanuso, *Custodire il fuoco*, FrancoAngeli, Milano 2013, pp. 121-164

Moro, P., *Alle origini del Nómos nella Grecia classica. Una prospettiva della legge per il presente*, FrancoAngeli, Milano 2014

Moro, P., *Educazione forense. Sul metodo della didattica giuridica*, collana Tigor, Edizioni Università di Trieste, Trieste 2011

Moro, P., *L'essenza della legge. Saggio sul Minosse platonico*, in F. Cavalla (a cura di), *Cultura moderna e interpretazione classica*, Cedam, Padova 1996

Moro, P., *La via della giustizia. Il fondamento dialettico del processo*, Al Segno, Pordenone 2001

Moro, P., *Lo scudo di Achille. Il processo come archetipo di pace*, in "Mediares" 1/2021, pp. 22-46.

Moro, P., *Quis custodiet ipsos custodes? Ripensare la legge nell'epoca del diritto giudiziario*, in P. Moro e C. Sarra (a cura di), *Positività e Giurisprudenza. Teoria e prassi nella formazione giudiziale del diritto*, a cura di Milano, FrancoAngeli 2012, pp. 16-48

Moro, P., Sarra, C., (a cura di), *Tecnodiritto. Temi e problemi di informatica e robotica giuridica*, FrancoAngeli, Milano 2017

Morrison, C., *Vico's Doctrine of the Natural Law of the Gentes*, in "Journal of the History of Philosophy" 16/1978, pp. 47–60;

Murari, A., *Introduzione*, in G.B. *Vico, Metafisica e Metodo*, Bompiani, Milano 2008, pp. 7-47

Nocilla, D., *A proposito di 'diritto vivente'*, in «Giurisprudenza Costituzionale» 1981

Noreau, P., *L'innovation sociale et le droit. Est-ce bien compatible?*, in P. Noreau, *Le developpement au rythme de l'innovation*, Presses de l'Universitè du Quebec, Quebec 2004, pp. 73-106

Nussbaum, M.C., *Upheavals of Thoughts: the Intelligence of Emotions*, Cambridge University Press, Cambridge 2001

Opocher, E., *Il diritto nell'esperienza pratica: la processualità del diritto*, in E. Opocher, *Lezioni di Filosofia del Diritto*, Cedam, Padova 1983, pp. 285 e ss.

Orestano, N., *Introduzione allo studio del diritto romano*, Il Mulino, Bologna, 1987

Ost, F., *Mosè, Eschilo, Sofocle. All'origine dell'immaginario giuridico*, Il Mulino, Bologna 2007

Paci, E., *Ingens Sylva*, Giuffrè, Milano 1949

Palazzani, L. (a cura di), *Filosofia del Diritto e Secolarizzazione. Percorsi, profili, itinerari*, Edizioni Studium, Roma 2011

Pasini, D., *Diritto, società e Stato in Vico*, Jovene, Napoli 1970

Pattaro, E., *Opinio Iuris. Il diritto è una opinione. Chi ne ha i mezzi ce la impone*, in E. Pattaro, *Lezioni di filosofia del diritto*, Giappichelli, Torino 2011

Pavlich, G., *Ethics, Universal Principles and Restorative Justice*, in G. Johnstone – D.W. Van Ness (a cura di), *Handbook of Restorative Justice*, Willan Publishing, Cullompton, pp. 615 – 627

Pavlich, G., *Governing Paradoxes of Restorative Justice*, Glass House Press, London 2007

Pecilli, D., *Diritto e religione nel pensiero di G. B. Vico*, in "Rivista Internazionale di Filosofia del diritto", 1952, pp. 715-736

Pedrazza Gorlero, M., *L'ordine frattalico delle fonti del diritto*, Cedam: Padova 2012

Pelikan, C., *The Place of Restorative Justice in Society: Making Sense of Developments in Time and Space*, in R. Mackay – M. Bošnjak – J. Deklerck – C. Pelikan – B. van Stokkom and M. Wright (a cura di), *Images of Restorative Justice Theory*, Verlag für Polizeiwissenschaft, Frankfurt am Main, pp. 35 – 55

Perelman, C., Olbrechts-Tyteca, L., *Traité de l'argumentation: La nouvelle rhétorique*, Paris: Presses Universitaires de France, 1958

Pèrez Luno, E., *Giambattista Vico y el actual debate sobra la argomentacion juridica*, in "Cuadernos sobre Vico", 5-6, 1995-1996

Pino, G., *Il positivismo giuridico di fronte allo Stato costituzionale*, in "Analisi del diritto" 1998, pp. 203-227

Piovani, P., *"Ex legislatione philosophia", sopra un tema di Vico*, in *La filosofia del diritto come scienza filosofica*, Milano, 1963

Piovani, P., *Giusnaturalismo ed etica moderna*, Laterza, Bari, 1961

Piovani, P., *La dialettica del vero e del certo nella "metafisica vichiana" di Santino Caramella*, in *Miscellanea di scritti filosofici in memoria di S. Caramella*, Accademia di Scienze, Lettere e Belle Arti di Palermo, Palermo, 1974, pp. 252-262

Piovani, P., *La filosofia nuova di Vico*, a cura di F. Tessitore, Morano, Napoli 1990

Piovani, P., *Pensiero e società in Vico, in Giambattista Vico nel centenario della nascita*, ESI, Napoli 1971, pp. 127 e ss.

Piro, F., *I presupposti teologici del giusnaturalismo moderno nella percezione di Vico*, in "Bollettino del Centro di Studi Vichiani", XXX, 2000, pp. 125-149

Pollock, F., *The History of the Law of Nature*, in Id., *Jurisprudence and Legal Essays*, Routledge, London, 1961

Pompa, L., *Giambattista Vico: studio sulla 'Scienza Nuova'*, Armando: Roma 1977

Pompa, L., *La funcion del legislador en Giambattista Vico*, in *Cuadernos sobre Vico*, 5-6/1995-1996, pp. 139-153

Pompa, L., *Vico: A Study of the New Science*, Cambridge University Press, Cambridge 1975

Possenti, V., *L'uomo postmoderno. Tecnica, religione e politica*, Marietti, Milano 2009

Pound, R., *The Causes of Popular Dissatisfaction with the Administration of Justice*, in "Journal of American Judicature Society", 1937, 20 e ss.

Ratzinger, J., *Lectio Doctoralis*, in *Per il diritto. Omaggio a Joseph Ratzinger e Sergio Cotta*, Giappichelli, Torino

Ratzinger, J., *Introduzione al Cristianesimo. Lezioni sul Simbolo Apostolico*, Morcelliana, Brescia 2003

Rech, W., *History of Normativity: Vico's Natural Law of Nations'*, in "Journal of the History of International Law", 17/2015, pp. 147-169

Reggio, F., Rizzotto, M., *Quando i Greci si chiamavano Yona. L'hapax indo-greco dalle origini all'akmè con Menandro Soter. Riflessioni storiche, sociologiche e politico-giuridiche*, in "Calumet – intercultural law and humanities review", 1/2020, pp. 11-56;

Reggio, F., *Alcune considerazioni su vero storico, vero poetico, scelta e argomentazione in margine al* "De bello Dacico", in M. Rizzotto, *Le Guerre*

Daciche (Commentarii de bello Dacico), Primiceri ed., Padova 2020, pp. 3-13;

Reggio, F., *Concordare la norma. Gli strumenti consensuali di soluzione della controversia in ambito civile: una prospettiva filosofico-metodologica*, Cleup, Padova 2017

Reggio, F., *Custodire. Consegnare. Trasmettere. Riflessioni introduttive al "la storia di Babilionia di Beroso"*, in Beroso, *Storia di Babilonia* (Βαβυλωνιακά), *Seguita dai frammenti de L'Astronomia*, a cura di Mirko Rizzotto, Primiceri, Padova 2021, pp. 9-16;

Reggio, F., *Frontiere. Tre itinerari biogiuridici*, Primiceri Editore, Padova 2018

Reggio, F., *Giustizia Dialogica, Luci & Ombre della Restorative Justice*, FrancoAngeli, Milano 2010

Reggio, F., *Il contributo di una prospettiva artistica alla trasformazione dei conflitti: suggestioni e riflessioni in margine alle proposte di tre Maestri del Peacebuilding*, in "Mediares" 1/2021, pp. 73-102

Reggio, F., *L'inattuale urgente. Un protrettico al* De Legibus *di Cicerone*, in M. T. Cicerone, *Sulle leggi*, testo latino con traduzione a fronte e introduzione a cura di M. Rizzotto, Primiceri, Padova 2021, pp. I-XIV.

Reggio, F., *La 'krisis' del coronavirus. Una sfida inattesa per l'essere umano e le società contemporanee. Considerazioni filosofico-giuridiche*, in "Calumet. intercultural law and humanities review" 1/2020, pp. 119-142

Reggio, F., *La filosofia giuridica di Vico nella lettura di Giovanni Ambrosetti*, in "Rivista Internazionale di Filosofia del Diritto", 03/2005, pp. 461-480

Reggio, F., *La pax attraverso il pactum. Note a margine della figura di Pietro Patrizio, negoziatore di età giustinianea*, in M. Antonazzi – P. Betti (a cura di), *Negoziatori Italiani. Analisi tecnica di negoziati efficaci*, Eurilink, Roma 2021, pp. 233-268

Reggio, F., *'Norma del caso' e soluzioni concordate della controversia in ambito civile. Alcune riflessioni su una 'zona limite' della positività giuridica*, in P. Moro

- C. Sarra, *Positività e Giurisprudenza. Teoria e prassi nella formazione giudiziale del diritto*, FrancoAngeli, Milano 2012, pp. 217-251

Reggio, F., *Pacta pacis causa. Alcune considerazioni filosofico-giuridiche su diritto e negozialità in margine alla figura di Pietro Patrizio*, in Pietro Patrizio, *Storia*, a cura di M. Rizzotto, Primiceri, Padova 2021, pp. 3-19;

Reggio, F., *The broken tablets of Moses and the Exodus from post-modernity. On Rethinking the Role and the Rule of Law in a Dialogical Way*, in I. Aertsen – B. Pali, *Critical Restorative Justice*, Hart-Bloomsbury, Oxford 2017, pp. 259-281

Reggio, F., *Una riflessione si concetti vicini di 'pena e 'penitenza'*, in F. Zanuso – S. Fuselli (a cura di), *Ripensare la pena. Teorie e problemi nella riflessione moderna*, Cedam, Padova 2004, pp. 253-295

Reggio, F., *When Dionysos met the Buddha. A Reading on Interculturality, Identity and Globalization at the Crossroad between India and Late-Hellenism: Sociological and Legal-Philosophical Implications*, in I. Zarzosang Varte (ed.), *Society, Culture, Environment and Human Security: Rediscovering Northeast India*, indigeNE, Department of Tribal Studies Indira Gandhi National Tribal University - Regional Campus, Manipur (India) 2020, pp. 1-20;

Repetto, G., *Il metodo comparativo in Vico e il diritto costituzionale europeo*, in "Rivista critica del diritto privato", 2/2009, pp. 295-334.

Resta, E., *Diritto Vivente*, Laterza, Roma-Bari 2008

Ricca, M., *Perpetually Astride Eden's Boundaries: the Limits to the "Limits of Law" and the Semiotic Inconsistency of "Legal Enclosures"*, in "International Journal of Semiotics and Law", 1/2020, pp. 1-51.

Rigotti, E., *Whether and how Classical Topics can be Revived within Contemporary Argumentation Theory*, in F. Van Eemeren - B. Garssen (a cura di), *Pondering on Problems of Argumentation*, Springer, London 2009, pp. 157-178

Rojas, R. M., *Las contraddiciones del derecho penal*, Ad Hoc, Buenos Aires 2000

Rommen, H., *Die ewige Wiederkehr des Naturrechts*, Koesel, Muenchen 1947

Rossi, P., *Le sterminate antichità e nuovi saggi vichiani*, La Nuova Italia, Firenze, 1999

Rubino Sammartano, M., *Adr, arbitrato, conciliazione*, Il Mulino, Bologna 2007

Ruggiero, R., *Vico tra due 'stagioni costituzionali'*, in "Nuovo Meridionalismo" 1/2015, pp. 24-48

Sabetta, A., *Ciò che rende l'uomo persona. Dall'erramento ferino alla ricostituzione dell'humanitas nella Scienza Nuova di G.B. Vico*, in T. Valentini – A. Velardi (a cura di), *Natura umana, persona, libertà. Prospettive di antropologia filosofica ed orientamenti etico-politici*, LEV, Città del Vaticano 2015, pp. 59-82

Sabetta, A., *L'illuminismo cristiano di Vico. La fonte agostiniana del Diritto Universale*, in "Rassegna di Teologia", 46/2005, pp. 547-585.

Sacchi, O., Verum quia Aequum. *L'equità come paradigma del vero giuridico nella retorica antica, nei giuristi romani e nella 'filosofia del diritto' di G. B. Vico*, in "L'Era di Antigone. Quaderni del Dipartimento di Scienze Giuridiche della Seconda Università degli Studi di Napoli", FrancoAngeli, Milano 2011, pp. 9-54.

Sanna, M., (a cura di), *La Scienza nuova: Le tre edizioni del 1725, 1730 e 1744*, Milano, Bompiani, 2012

Sanna, M., *Vico e lo "scandalo" della "metafisica alla moda" lockiana*, in Bollettino del Centro di Studi Vichiani, 2000, XXX, pp. 31-50

Sarra, C., *Quando i fatti sono discorsi. L'interpretazione conforme nella delimitazione del «reale in quanto opposto al chimerico»*, in *Positività e Giurisprudenza, Teoria e prassi nella formazione giudiziale del diritto*, FrancoAngeli 2012, pp. 85-115

Scarpato, G., *Vico e Rousseau nel Settecento Italiano*, in "Il pensiero politico" 1/2017, pp. 27-58

Scarpelli, U., *Auctoritas non veritas facit legem*, in "Rivista di Filosofia", LXXV, 1984, pp. 29-43

Schiavello, A., Velluzzi, V. (a cura di), *Il positivismo giuridico contemporaneo. Una antologia*, Giappichelli, Torino 2005

Schoereder, J., *Aequitas und Rechtsquellenlehre in der fruehen Neuzeit*, in 'Quaderni Fiorentini" 26/1997

Sellers, M. N. S., *Law, Reason and Emotion*, Cambridge University Press, Cambridge 2017

Shaffer., J.D., *Sensus Communis: Vico, Rhetoric, and the limits of Relativism*, Duke University Press, London, 1990

Slob, W., *Dialogical Rhetoric. An Essay on Truth and Normativity after Postmodernism*, Kluwer, Antwerp 2002

Slob, W., *How to distinguish 'good' and 'bad' arguments. Dialogico-rhetorical normativity*, in "Argumentation" 16/2002 pp. 176-196;

't Hart, A.C., *La metodologia giuridica vichiana*, in "Bollettino del centro di Studi Vichiani", XII-XIII, 1982-1983

't Hart, A.C., *Openbaar ministerie in rechtshandhaving*, Gouda Quint, Arnhem 2004

't Hart, A.C., *Recht als schild van Perseus.* Voordrachten over strafrechtstheorie, Kluwer, Arnhem/Antwerpen 1991

't Hart, A.C., *Recht en Staat in het denken van Giambattista Vico*, Kluwer, Alphen aan den Rijn 1979

Todescan, F., *Introduzione*, in F. Suarez, *Trattato delle Leggi e di Dio Legislatore*, Libro I., a cura di O. De Bertolis, Cedam, Padova, 2008, pp. I – LVI;

Todescan, F., *Le radici teologiche del giusnaturalismo laico*, Milano, Giuffrè 2001

Todescan, F., *Metodo, diritto e politica*, Cedam, Padova 1999

Tommaso, *In decem libros Ethicorum Aristotelis ad Nichomachum expositio*, a cura di R. Spiazzi, Einaudi, Torino 1964

Toulmin, S., *The uses of argument*, Cambridge University Press 1958

Trabant, J., *G. B. Vico. Poetische Charaktere*, De Gruyter, Berlin-Boston 2019.

Treves, R., *Sociologia del diritto*, Einaudi, Torino 1989

Van Svaanigen, R., *Critical Criminology. Visions from Europe*, London, Sage 1998

Varano, V., *La cultura dell'ADR: una comparazione fra modelli*, in "Rivista Critica del Diritto Privato", 2015, pp. 495-536

Vasoli, C., *Vico, Bodin e la topica*, in "*Bollettino del Centro di Studi Vichiani*", IX, 1979, pp. 123-128

Vattimo, G., *Le avventure della differenza. Che cosa significa pensare dopo Nietzsche e Heidegger*, Garzanti, Milano 2001

Velo Dalbrenta, D., *La scienza inquieta. Saggio sull'antropologia criminale di Cesare Lombroso*, Cedam, Padova 2005

Vendemiati, A., *Le ragioni della natura*, in "Oikonomia" 3/2009, p. 21-33

Vendemiati, A., *Universalismo e relativismo nell'etica contemporanea*, Marietti, Genova 2007

Veneziani, M., *Di padre in figlio. Elogio della Tradizione*, Laterza, Bari 2001

Verene, D. P., *Vichian Moral Philosophy: Prudence as Jurisprudence*, in «Chicago-Kent Law Review» 83/2008, p. 1107-1130

Viehweg, T., *Topica e giurisprudenza, tr. it. di* G. Crifò, Giuffrè, Milano 1962

Viehweg, T., *Topik und Jurisprudenz*, C.H. Beck, Muenchen 1963

Villa, V., *Concetto e concezioni di diritto positivo nelle tradizioni teoriche del giuspositivismo*, in G. Zaccaria (a cura di), *Diritto positivo e positività del diritto*, Giappichelli, Torino, 1991, pp. 155-189

Viola, F., Zaccaria, G., *Diritto e Interpretazione*, Laterza, Roma-Bari 1999

Viola, F., *Il diritto come pratica sociale*, Jaca Book, Milano 1990; M. Barberis, *Il diritto come discorso e come comportamento*, Giappichelli, Torino 1990

Voegelin, E., *la Scienza Nuova nella storia del pensiero politico*, Guida, Napoli 1996

Von Gierke, O., *Giovanni Althusius e lo sviluppo storico delle teorie politiche giusnaturalistiche. Contributo alla storia della sistematica del diritto*, Einaudi, Torino 1974

Walgrave, L., *Restorative Justice, Self Interest and Responsible Citizenship*, Willan Publishing: Cullompton-Portland 2008

Walton, D., *Fundamentals of Critical Argumentation*, Cambridge University Press, Cambridge, 2006

Welzel, H., *Diritto naturale e giustizia material*e, Giuffrè, Milano 1965

Wiesnet, E., *Die verratene Versoehnung. Zum Verhaeltnis von Christentum und Strafe*, Patmos Verlag, Duesseldorf 1980

Wright, M., *Justice for Victims and Offenders. A restorative Response to Crime*, Open University Press: Bristol (PA) 1991

Zaccaria, G., *L'arte dell'interpretazione. Saggi sull'ermeneutica giuridica contemporanea*, Cedam: Padova 1990

Zaccaria, G., *La giurisprudenza come fonte del diritto.* Esi, Napoli 2007

Zaccaria, G., *Omaggio ad un Maestro. Ricordo di Enrico Opocher*, Cedam, Padova 2006

Zagrebelsky, G., *La dottrina costituzionale e il diritto vivente*, «Giurisprudenza Costituzionale» 1986, p. 1148

Zanetti, G., *Il rosso e il bianco. Una nota sul ruolo delle emozioni nella 'Scienza Nuova' di Vico* in «Filosofia Politica» XXI, 3/2007, pp. 477-487

Zanetti, G., *Vico eversivo*, Il Mulino, Bologna 2011

Zanetti, G., *Vico, pensatore antimoderno, l'interpretazione di Eric Voegelin*, in Bollettino del Centro di Studi Vichiani, XX, 1990, pp. 185-194

Zanfarino, A., *Il pensiero politico dall'umanesimo all'illuminismo*, Cedam, Padova 1991

Zanuso, F. *A ciascuno suo. Da Immanuel Kant a Norval Morris: oltre la visione moderna della retribuzione*, Cedam, Padova 2000

Zanuso, F., *Autonomia, uguaglianza, utilità. Tre paradossi del razionalismo moderno*, in F. Zanuso (a cura di), *Custodire il Fuoco*, FrancoAngeli, Milano 2013, pp. 15-81

Zanuso, F., *Conflitto e controllo sociale nel pensiero politico-giuridico moderno*, Cleup, Padova 1993

Zanuso, F., Honeste vivere; *la responsabilité et la coexistence des hommes*, in "Diotima" 14/2014, pp. 23-33

Zanuso, F., *In claris non fit interpretatio: las ilusiones del normativismo en la critica del la hermenéutica*, in M. Grande Yanez (a cura di), *Hermenéutica juridica: sobre el alcance de la interpretaciòn en le Derecho*, Comillas, Madrid 2011, pp. 255-275

Zanuso, F., *L'ordine oltre alle norme. L'incauta illusione del normativismo giuridico*, in *Il lascito di Atena. Funzioni, strumenti ed esiti della controversia giuridica*, a cura di F. Zanuso e S. Fuselli, FrancoAngeli, Milano 2011, pp. 39-70

Zanuso, F., *La fragile zattera di Ulisse. Alcune riflessioni sul ruolo della norma positiva nella composizione del conflitto intersoggettivo*, in P. Moro - C. Sarra (a cura di), *Positività e Giurisprudenza*, FrancoAngeli, Milano 2012, pp. 49-84

Zanuso, F., *Les avantages de la justice réparatrice et la saggesse du tribunal de l'Héliée*, in S. Tzitzis (a cura di), *Déviance et délinquances. Approches psycho-sociales et pénales*, Dalloz: Paris 2009, pp. 331-357

Zanuso, F., Neminem Laedere. *Verità e persuasione nel dibattito biogiuridico*, Cedam, Padova 2005

Zehr, H., *Changing Lenses. A new Focus on Crime and Justice, Herald Press*, Scottsdale 1990